SI TU M'AIMAIS VRAIMENT

Ann RULE

SI TU M'AIMAIS VRAIMENT

Traduit de l'américain
par Michel Friedman

Ce livre est paru pour la première fois à New York aux États-Unis, chez Simon & Schuster, sous le titre :
If You Really Loved Me

© Ann Rule
© Éditions Michel Lafon, pour la traduction française, 2000.
7-13, boulevard Paul-Émile Victor - Île de la Jatte
92521 Neuilly-sur-Seine Cedex

Ce livre est dédié à J.D. Newell et C.R. Stackhouse,
deux pères qui prodiguèrent un amour sans limite.

Un enfant qui vit dans un milieu critique apprend à condamner ;
Un enfant qui vit dans un milieu hostile apprend à se battre ;
Un enfant qui vit dans un milieu méprisable apprend à dénigrer ;
Un enfant qui vit dans un milieu honteux apprend la culpabilité ;
Un enfant qui vit dans un milieu tolérant apprend la compréhension ;
Un enfant qui vit dans un milieu juste apprend l'équité ;
Un enfant qui vit dans un milieu bienveillant apprend à s'aimer lui-
[même ;
S'il vit dans un milieu accueillant et amical,
il apprend à trouver la chaleur et l'amour.

Texte anonyme, cité par le district attorney
Jeoffrey Robinson dans son réquisitoire

Prologue

Le phénix est un oiseau mythique d'une incomparable beauté, grand comme un aigle et qui plane triomphalement, une fois ressuscité des cendres de la destruction. Il ne peut être vaincu ni anéanti. Avec son somptueux plumage d'écarlate et d'or, il incarne la résurrection pour nombre de cultures. D'anciens tombeaux égyptiens contiennent des images qui le montrent jaillissant d'un rideau de flammes. Une créature semblable apparaît dans la mythologie orientale et se retrouve dans les armes de souverains britanniques : Élisabeth Ire, Marie Stuart et Jacques Ier.

La renaissance du phénix symbolise la résurrection de l'homme. Au long des âges, il a représenté la force divine, la royauté, la survie envers et contre tout. À maintes reprises, le magnifique oiseau a triomphé de ses ennemis et, toujours intact, s'est envolé des décombres encore ardents.

Et pourtant le phénix n'est qu'un rêve, né d'imaginations et de fantasmes. Il évolue quelque part du côté de la licorne, du centaure, de Pégase et autres créatures inventées par la mythologie. Il n'empêche que, pour beaucoup, l'image du phénix constitue une armure invisible, une issue de secours, une rassurante promesse : quels que soient les péchés commis par un homme, il survivra toujours pour s'envoler loin de ses tourmenteurs.

Il en était ainsi de David Arnold Brown.

PREMIÈRE PARTIE

LE CRIME

1

Longtemps avant que Walt Disney ait vu se réaliser son rêve de Disneyland, le comté d'Orange, en Californie, était un endroit fort prisé. Jaloux de son indépendance, peut-être même un peu querelleur, ce territoire s'était séparé de celui de Los Angeles. La région connue sous l'appellation de vallée de Santa Ana devint alors un comté à part entière, l'un des plus peuplés de Californie. Les orangeraies y fleurissaient, les vignobles s'y épanouissaient, attirant ceux qui venaient dans l'Ouest pour se construire une nouvelle vie. Une certaine défiance n'en opposait pas moins Orange à Los Angeles : ce dernier comté est plus grand, plus pollué, et ses rues sont plus dangereuses. Admirateurs et starlettes, magnats en herbe et vedettes légendaires y affluent, acharnés à chercher célébrité et fortune – du moins à en croire ceux qui vivent plus au sud. À l'inverse, les habitants du comté d'Orange sont jugés collet monté, rétrogrades, voire « ploucs » par certains des citadins plus policés de Los Angeles. Selon ces derniers, le simple fait que Richard Nixon soit né à Yorba Linda, au nord-est dudit comté, expliquerait l'essentiel de ses mésaventures présidentielles.

En fait, Orange est aujourd'hui un comté prospère, très « high tech », qui vote républicain et dont la population en pleine ascension sociale est trop jeune pour pouvoir imaginer de quoi avait l'air cette région au temps où vignes et vergers d'agrumes s'y étendaient à perte de vue. Depuis 1950, les agglomérations ont explosé et, là où il n'y avait guère qu'une quinzaine de milliers d'habitants voilà un demi-siècle, on en recense à présent plus de 250 000. Il reste peu de vraie campagne. Les limites des faubourgs se sont rejointes et les mêmes rues parcourent désormais Anaheim et Santa Ana, Huntington Beach et Irvine ; seuls les changements de couleur de leurs poteaux indicateurs révèlent encore leurs anciennes frontières.

Le comté souffre de l'étroite cohabitation de modes de vie très différents. Les pauvres vivent parmi les riches. Les voisinages se transforment d'un pâté de maisons à un autre. Les pavillons exigus côtoient d'opulentes villas aux jardins fleuris puis de grandes propriétés closes de hauts murs. Capitale du comté, Santa Ana était voilà peu une petite cité coquette et tranquille pour classes moyennes et supérieures ; elle est devenue un fourre-tout.

De jeunes ménages hispaniques promènent au long des rues leurs biens les plus précieux : de beaux bébés et des enfants curieusement emmitouflés contre la chaleur. L'ancien palais de justice, à la façade en briques rouges patinées par le soleil, n'est plus qu'un musée rabougri et anachronique à l'ombre des gratte-ciel de Civic Center Plaza. Les charmants hôtels particuliers d'autrefois, le long de Broadway, hébergent des cabinets d'avocats et des bureaux d'hommes politiques qui créent du mouvement, mais la place est aussi le refuge de SDF, de jeunes toxicos, de misérables retraités et des exclus de toutes générations, attirés par le climat tempéré, ou par des raisons moins raisonnables. Leurs chariots, débordant de leurs piteux trésors, restent alignés sur l'esplanade du tribunal.

Des rodéos de stock-car se jouent presque chaque jour à Santa Ana et de délicieux petits parcs y retentissent de courses et de poursuites jusqu'à des heures avancées de la nuit. Les boutiques de fournitures automobiles sont régulièrement pillées par des amateurs trop enthousiastes. Mais d'autres jardins publics demeurent paisibles.

Il peut faire bon vivre dans le comté d'Orange. Le revenu annuel moyen des habitants y est proche de 50 000 dollars. Le prix moyen des maisons tourne autour de cinq fois ce prix et le deux pièces cuisine et salle de bains le plus rudimentaire atteint 150 000 dollars.

Le comté embaume l'eucalyptus et l'olivier, la fleur d'oranger, le jasmin, la prune sauvage, la cuisine mexicaine et l'océan Pacifique (quand le vent en vient), l'huile solaire, la sueur des joggers... et les gaz d'échappement des voies express. Les géraniums et les impatiens fleurissent à longueur d'année, tout comme les corolles floues des faux aloès. Les houles violettes des fleurs de jacaranda roulent pendant de longs mois. La bande médiane de chaque autoroute est fleurie de toutes les nuances de lauriers-roses hauts de trois mètres. Des lis jaunes envahissent les trottoirs proches de la maison d'arrêt et l'accès au bureau du coroner ressemble à un jardin empli de fougères arborescentes, de lobélies et de majestueuses hampes bleu ciel.

En 1985, 13 031 décès avaient été enregistrés en ce lieu. Le bureau du coroner avait enquêté sur 6 047 de ces décès et conclu que 112 d'entre eux constituaient des homicides.

L'un de ces homicides survint aux premières heures du 19 mars à Ocean Breeze Drive, à Garden Grove.

Ocean Breeze Drive est une courte rue d'une centaine de mètres, à quelques minutes du siège de la police ; cette charmante artère est mal nommée, car aucune brise océane ne risque d'y souffler, sauf en cas de grosse tempête, le Pacifique se trouvant à une vingtaine de kilomètres de là. Ocean Breeze est prise en sandwich entre Pleasant Place et Jane Street. Elle compte six maisons de chaque côté, toutes construites dans les années 1960 sur de vastes parcelles de terrain. Elles ne diffèrent que par la couleur du crépi et l'aménagement des jardins. Chacune se vendrait à présent au moins 250 000 dollars.

Les soirs de semaine du mois de mars, dans ce quartier et surtout après minuit, étaient généralement bien tranquilles pour la police. L'agent Darrow Halligan, de la police de Garden Grove, approchait de la fin de son service à 3 h 26, ce matin du 19 mars 1985. Après une forte pluie dans la journée, il faisait un temps vif et frais, et Halligan avait allumé le chauffage dans la voiture de patrouille. Vers la fin de ses huit heures de garde, il roulait près de Brookhurst et Lampson Avenue quand un appel radio le dirigea vers le 12 551, Ocean Breeze Drive, pour un « 187 possible » – c'est-à-dire un homicide probable, selon le code radio de la police.

L'agent connaissait bien cette rue, dont l'extrémité nord donnait dans Lampson. Il n'en était qu'à quelques centaines de mètres.

Il n'y avait pas de lampadaires et la rue paraissait très obscure pendant qu'il roulait lentement en braquant son projecteur sur les maisons, pour repérer le 12 551. Les numéros étaient souvent effacés ou dissimulés par des buissons, mais Halligan aperçut finalement celui qu'il cherchait sur un bungalow de brique au crépi vert.

Tout était calme, rien ne semblait justifier un appel pour homicide. Pas de cris, pas de lamentations, personne dans la rue pour lui faire signe. Bizarre ! Peut-être ne s'agissait-il que d'une blague ; en tout cas, « 187 possible » n'est pas un message qu'un flic de Californie aime recevoir, surtout à 3 h 30 du matin et sans renfort en vue. Halligan était arrivé si rapidement que le suspect, s'il y en avait un, risquait d'être encore sur place.

Sa radio crachotait quelques précisions, lui apprenant que la victime devait se trouver dans la maison, blessée par balle. Mais le dispatcheur ne disposait d'aucune autre information, d'aucun signalement :

– Le suspect n'est pas dans la résidence, rapporta le centre de communication. La personne qui nous a alertés reste en ligne avec moi en ce moment même.

– Bon, alors demandez à votre informateur de me rejoindre devant la maison, répondit Halligan avec un certain soulagement.

Aucune lumière ne brillait sur le perron mais les fenêtres de la façade étaient éclairées. Un petit homme corpulent vint ouvrir la porte. Il attendit, sa silhouette dessinée à contre-jour par l'éclairage du living-room.

Halligan dut progresser en solitaire au milieu d'une situation dont il ne savait pas grand-chose. L'homme était manifestement tendu et bouleversé, la figure ruisselante de larmes. Près de lui, une toute jeune femme blonde sanglotait bruyamment en tenant dans ses bras un bébé qui pleurait.

– Je crois que ma femme a été tuée, annonça l'homme en bégayant d'émotion. Elle est dans la chambre. J'ai peur d'aller voir, monsieur l'agent. Pourriez-vous...

Il n'était pas allé voir ? Peut-être s'agissait-il alors d'une fausse alerte, se dit Halligan. Il demanda où était la chambre et l'homme lui désigna le coin sud-ouest de la maison.

Les sanglots de la jeune femme redoublèrent et l'homme parut encore plus effrayé. Halligan n'avait pas le temps de lui demander pourquoi il croyait que sa femme avait été tuée alors qu'il n'était pas allé vérifier. Quelles que fussent ses raisons, le type devenait de plus en plus agité.

– Asseyez-vous là sur ce canapé, tous les deux, ordonna Halligan. Je vais aller inspecter la chambre.

Il suivit la direction indiquée et se trouva d'abord dans un bureau ou une bibliothèque. Il s'éclaira avec sa torche électrique, en avançant vers le fond de la maison. Le couloir, au-delà de ce bureau, était plongé dans l'obscurité. Il balaya le mur du rayon de sa torche, jusqu'à ce qu'il aperçoive une porte entrouverte.

Alors qu'il la poussait de l'épaule, il entendit une sorte de son, un soupir... ou, plutôt, un gargouillis. Il se garda de toucher l'interrupteur, afin de ne pas effacer l'empreinte qui aurait pu s'y trouver. En face de la porte, il distingua un lit. Sa torche se braqua vers un corps allongé, les pieds en direction de la porte.

Halligan avança. Le cône de lumière lui révéla une jeune femme blonde aux cheveux assez longs, la poitrine inondée d'un sang encore liquide. Elle était étendue sur le dos ; le bras droit pendait d'un côté du lit, la main gauche remontée près de son oreille.

Elle n'était sans doute pas morte. Halligan rejetait cette

possibilité parce qu'il entendait encore ce léger bruit de gorge, comme si elle faisait des efforts pour respirer. Il posa le bout de ses doigts sur la carotide mais ne sentit rien, pas le moindre pouls rassurant.

Il se pencha sur la jeune femme, en approchant son oreille gauche du nez de la victime. Il ne sentit pas le moindre souffle. Il regarda si la poitrine se soulevait au rythme d'une respiration quelconque.

Ce n'était pas le cas.

Du sang avait coulé sur les lèvres et le menton de la femme, du sang qui était presque certainement remonté des poumons. Halligan nota que la couverture bleu pâle qui la recouvrait de la taille aux pieds était lisse, bien tendue ; il n'y avait donc pas eu de lutte. Il était tout à fait possible qu'elle n'ait même pas vu une arme à feu braquée à quelques centimètres de ses seins.

D'autres représentants de la police de Garden Grove commencèrent à arriver en même temps que le personnel médical. S'il y avait la moindre chance de sauver la victime, ils devaient agir vite ; la conversation avec le couple toujours assis dans le living-room allait devoir attendre. On apprendrait plus tard quelle était exactement leur parenté avec la victime. L'homme disait qu'elle était sa femme. Il paraissait beaucoup plus âgé qu'elle ; mais, bien sûr, il se trouvait sous l'effet d'une extrême tension. Le chagrin et la peur changent l'aspect des gens.

L'agent Scott Davis, le sergent Dale Farley et Halligan se tenaient autour du lit, sans trop savoir que faire ; l'agent Alan Day et l'auxiliaire Andy Jaunch vinrent les rejoindre pour tenter de détecter un signe de vie chez la victime.

Les policiers devaient prendre une photo de la femme sur le lit ; cela resterait la seule preuve tangible de l'état dans lequel on l'avait découverte. Day avait apporté un appareil à développement instantané et il le tendit à Halligan :

– La lumière n'est pas bonne mais prenez autant de photos que possible avant qu'elle soit déplacée.

Elle paraissait bien jeune et terriblement vulnérable.

Halligan n'eut le temps de prendre que deux clichés. Deux photos d'une jolie jeune femme aux yeux mi-clos, à la figure ensanglantée mais étrangement sereine. Les policiers ne lui attribuaient guère qu'une vingtaine d'années.

Les secouristes Chris Esser et Ruben Ruvalcaba, de la caserne 4 des sapeurs-pompiers de Garden Grove, firent irruption dans la chambre. Ils crurent avoir entendu un râle de la blessée mais il était difficile d'en être sûr. Ils la soulevèrent du lit avec précaution et l'étendirent sur le plancher du bureau voisin, pour tenter une réanimation cardiopulmonaire. Elle portait une courte chemise de nuit noir, blanc et rouge avec des pingouins rieurs, coiffés de chapeaux hauts de forme, qui défilaient sur le devant jusqu'à disparaître dans la tache de sang. Les infirmiers la débarrassèrent de cette nuisette et elle resta nue, à part une paire de petits chaussons bleus en angora.

Ils placèrent la blessée sous perfusion, lui insérèrent une sonde respiratoire et s'appliquèrent à lui comprimer en cadence la cage thoracique pour forcer le cœur à se remettre en mouvement.

Les murs de la pièce étaient couverts de photos de famille. Un immense portrait représentait un homme et une femme visiblement amoureux, au-dessus de la cheminée. Ils avaient l'air d'observer les gens qui s'activaient à leurs pieds. Difficile de dire si la blessée et la jeune femme de la photo étaient la même personne. Il y avait un air de famille, mais la jeune fille qui sanglotait dans le living lui ressemblait tout autant. De plus, la victime d'une blessure par balle ne garde jamais son apparence habituelle. Celle-ci avait le teint blême, les yeux vitreux. L'électrocardiographe portable révélait quelques réactions erratiques à la respiration artificielle, mais aucune pulsation spontanée. Les chances de survie dépendaient désormais de la chirurgie, mais les infirmiers n'osaient déplacer la victime avant que ses fonctions ne se stabilisent.

Maintenant, il y avait foule dans la maison. Farley plaça l'agent Jaunch en faction devant la porte d'entrée pour maintenir l'ordre et noter les heures d'arrivée et de départ de tout le personnel. Davis et Day furent chargés de séparer l'homme et la jeune fille, qui attendaient dans le living-room, et de procéder à un interrogatoire préliminaire.

Halligan eut enfin le temps d'explorer la chambre du regard. Un revolver avec un barillet de deux pouces gisait sur le tapis, entre le lit et la porte du couloir, mais personne ne savait encore si c'était l'arme du crime. Il le laissa là, en attendant l'arrivée des enquêteurs de la criminelle. Pour la première fois, il remarqua une seconde porte dans le fond, sans doute celle de la salle de bains. Il la poussa avec curiosité, s'attendant presque à trouver quelqu'un de caché.

Personne.

Pour tous les policiers du monde, il existe un ordre des priorités à respecter, la première étant que la vie doit être sauvegardée à n'importe quel prix. Le maintien de l'ordre et l'arrestation des coupables ne viennent qu'ensuite. Le temps restait figé dans le petit bureau où les secouristes s'acharnaient. Finalement, la victime fut transportée dans une ambulance et conduite, toutes sirènes hurlantes, à l'hôpital de Fountain Valley. L'ambulance était pleine de personnel médical. Il ne restait plus de place pour Halligan, et Farley lui conseilla de suivre avec sa voiture de patrouille et de rester auprès de la victime pendant qu'elle serait soignée aux urgences.

Le docteur Michael Safavian était de service aux premières heures de la matinée. Quand l'ambulance arriva, il lui suffit d'un regard pour comprendre que seul un traitement radical pourrait ranimer la victime.

À 4 h 05, Safavian et son équipe se mirent au travail. L'air ne pouvait plus pénétrer dans le poumon droit de la jeune femme, bloqué par des caillots. Le chirurgien y inséra une sonde pour pratiquer une ponction et permettre au sang de s'écouler et de libérer le passage de l'air. En même temps, il ordonna la transfusion de trois unités de sang.

Aucune réaction.

Halligan regarda le chirurgien recourir à la dernière mesure draconienne. Sans anesthésie – la malheureuse n'en avait pas besoin –, Safavian incisa le côté gauche de la poitrine pour y glisser les mains et tenter un massage cardiaque direct. Mais le muscle resta flasque et inerte sous ses doigts.

À 4 h 26, la victime fut déclarée morte. La cause du décès était flagrante : deux balles dans la poitrine.

Joe Luckey, coroner adjoint du comté d'Orange, arriva à l'hôpital de Fountain Valley à 5 heures du matin. Il y trouva un corps encore tiède et sans aucune trace de rigidité cadavérique ni de lividité.

Il récapitula ce qui avait été pratiqué aux urgences : des relevés des écrans de contrôle, une sonde pectorale à droite, une incision suturée à gauche, des électrocardiogrammes. Il plaça dans des sacs en papier la nuisette ensanglantée et les chaussons d'angora bleu, une bague de fiançailles et un bracelet d'or. Au cas où des traces quelconques auraient pu servir de pièces à conviction sous les ongles de la victime, il lui enveloppa aussi les mains dans des sacs.

La morte fut alors provisoirement identifiée sous le nom de Linda Marie Brown, vingt-trois ans, et poussée vers la sortie arrière du bureau du coroner. Au passage du chariot devant la porte, une balance précisa qu'elle pesait 57 kilos.

Moins de deux heures après l'appel téléphonique, Linda Brown reposait sur une étagère de la chambre froide, en attendant son autopsie.

Tout avait donc commencé comme n'importe quelle enquête pour homicide. Un être humain qui avait été bien vivant était à présent mort de la main d'un assassin. L'enquête s'annonçait plus difficile quand la victime mourait chez elle, où elle avait eu toutes les raisons de se croire en sécurité. Pour l'instant, les policiers de Garden Grove n'avaient entrebâillé qu'un minuscule judas dans le mur entourant la vie privée des habitants du 12 551, Ocean Breeze Drive. De nombreuses questions appelaient encore leurs réponses et, avec un peu de chance, la vérité finirait par en émerger. Dans ce cas particulier, cependant, il allait falloir du temps.

Beaucoup, beaucoup de temps.

2

L'inspecteur Fred McLean, de la brigade criminelle de Garden Grove, dormait profondément vers 4 h 30, dans la matinée du 19 mars 1985. Mais pour lui, après dix-huit ans et demi dans la police, la sonnerie de son téléphone en pleine nuit n'avait plus rien d'insolite. Comme d'habitude, McLean fut instantanément bien réveillé. C'était devenu une seconde nature. Sa carrière l'obligeait à s'occuper de toutes les conséquences des émotions humaines, des aberrations et des erreurs de jugement qui aboutissent trop souvent à une mort violente. Une nuit de sommeil ininterrompu lui paraissait un luxe rare.

Le lieutenant Larry Hodges, l'officier de permanence, était au bout du fil, pour dire à McLean de se rendre au 12 551, Ocean Breeze Drive : on le chargeait de l'enquête sur le meurtre par balles d'une jeune femme qui venait d'être déclarée morte à l'hôpital de Fountain Valley. Les officiers de police appelés sur les lieux durant l'heure précédente avaient déjà procédé aux interrogatoires préliminaires des occupants de la maison, qu'ils avaient encerclée de l'habituel cordon.

McLean passa d'abord au siège de la police de Garden Grove, dans Acacia Parkway, pour y prendre le détective Steve Sanders ainsi qu'une trousse de l'identité judiciaire. Il nota que le sergent John Woods et l'adjoint Bill « Bugs » Morrissey avaient été également tirés du lit et se préparaient à se rendre sur les lieux du crime. Il faisait encore nuit noire quand ils arrivèrent devant la maison d'Ocean Breeze Drive.

La rue grouillait de leurs collègues. L'agent Andy Jaunch prit bonne note de l'heure et des noms des deux nouveaux arrivants quand Sanders et McLean pénétrèrent dans le living-room brillamment éclairé.

La pièce était encombrée de meubles qui paraissaient tout neufs. On avait l'impression que quelqu'un s'était rendu dans un centre commercial pour y dévaliser tous les rayons d'ameublement, de jouets et de vidéo. Il y avait là deux canapés de style colonial américain, recouverts d'un tissu beige à bouquets de fleurs marron, deux fauteuils assortis, deux sièges à bascule – dont un d'enfant –, deux tablettes d'érable, un parc rempli de jouets, un trotteur à bébé du genre youpala, une table basse, de nombreuses lampes aux abat-jour encore enveloppés de plastique transparent, un grand ensemble télévision vidéo avec de multiples télécommandes répandues un peu partout à portée de main, ainsi qu'un râtelier alignant six fusils contre le mur. Le mobilier était de bonne qualité, solide mais banal et beaucoup trop envahissant pour une pièce relativement exiguë.

En plus, toutes les surfaces planes étaient surchargées de bric-à-brac. On voyait bien quelques bibelots d'un goût acceptable, comme une petite pendule de cuivre et un vase en cristal taillé, mais l'essentiel faisait plutôt penser à des lots de fête foraine. Une lampe pendule sur un socle de plastique avec des palmes métalliques vibrantes, en particulier, aurait pu être gagnée dans un stand de tir.

Aux murs comme sur les tables, des photos de famille, des tableaux représentant des licornes ; et des licornes en céramique sur les étagères. Ce living-room était un invraisemblable fouillis, mais bien entretenu ; la moquette marron avait été passée à l'aspirateur, les meubles époussetés, les murs repeints de frais. Les personnes qui l'avaient décoré s'étaient attachées à conserver à cet ensemble une dominante de couleurs beige et marron, avec quelques touches de jaune.

C'était malgré tout une pièce accueillante. L'événement qui avait justifié l'arrivée de la police en pleine nuit n'avait pas atteint cette partie de la maison. McLean jeta un coup d'œil autour de lui et remarqua une paire de pantoufles d'homme devant un des fauteuils, des Reebok de femme au milieu du tapis, un châle à impressions en zigzag jeté en travers d'un grand fauteuil à bascule. Et un biberon aux deux tiers vide sur la tablette d'un lampadaire.

La télévision marchait sans le son. Il nota distraitement qu'elle était réglée sur la chaîne MTV, où les Cars chantaient *Why Can't I Have You ?*. Il examina ensuite la gravure d'un navire à voiles en pleine tempête, dans un cadre au-dessus de la cheminée, et résuma inconsciemment ce que lui suggérait cette pièce : ses occupants avaient assez d'argent ou de crédit pour s'acheter ce qui leur faisait envie. Il se demanda pourquoi tout avait l'air flambant neuf. On avait l'impression d'un foyer dénué de tout passé, qui venait de surgir en bloc de la pénombre. Combien de familles peuvent se permettre de remplacer de la sorte, d'un coup, tous les meubles, tous les objets, toutes les lampes ?

Le reste de la maison était à l'avenant. Un bref coup d'œil persuada McLean que cette famille ne se privait de rien, sur le plan matériel. Les trois chambres à coucher et les deux salles de bains, toutes les pièces sans exception, étaient meublées de neuf. Et encombrées. Là où une commode aurait suffi, il y en avait deux, voire trois. Des meubles, des jouets, des bibelots dans tous les coins, à croire qu'on avait donné à des adolescents assez d'argent pour acheter tout ce qu'ils voyaient.

McLean passa de la cuisine dans le petit office qui servait de lingerie. Sur le séchoir, il trouva un verre vide et trois petits flacons à comprimés, vides eux aussi, posés sur le côté, débouchés. Il lut les étiquettes avant de les ranger dans des sachets pour pièces à conviction, qu'il parapha. Le premier flacon avait contenu du Darvocet-N, 100 mg, n° 60, prescrit le 28 novembre 1984 ; le deuxième, du Dyazide-100, prescrit le 29 juin 1982 ; et le troisième, encore du Darvocet-100 n° 28, prescrit le 24 novembre 1983.

McLean n'était pas expert en pharmacie mais, quelles que fussent les propriétés de ces médicaments, la personne qui les avait pris avait dû en avaler de sacrées doses. Et puis de tels flacons n'avaient pas à se trouver dans une lingerie.

McLean souleva le verre pour le placer dans un petit sac et l'étiqueter ; il restait une goutte de liquide incolore au fond, sans doute de l'eau. C'était un de ces verres cadeaux que distribuent les fast-foods, un verre *Star Trek*, à l'effigie d'un des méchants de la série télévisée, lord Kruge. Le policier examina avec curiosité le dessin du personnage furieux, aux cheveux noirs, raides et clairsemés, avec une moustache et des joues grêlées. Il ressemblait de manière assez frappante à l'homme qui fumait cigarette sur cigarette dans le living.

Quand il y retourna, le sergent Farley l'informa en même temps que Steve Sanders de ce qu'il avait appris. Ce n'était pas grand-chose. La jeune femme qui venait de mourir se nommait Linda Marie Brown, et l'homme sur le canapé était son mari. Elle avait été tuée vers minuit alors qu'elle était couchée dans la chambre principale. L'arme probable du crime était encore sur le tapis.

— Qui se trouvait là ? interrogea McLean.

Farley désigna d'un geste l'homme nerveux :

— Le mari était sorti dans la soirée et il est rentré après la fusillade. C'est lui qui a appelé la police. La petite blonde avec le bébé s'appelle Patricia Bailey. Elle n'a que dix-sept ans...

— Le bébé est à elle ?

— Non. C'est celui de l'homme, David Brown, et de la victime, Linda Brown.

— Personne d'autre ?

— Si : Cinnamon.

— Qui est-ce ?

— Cinnamon Brown a quatorze ans. C'est la fille d'un premier lit de M. Brown. Ils pensent que c'est elle qui a fait le coup.

— Qui pense ça ? demanda McLean.

Farley inclina la tête en direction du canapé.

— Lui. Et Patricia Bailey. Cinnamon a disparu.

Le sergent expliqua que Patricia avait déclaré à l'agent

Scott Davis qu'elle croyait avoir aperçu Cinnamon après les coups de feu et qu'une personne lui ressemblant était sortie par la porte de derrière. Davis et Farley avaient fouillé la maison, le garage attenant, le jardin, une petite caravane-remorque qui y stationnait et même le chenil, sans trouver la moindre trace de suspects ni de Cinnamon Brown.

McLean retourna dans la chambre sud-ouest, réfléchissant à ce qu'il venait d'apprendre. Il appartenait à la brigade criminelle depuis assez longtemps pour savoir que tout était possible. Mais tout de même ! Les filles de quatorze ans se servent rarement d'une arme à feu. Si cette gosse avait tué Linda Brown comme ça, qu'avait-il bien pu se passer pour la pousser jusque-là ?

À moins que Patricia Bailey se soit trompée ? Elle paraissait à présent au bord de la crise de nerfs ; il était fort possible qu'elle ne sache pas elle-même qui elle avait aperçu alors que des coups de feu venaient de retentir dans la maison obscure.

L'arme était là où le tireur l'avait apparemment jetée. Un Smith & Wesson chromé de calibre 38. Sans y toucher, McLean put voir qu'il était chargé de balles à pointes argentées et qu'il en manquait deux ou trois dans le barillet.

Il appartenait à Bill Morrissey de s'occuper de tels indices en tant que technicien de lieu du crime. McLean avait assez à faire avec les « aspects humains ». Il demanda à Alan Day et à Andy Jaunch de dessiner un relevé de la scène. Darrow Halligan, revenu de l'hôpital après avoir suivi les vains efforts pour ranimer la victime, fut envoyé faire du porte-à-porte dans la rue, pour vérifier si des voisins auraient vu ou entendu quoi que ce soit d'insolite au cours de la nuit.

Un semblant d'ordre commençait à remplacer le chaos. Tous les enquêteurs étaient maintenant au travail, chacun accomplissant sa mission.

Il n'était plus nécessaire de se dépêcher.

Les policiers savaient désormais que deux adultes, deux adolescentes et un bébé avaient vécu dans cette maison aux premières heures de la matinée, apparemment en famille – mais leurs liens de parenté n'étaient pas encore très clairs.

Linda Brown était morte. Cinnamon Brown avait disparu. Patricia Bailey sanglotait dans la salle à manger avec le bébé de Linda dans ses bras. David Brown allait fréquemment aux toilettes, grillait cigarette sur cigarette et déambulait de long en large, chagrin et anxiété sur le visage.

L'agent Scott Davis envoya par radio un avis de recherche concernant Cinnamon Brown. Patricia Bailey pensait qu'elle était en survêtement. Cheveux châtains, yeux bruns, environ 1,55 m et 55 kilos.

David Brown, tremblant de nervosité, aspira une longue bouffée de fumée et écrasa une cigarette à moitié consumée dans un cendrier, en attendant d'être interrogé par Fred McLean. Il venait de perdre sa femme, et sa fille avait disparu. Qu'était-il arrivé à sa famille ?

McLean l'observa. On lui aurait presque donné la cinquantaine alors qu'il n'avait que trente-deux ans, selon ses premières réponses à Day. Par acquit de conscience, McLean lui demanda sa date de naissance : « Le 16 novembre 1952 », répondit-il.

Cela faisait bien trente-deux ans en mars 1985. Il n'était pas grand, moins de 1,70 m, et plutôt bedonnant. Son teint et sa stature étaient ceux d'un homme qui ne faisait guère de sport et ne sortait pas beaucoup. Cheveux bruns, ternes et clairsemés, les yeux d'un curieux mélange de couleurs ; sa figure marquée par des traces d'acné luisait de transpiration et ses mains tremblaient alors qu'il allumait une nouvelle cigarette.

À première vue, David Arnold Brown avait l'air d'un homme sans ressort, un homme brisé par la mort violente de son épouse. Accablé, il voûtait ses épaules étroites, mais sa voix surprenait : c'était celle d'un présentateur de radio ou de télévision, une voix de baryton assez grave, et il répondit aux questions de McLean avec autant d'aisance que d'autorité. Nullement imprécis à propos de ce qui s'était passé, il semblait avoir accepté le fait que sa fille était l'assassin. Il répéta à McLean la succession d'événements qu'il avait déjà racontée à Day, en y ajoutant par-ci par-là une bribe d'information ou une spéculation personnelle.

Il ne paraissait pas étonné que Cinnamon se fût livrée à un acte d'une telle cruauté. C'était presque comme s'il avait vu le drame arriver et n'avait pu l'éviter. Avec résolution, il essayait maintenant de raccorder les morceaux de sa vie brisée et la tension était atroce :

– J'ai mal à la tête, murmura-t-il à McLean.

– Vous voulez de l'aspirine ?

– Non... ce n'est pas la peine.

McLean poussa Brown à retracer ses dernières vingt-quatre heures. Il semblait évident que le témoin consacrait l'essentiel de son temps au travail, et la totalité de ses loisirs à sa famille. Il vivait avec sa jeune femme Linda, leur petite fille de huit mois, Krystal, et la jeune sœur de Linda, Patricia Bailey, dix-sept ans. Il expliqua que son épouse et lui avaient recueilli la jeune fille pour la soustraire à une mère alcoolique.

– Et Cinnamon ?

– Sa mère et moi avons divorcé il y a dix ans. Depuis, Cinny fait la navette entre nous. Cette fois, elle était ici depuis la rentrée.

David Brown se décrivait lui-même comme un père déchiré entre sa femme et son bébé d'un côté et sa fille de l'autre. Le portrait qu'il brossait de Cinnamon était celui d'une adolescente révoltée qui ne s'intégrait pas dans la famille et résistait au père qui voulait la faire soigner :

– Je lui ai parlé, je lui ai conseillé de voir un spécialiste, mais elle a menacé de se suicider si je la forçais à consulter un psy...

– S'est-il passé quelque chose de particulier aujourd'hui, ou plutôt hier, qui aurait pu provoquer cette situation ?

Brown secoua lentement la tête, tout en prenant une nouvelle cigarette. Il rapporta que ses parents, Manuela et Arthur Brown, qui vivaient habituellement à Carson, étaient venus passer la journée chez eux. C'était un lundi, mais ça n'avait guère d'importance puisqu'il était le patron de sa propre entreprise, Data Recovery : il commercialisait le procédé de récupération de données informatiques qu'il avait personnellement inventé. Il expliqua qu'il ne travaillait que pour un petit nombre de gros clients :

– Linda et moi menions toute l'affaire à nous deux. Les téléphones n'arrêtaient pas de sonner...

Il gardait donc la liberté d'organiser à son gré ses heures de travail, de prendre un congé en semaine pour compenser un week-end au bureau. Ce lundi, ils avaient tous projeté d'aller pique-niquer dans le désert, mais la pluie avait contrecarré leurs plans.

McLean remarqua que Brown se rappelait avec une extrême précision certains menus détails mais que d'autres demeuraient beaucoup plus flous. C'était là l'effet habituel d'un état de choc.

La famille avait donc passé ce lundi à la maison à jouer aux cartes. Cela leur arrivait souvent, mais, cette fois, Linda n'avait pas voulu y participer :

– Elle était de mauvaise humeur, se souvenait-il. Cinny a joué à peu près la moitié d'une partie et puis elle s'en est allée ; elle a dû retourner à la caravane.

– La caravane ?

David Brown expliqua que sa fille logeait à bord de leur remorque de vacances depuis environ trois semaines. Cela venait de problèmes entre elle et Linda : une quinzaine de jours plus tôt, sa femme avait fichu Cinnamon à la porte de la maison.

– Elles ne s'entendaient pas, reconnut-il en soupirant. Il y avait constamment des disputes entre elles. J'en ai parlé à Brenda, ma première épouse, la mère de Cinny, pour qu'elle reprenne la petite. Mais, finalement, nous avons décidé d'un compromis, en l'installant dans la caravane. Elle avait aussi des difficultés au collège, alors je lui ai fait quitter Bolsa Grande, à Garden Grove, pour l'inscrire au cours Loara, à Anaheim.

Brown ajouta que Cinnamon refusait d'aider aux corvées ménagères et s'entendait d'autant moins avec Patti, la jeune sœur de Linda. Mais Cinnamon revenait quand même dans la maison pour prendre ses repas et regarder la télévision. Elle n'était donc pas complètement bannie.

Lorsque McLean lui demanda de reconstituer les événements de la veille au soir, Brown fit un visible effort de mémoire. Il avait eu rendez-vous chez son chiropracteur en fin d'après-midi et il y était allé avec Cinny et Patti. Tous trois avaient eu un accident de la route quelques mois plus tôt et se faisaient soigner par le même praticien. Sur le chemin du retour, Cinnamon s'en était prise à Patti, « en la traitant très mal »...

La journée de Brown avait été pas mal perturbée : ses parents étaient encore à la maison, sa femme était « de mauvaise humeur » et il rentrait sous la pluie entre deux adolescentes qui se chamaillaient. Il se rappela s'être arrêté pour acheter des plats préparés : de la cuisine mexicaine pour son père et Cinnamon, et de la pizza pour les autres, afin que tout le monde soit content. Il devait être 18 h 30 lors de leur retour. Ils dînèrent tous et décidèrent de faire une dernière partie de cartes.

Brown avait noté une petite friction entre sa mère et sa femme à propos de l'éducation du bébé : Manuela était de la vieille école qui ne voulait jamais laisser pleurer les enfants, alors que Linda tentait précisément d'apprendre à Krystal à ne plus crier et à avoir des habitudes régulières. Linda avait déjà mal supporté la critique des soins qu'elle donnait à son bébé bien-aimé. Finalement, Manuela avait pris Krystal dans ses bras pour la bercer jusqu'à ce qu'elle s'endorme, et Linda en avait été vexée.

– Mes parents sont partis vers 9 heures du soir, affirma Brown.

Il avait alors remarqué que Cinny était déjà en jogging, son habituelle tenue de nuit.

Il se souvint ensuite avec regret de sa propre dispute avec Linda, à propos du désaccord entre la jeune femme et sa belle-mère. Il ne voulait pas laisser Krystal pleurer et exigeait au contraire que Linda la prenne tout de suite dans ses bras et la console. Ils s'étaient donc querellés et il en avait été bouleversé.

Il se déclara d'une grande sensibilité et souligna que ce petit accrochage avec son épouse l'avait ému. Il en restait encore tout retourné, ce qui était compréhensible puisqu'il s'agissait de sa dernière soirée avec elle.

– Bien sûr, nous nous sommes réconciliés et nous sommes allés au lit ensemble, mais j'étais trop contrarié pour pouvoir dormir.

Son remède contre l'insomnie, expliqua-t-il à McLean, était généralement d'aller faire un tour en voiture. Il s'était donc levé, habillé, et il était sorti pour aller à l'hypermarché ouvert vingt-quatre heures sur vingt-quatre, au coin de Central et de Brookhurst, pas très loin de chez lui. Il y avait pris une boisson et de la tarte aux pommes.

– Et puis j'y suis retourné pour acheter trois ou quatre magazines de bandes dessinées. Le vendeur a dû trouver ça bizarre, un adulte qui achetait des bandes dessinées.

McLean ne fit aucune réflexion à ce sujet. Les questions littéraires étaient, pour l'heure, le cadet de ses soucis.

Encore troublé par sa dispute avec Linda, Brown était alors allé à la plage, à la recherche d'un coin tranquille pour réfléchir.

– Je suis passé par un restaurant pour aller aux toilettes, mais je n'y ai rien mangé. La salle était pleine d'Hispaniques. Je me souviens d'une grosse serveuse rousse, aux cheveux frisés, avec des lunettes.

Son absence n'avait guère duré qu'une heure. Ocean Breeze Drive était obscur et calme lorsqu'il avait garé sa Honda dans l'allée du jardin. Il avait encore quelques heures devant lui pour dormir, ses émotions apaisées par l'écho des vagues du Pacifique sur le sable de Newport Beach.

Au lieu d'un sommeil paisible, c'était l'horreur qui l'attendait. Patti Bailey s'était précipitée vers lui, brandissant le bébé :

– Patti tremblait, elle pleurait, elle était comme folle... Elle m'a dit que Cinny avait tenté de la tuer.

3

David Brown dépeignit sa fille comme une enfant difficile, obstinée, refusant catégoriquement toute espèce de conseil et ne s'entendant avec personne. Il donna à Day et à McLean le sentiment d'être un père dépassé par une fille qui non seulement échappait à tout contrôle mais semblait dangereuse.

Néanmoins, il affirmait qu'il n'était pas présent au moment du drame. Il ne constituait donc pas la meilleure source pour apprendre ce qui s'était réellement passé après son départ.

Patricia Bailey, elle, était présente. Elle parla longuement à l'agent Davis, puis à l'inspecteur Sanders, et ne demandait qu'à se confier à Fred McLean, même si l'épreuve de la longue nuit devenait de plus en plus pénible à chaque répétition de son récit.

Elle connaissait David Brown, dit-elle, depuis qu'elle était petite fille. Quand sa sœur et David s'étaient mariés, ils s'étaient installés ensemble à Yorba Linda :

– Nous nous entendions tous très bien, il n'y avait pas de problèmes dans la famille, dit-elle.

Patti Bailey, qui avait dix-sept ans, avait grandi autant entre David et Linda qu'auprès de sa propre mère. Cinnamon était pour elle comme une sœur.

C'était une jeune fille au teint pâle, avec des cheveux blond cendré descendant jusqu'au milieu du dos. Elle n'était pas grande, mais avait des épaules solides, des hanches rondes et des seins bien placés. Elle parlait d'une voix douce, baissant timidement la tête et laissant ses cheveux retomber devant sa figure. On lui donnait plus que son âge, d'autant qu'elle tenait le bébé de sa sœur sur la hanche. Elle avait à présent les yeux rouges et boursouflés par les larmes, et frémissait encore au souvenir de sa terreur.

Elle chercha d'abord à intéresser McLean à la composition peu ordinaire de la maisonnée. Patti rappela que Cinnamon avait déjà vécu avec eux, mais qu'elle était retournée chez sa mère à Anaheim en juin 1984.

– Elle est partie parce qu'elle ne s'entendait ni avec Linda ni avec David. Elle ne faisait que rouspéter constamment à propos du ménage et des corvées domestiques. Je crois qu'elle ne s'entend pas mieux avec sa maman, et ce doit être pour ça qu'elle est revenue parmi nous.

Cette fois, Cinnamon vivait avec eux depuis la rentrée des classes de 1984. Il n'y avait pas de chambre pour elle à Garden Grove, mais Patti acceptait volontiers de partager la sienne.

– Elle ne parlait pas beaucoup, mais on s'entendait assez bien. Enfin, je ne sais pas... Tout de suite après Noël, Cinnamon s'est mise à s'éloigner de la famille. Linda faisait de gros efforts pour être gentille avec elle, mais Cinnamon restait récalcitrante.

Patti raconta que l'adolescente était ensuite devenue taciturne et n'adressait même plus la parole aux membres de la famille :

– C'est en janvier qu'elle a commencé à parler de suicide. Elle disait qu'elle se servirait d'un pistolet. J'ai essayé de la raisonner, de la faire changer d'humeur. Je lui disais que je l'aimais beaucoup, que je l'aimerais toujours. Ça paraissait la réconforter...

L'adolescente que Patricia décrivait aux policiers faisait l'effet d'une jeune personne très perturbée. Cinnamon avait un père qui l'aimait, une belle-mère qui faisait de louables efforts pour l'accepter et une amie qui essayait de l'aider.

– Mais, souligna Patti, rien ne pouvait toucher Cinny.

Les choses avaient empiré en février, au point que Cinnamon était devenue rebelle à l'encontre de Linda et de

David. À la fin de ce mois-là, Linda en avait eu assez et l'avait envoyée vivre dans la caravane du jardin.

Cinnamon était pourtant revenue coucher dans la maison au soir du dimanche 17 mars.

— Elle m'avait demandé si ça ne m'ennuierait pas d'avoir de la compagnie et si elle pourrait dormir sur le lit de camp qui se glisse sous mon lit. Je lui ai dit que ça ne me gênait pas du tout et, franchement, j'ai attendu qu'elle se confie un peu.

Le lundi matin, Cinnamon avait pris le petit déjeuner avec eux tous, sur des plateaux dans le living-room.

— Elle ne nous a pas adressé la parole. Les seuls mots qu'elle a prononcés, c'était pour demander si elle pouvait avoir les deux dernières petites saucisses, et Linda les lui a données.

Ils s'étaient tous relayés pour surveiller Krystal. Ils avaient prévu d'organiser un barbecue dans le désert.

— David a invité Cinnamon à venir avec nous, mais elle n'en avait pas envie. Il a insisté en disant que ce serait une bonne occasion de renouer pour redevenir une famille unie.

Mais il s'était mis à pleuvoir à verse et, quand Manuela et Arthur Brown étaient arrivés, tous avaient renoncé à leur excursion. Ils avaient joué aux cartes presque toute la journée ; Cinnamon s'était fâchée parce qu'elle perdait.

Cela avait été une journée plutôt banale. Patti se rappelait la dispute à propos de Krystal. David était du même avis que ses parents mais il avait fini par s'excuser.

En dépit de son chagrin et de sa frayeur, Patti Bailey avait une mémoire méticuleuse des détails. Elle se souvenait que Cinnamon regardait un film intitulé *Wife for Sale* quand les parents de David étaient partis. Entre 21 heures et 21 h 30, Linda était allée prendre une douche avant de se coucher. Et puis elle était revenue une heure plus tard, pour boire un jus de fruit à la cuisine et avait dit à Cinnamon : « N'oublie pas que tu as classe, demain. » À quoi Cinnamon avait répliqué sèchement : « Je sais. »

— Nous sommes allées nous coucher dans ma chambre,

et David et Linda dans la leur. Mais Cinnamon voulait encore regarder la télévision. Elle avait quelque chose qui n'allait pas et j'ai cru qu'elle voulait en parler. Alors, je suis revenue avec elle dans le living. Il devait être dans les 11 heures et quart, et nous avons regardé MTV, mais elle n'a toujours rien voulu me dire. À minuit moins le quart, fatiguée, je suis retournée me coucher. C'est là qu'elle a eu une réaction bizarre. Elle m'a suivie et m'a dit : « Bon, mais est-ce que tu pourrais me montrer d'abord quelque chose ? »

Patti s'était retournée et avait été suffoquée de voir un petit revolver gris dans la main de Cinny, qui l'avait interrogée sur son fonctionnement.

– Pour quoi faire ? lui avait demandé Patti.

– Juste au cas où...

– Au cas où quoi ?

– Au cas où quelqu'un entrerait par effraction !

– Pas de danger : le système d'alarme marche trop bien, avait rétorqué Patti.

Mais Cinnamon n'avait pas été convaincue. Patti avait pensé qu'elle comptait peut-être coucher dans sa caravane, qui n'était pas protégée par le système en question. Cinnamon était visiblement angoissée, inquiète à l'idée d'un incident éventuel.

– Je lui ai dit que je ne savais pas très bien, que j'avais simplement vu ça à la télé, mais qu'on devait juste pointer l'arme et presser la détente. Elle a fait : « Ah ? OK. Bonne nuit ! »

McLean demanda à Patricia si elle n'avait pas été effrayée en voyant cette arme dans la main de Cinnamon, mais elle secoua la tête : elle n'y avait guère pensé. Les armes à feu n'avaient rien d'extraordinaire dans la famille ; ils allaient souvent s'entraîner au tir dans le désert.

– Je me suis endormie vers minuit, continua Patti. Cinnamon était encore devant la télévision. Je dormais et j'ai été réveillée par un coup de feu. Le bruit était très fort et se répercutait. J'ai regardé du côté de la porte et j'ai vu

Cinnamon debout à côté de mon lit. Puis elle est partie en courant.

Instinctivement, Patti avait alors regardé la pendulette sur sa table de chevet, qui marquait 2 h 23.

Elle avait entendu le bébé hurler. Moins d'une minute plus tard, un deuxième coup de feu avait retenti. Sûre que c'était à l'intérieur de la maison, elle s'était sentie paralysée par la terreur.

Et elle avait entendu une troisième détonation.

Après ce dernier coup de feu, raconta Patti aux policiers, elle était restée couchée, pétrifiée de terreur pendant au moins une minute. Mais Krystal criait dans son berceau.

— J'ai couru à la nursery, j'ai pris le bébé dans mes bras et je suis retournée à toute vitesse dans ma chambre.

— Vous n'avez pas cherché qui aurait pu être blessé dans la maison, ni d'où provenaient ces coups de feu ? Vous n'avez pas cherché Cinnamon ? demanda McLean.

— Non. J'étais en pleine panique. Je n'avais entendu personne quitter la maison. Je pensais que Cinnamon était encore là, qu'elle risquait de tirer sur moi ou sur le bébé. Je n'ai pas de téléphone dans ma chambre, alors je me suis assise par terre, adossée à la porte. Le bébé poussait des hurlements et j'ai fait marcher la radio pour la calmer. Ensuite, j'ai fait les cent pas. Krystal a hurlé jusqu'à 3 heures passées. À ce moment, j'ai entendu frapper à la porte. J'ai cru que c'était Cinnamon et je n'ai pas voulu ouvrir. On a encore frappé discrètement. Alors, je suis descendue dans l'entrée et j'ai écouté. J'ai entendu une clef dans la serrure et j'ai compris que ça ne pouvait être que David ou Linda, parce que Cinnamon n'avait pas de clef...

Les bras chargés du bébé et de son biberon, elle avait couru à la porte, soulagée que quelqu'un arrive pour les sauver.

C'était David.

— Il m'a demandé ce qui se passait et je lui ai dit que j'avais entendu des coups de feu et vu Cinnamon avec une arme. Il s'est exclamé : « Oh... Bon Dieu, non ! »

David l'avait interrogée sur l'endroit où elle avait entendu tirer, mais Patti n'était sûre de rien, le bruit lui avait semblé retentir de partout à la fois.

– Il m'a expliqué que c'était important, que je devais le lui dire. Mais je ne pouvais pas ; tout ce que je savais, c'était que ça s'était passé près de ma chambre, parce que le bruit était assourdissant.

David Brown avait alors fait le tour de toute la maison... à l'exception de la chambre principale. En revenant vers Patti, il lui avait indiqué que tout lui semblait en ordre.

– Tu as regardé dans la chambre de Linda ? avait-elle questionné, et il avait admis que non.

Patti croyait que Cinnamon avait tiré sur Linda et s'était suicidée ensuite.

– J'ai supplié David d'aller voir dans la chambre. Il m'a répondu : « Ne me demande pas ça ! » parce qu'il savait de quoi j'avais peur et qu'il n'avait pas le courage de l'affronter.

Pendant un instant, le visage de Fred McLean trahit sans doute son étonnement, car Patti lui expliqua sur un ton presque désinvolte que David Brown ne supportait pas la vue du sang : tous ceux qui le connaissaient le savaient...

– Mais je l'ai encore supplié d'aller voir, pour qu'on sache au moins ce qui s'était passé.

David Brown semblait avoir encore plus peur qu'elle, si c'était possible. Il lui avait avoué qu'il était incapable de supporter ce qu'il risquait de découvrir.

– Il m'a envoyée dehors à la recherche de Cinnamon...

Patti avait alors parcouru le jardin avec le bébé dans ses bras, mais sans trouver Cinnamon, ni dans la caravane ni plus loin, parmi les taillis où la lumière de la cuisine ne parvenait pas.

– Quand je suis rentrée, David était au téléphone. Il parlait à son père. Il lui demandait ce qu'il devait faire, il lui disait de venir, ajoutait qu'il avait besoin d'aide. Je suppose que grand-papa Brown lui a conseillé de raccrocher et d'appeler la police, parce que c'est ce que David a fait.

Patti avait entendu frapper doucement à la porte d'entrée, à deux reprises. David Brown affirmait de son côté qu'il n'avait jamais frappé, que l'idée ne lui en serait jamais venue puisqu'il possédait sa clef. Il disait qu'il branchait toujours le système d'alarme, mais qu'aucune alarme n'avait retenti dans la nuit. Le système en question était contrôlé à la fois par une clef et par un code. Comment Cinnamon était-elle donc parvenue à sortir de la maison sans le déclencher ? Et si Brown avait oublié de le brancher, comment expliquer une telle négligence ? Il disait qu'il veillait « religieusement » à la sécurité. Mais il était parti à la plage en laissant sa femme, son bébé, sa fille adolescente et sa jeune belle-sœur sans protection.

McLean réfléchit au tragique concours de circonstances qui avait rendu cette maison vulnérable au moment même où elle avait le plus grand besoin de protection. Brown paraissait accablé par la perte de sa femme et se reprochait d'avoir peut-être oublié de brancher l'alarme. Il répétait cependant qu'il était alors extrêmement agité, perturbé par les disputes de la journée. Cela pouvait expliquer une négligence en cette nuit fatale.

Le policier examina Patricia Bailey. Il était évident qu'elle avait une confiance totale en David Brown et qu'elle n'était pas choquée par le fait qu'il manquait de courage au point de refuser d'aller vérifier comment allait son épouse.

Par simple routine, le sergent John Woods et Bill Morrissey effectuèrent des tests pour détecter d'éventuelles traces de poudre sur les mains de Patricia comme sur celles de David. Le lieutenant Davis demanda à Patti si elle avait touché le petit revolver chromé au moment où Cinnamon lui avait demandé comment tirer, et elle assura que non.

– Quand vous êtes-vous servie pour la dernière fois d'une arme à feu ? lui demanda Davis pendant que Woods badigeonnait les doigts, la paume et le revers des mains de la jeune fille avec des Coton-tige que Morrissey rangeait ensuite dans de petits flacons en plastique.

– Il y a plus d'un an.

Alors que les enquêteurs de la brigade criminelle de Garden Grove s'efforçaient de reconstituer les événements ayant abouti à l'assassinat de Linda Marie Brown, des unités de patrouille de la région cherchaient Cinnamon Brown. Son père avait donné aux agents l'adresse de sa mère. Il s'était creusé la cervelle pour tenter de se remémorer les divers endroits où sa fille aurait pu se réfugier. Elle n'avait plus le revolver et n'était donc probablement plus armée, pour autant qu'on pouvait le savoir. Mais personne n'avait jamais soupçonné qu'elle pouvait haïr sa belle-mère au point de vouloir la tuer. Si elle était aussi déséquilibrée que la décrivaient son père et Patti, elle risquait de se révéler très dangereuse pour quiconque chercherait à l'appréhender.

Patti avait fréquenté avec Cinnamon le collège de Bolsa Grande et elle donna aux policiers les noms de quelques-unes de leurs camarades, non sans souligner que Cinnamon parlait moins volontiers à des personnes réelles qu'à des amis imaginaires, qu'elle baptisait parfois Maynard, Oscar ou Tante Bertha.

– Des fois, quand j'entrais dans une pièce, je la surprenais en train de leur parler à voix haute.

Cela pouvait expliquer l'énigme d'une fille de quatorze ans capable de tuer sa belle-mère dans son sommeil. Cinnamon Brown vivait peut-être avec ses amis invisibles dans un univers de fantasmes. Apparemment, elle n'adressait la parole à personne d'autre, à moins de s'y trouver contrainte. Schizophrénie de l'adolescence ?

Aucun des enquêteurs n'avait encore rencontré Cinnamon Brown. Ils n'avaient aucun moyen de juger ce qu'avaient pu être ses mobiles.

Ils ne pouvaient même pas être certains que Cinnamon était bien une meurtrière. Pour ce qu'ils en savaient, elle pouvait tout autant se révéler une victime. Il était normal pour eux de mettre en doute ce qui paraissait évident. Dans une enquête pour homicide, plus que dans toute autre mission policière, rien ne devrait jamais être pris pour argent comptant.

Patti Bailey avait fourni à la police les noms de leurs

amies Krista Taber, Jamie et Joanie, mais elle ignorait si Cinnamon avait pu chercher refuge chez elles.

L'inspecteur Steve Sanders se souvint d'une plainte pour attentat à la pudeur, déposée par Cinnamon Brown en octobre 1984, contre un exhibitionniste qui l'avait harcelée. Il demanda qu'on lui communique le rapport sur cet incident, pour y chercher le nom de témoins éventuels. Il y en avait un, une jeune fille nommée Rebecca, qui avait entendu Cinnamon pousser un cri et l'avait vue fuir.

Dès 5 heures du matin, le téléphone sonna chez les amies répertoriées. Cinnamon se trouvait-elle dans les parages ? Avait-on reçu de ses nouvelles ? Où pouvait-elle être ?

Nul n'en avait la moindre idée. On ne tarda pas à vérifier que Cinnamon avait peu d'amis. À en croire sa meilleure camarade, elle n'encourageait pas le copinage ; chez elle, personne ne la poussait non plus à nouer des relations.

– Elle était souvent en retenue à la maison, déclara Krista Taber aux policiers qui l'interrogèrent. Au moindre prétexte, son père lui interdisait de sortir. Elle n'avait pas le droit de donner son adresse et la plupart des gens ne connaissaient même pas son numéro de téléphone. Ça fait plus d'une semaine que je n'ai aucune nouvelle d'elle, sans doute parce qu'elle était encore punie.

D'autres lycéennes contactées par les policiers dirent qu'elles connaissaient à peine Cinnamon Brown. Elles étaient incapables d'imaginer que la jeune fille viendrait leur demander de l'aide si elle avait des ennuis.

Krista, la seule avec qui Cinnamon partageait quelques secrets, nia vigoureusement que la jeune fille disparue ait eu un amoureux.

Bizarre... Car Patti Bailey, pour sa part, faisait allusion à un garçon plus âgé que Cinnamon, mais dont elle affirmait ignorer le vrai nom. Elle disait ne le connaître que sous le surnom de Steely Dan.

Le quartier général de Garden Grove lança une recherche sous ce nom dans son ordinateur et retrouva une affaire où une autre lycéenne avait été molestée par un homme de vingt-trois ans appelé Steely. Nous la rebaptiserons Jamie

Guiterrez. Elle vivait dans Juno Avenue à Anaheim, la rue où habitait la mère de Cinnamon.

Woods et Sanders s'y rendirent. Le scénario ne manquait pas de vraisemblance : une adolescente amoureuse d'un homme de neuf ans plus âgé qu'elle, mécontente d'avoir été consignée à domicile, ne pouvait-elle être assez furieuse pour tuer ? Si elle avait abattu sa belle-mère, peut-être avait-elle couru se réfugier auprès de son flirt.

Les agents qui avaient fait du porte-à-porte le long d'Ocean Breeze Drive n'avaient trouvé aucun témoin, à l'exception d'une famille interrogée par Darrow Halligan. Alvin Sugarman habitait en face de chez les Brown, un peu en diagonale ; il avait entendu quelque chose de lourd cogner contre son garage, entre 3 heures et 3 h 30, ce matin-là. Le bruit avait été assez fort pour le tirer d'un profond sommeil. Il était allé voir mais n'avait découvert personne ni constaté le moindre dégât.

Halligan et Sugarman avaient fait le tour de la propriété, en éclairant le jardin avec une torche, sans plus de succès. Le choc contre le garage attenant avait donné l'impression que quelque chose – ou quelqu'un – était tombé contre le mur. Cela ouvrait la possibilité qu'une cause extérieure ait provoqué le drame chez les Brown. Un individu rôdant dans le quartier, qui aurait vu David partir en voiture après minuit, aurait pu pénétrer dans la maison où les jeunes femmes dormaient seules.

À moins que quelqu'un n'ait heurté exprès le garage de Sugarman justement pour accréditer une telle idée...

4

Si la majorité des habitants d'Ocean Breeze Drive avaient dormi d'une traite dans la nuit du 18 au 19 mars, la liste des personnes qui avaient accompli des allées et venues autour du n° 12 551, liste établie par l'agent Andy Jaunch, n'en était pas moins longue. Le grand-père Arthur Brown, soixante-cinq ans, personnage nerveux au crâne dégarni, ainsi que sa femme Manuela, cinquante-neuf ans, étaient arrivés précipitamment de leur domicile de Carson après l'appel de leur fils. Deux infirmiers et six pompiers ambulanciers d'une équipe médicale d'urgence avaient ensuite précédé ou suivi sur place neuf enquêteurs.

La chambre fatale avait pourtant pris des allures de sanctuaire : depuis que la victime avait été emportée, le lieu du crime restait protégé. Le revolver demeurait sur la descente de lit, à côté d'un coussin marron et d'une pile de serviettes humides. Bill Morrissey collectait les indices en se désintéressant délibérément des interrogatoires, des larmes et de toutes les émotions qui envahissaient cette maison, comme le nuage de fumée de cigarette.

La vie de Linda Marie Brown était devenue une affaire portant un matricule : 85-11 342. À côté du Smith & Wesson, Morrissey laissa un rectangle de papier blanc marqué de ses initiales, avec la date et le numéro de série de l'arme : R 304 915.

Il photographia tout ce qu'il y avait dans la chambre. Selon un adage immuable, dans toute enquête criminelle, on est certain de ne jamais plus retrouver pareille chance, car l'endroit ne sera plus semblable. Les photos, les croquis, les mesures, les notes recréaient des dizaines de théâtres de crimes dans la mémoire de Morrissey et dans ses dossiers. Quand il allait quitter cette chambre et cette maison, il en connaîtrait le moindre centimètre carré, mieux que sa propre demeure. Dans un mois, dans un an, voire une décennie, il resterait capable de reconstituer tout ce qu'il avait découvert sur place.

Morrissey était un homme sec et nerveux dont le visage et l'attitude ne reflétaient nullement son sens de l'humour. Ses boutades surprenaient toujours. En fait, pour le moment, il n'avait guère matière à plaisanter. Il travaillait encore alors que les premières lueurs de l'aube commençaient déjà à poindre, mais il ne disposait d'aucun moyen de voir que le jour se levait derrière les stores baissés et les doubles rideaux fermés.

En bon spécialiste, il nota que les pieds du meuble de télévision reposaient sur quatre boîtes de conserve destinées à rehausser l'écran, de manière qu'on pût le regarder plus confortablement. À défaut d'être bricoleur, David Brown ne devait pas manquer d'astuce.

Le policier jeta un coup d'œil aux cassettes vidéo rangées à côté du poste. Apparemment, rien d'érotique, de classiques spectacles familiaux : *La Guerre des étoiles, Poltergeist*, et pas mal d'autres films fantastiques, d'histoires de fantômes. Appareil photo en main, il fit le tour de la pièce en prenant cliché sur cliché : les secrets des gens peuvent parfois être trahis par des objets très ordinaires.

Il était facile de deviner que la victime avait dormi du côté gauche du lit. La table du chevet portait le gadget indispensable à la plupart des mères : un récepteur d'ondes courtes relié à la chambre du bébé pour en surveiller le moindre bruit. À côté, une photo de nourrisson dans un cadre de céramique, près d'une lampe fragile en opaline et de cigarettes dont le coffret voisinait avec une brochure intitulée *Comment s'arrêter de fumer* ; une bouteille à moitié vide et un téléphone à amplificateur. Au-dessus, un

43

poster représentait un arc-en-ciel couronnant un poème dont le premier vers commençait par : « Un ami est... »

La dame devait être sentimentale.

Le grand lit en fer était peint en blanc. Flambant neuf, bien sûr, comme le reste. On ne voyait pas de sang sur les draps. La victime avait beaucoup saigné, mais souffert surtout d'hémorragies internes.

Sur l'autre table de chevet, un second téléphone à ampli, deux cendriers pleins, une boîte de mouchoirs en papier, la télécommande de la télévision et de la vidéo. Par terre, un sac en papier débordait de Kleenex usagés, à côté d'une corbeille décorée d'un chat Garfield particulièrement ricanant.

Les occupants avaient des goûts de collectionneurs. Outre les images de Garfield et d'arcs-en-ciel répandues un peu partout, quelqu'un avait accumulé des licornes et des aigles auprès de statuettes d'autres oiseaux ; peut-être quelqu'un d'autre avait-il manifesté un goût persistant pour les poupées de luxe.

Les photos du côté ouest de la pièce indiquaient qu'une personne au moins se croyait de santé fragile. Les tiroirs de sa commode regorgeaient de boîtes et de flacons de médicaments, de sirops contre la toux, d'élixir parégorique, de vitamines, les uns délivrés sur ordonnance, les autres en vente libre pour combattre la bronchite ou l'emphysème. Paradoxalement, il y avait aussi des cigarettes, des boîtes de cigares d'importation et des briquets.

Un déclic de l'appareil photo, puis un autre : une montre Rolex, une croix en or massif avec sa chaîne, de grosses chevalières en or, incrustées de diamants. Dans le cadre d'un miroir ovale trônait le portrait d'une jeune femme assise sur le canapé du living-room, en robe de chambre blanche, berçant un nouveau-né. Morrissey se dit que ce devait être la victime, à peine quelques mois plus tôt, photographiée avec sa petite fille à laquelle elle souriait, l'air radieuse.

Sur la commode, un bloc-notes, un bipeur, des Post-It roses imprimés « rappeler, important » ou « rappeler » tout court. Au milieu du fatras, deux cartes de vœux : l'une dédiée « à mon papa » ; l'autre, géante, rouge, noir et or, proclamant : « Cette carte ne peut être lue que par... le plus merveilleux papa au monde. »

Pendant que Morrissey concentrait son objectif dans la chambre jaune, Andy Jaunch et Alan Day relevaient les plans de toutes les pièces de la maison, mesuraient, dessinaient des croquis pour compléter les photographies.

David Brown et Patti Bailey, figés dans le living, attendaient de partir, de s'en aller ailleurs. De temps en temps, Patti arpentait distraitement le tapis avec Krystal dans les bras, en murmurant des mots tendres au bébé. Finalement, Arthur et Manuela Brown emmenèrent l'enfant chez eux, à Carson.

Dans la rue, les policiers de Garden Grove guettaient une adolescente en survêtement ou un assassin en cavale.

Au cours de leurs investigations dans la maison et le jardin, Dale Farley et Scott Davis avaient rencontré un certain nombre de chiens. Un chiot d'une race naine se trouvait à l'intérieur de la caravane exiguë où Cinnamon avait habité au milieu d'un capharnaüm de vêtements, de livres, de disques, de poupées et de couvertures dont certaines jonchaient le plancher qui se couvrait à vive allure d'excréments du petit chien.

– Qu'est-ce que nous allons faire de cette bestiole dans la caravane ? demanda Davis à Farley.

– Mettons-la pour le moment avec les autres, dans l'enclos derrière le garage.

Fred McLean rejoignit les agents dans le jardin, curieux de voir cette fameuse remorque. Davis ramassa le chiot et l'emporta vers le fond du jardin obscur, où un grillage entourait une espèce de chenil.

McLean fit le tour de la maison, en quête de traces d'effraction. Toutes les portes et fenêtres étaient bien closes. Il examina les rebords de fenêtres, pour voir si la poussière y avait été dérangée ou si un quelconque outil y avait laissé une marque. Rien. Il inspecta ensuite la caravane et le garage, mais n'y détecta rien d'intéressant.

Si David Brown avait été tellement bouleversé en quittant la maison qu'il avait oublié de brancher le système d'alarme, avait-il oublié aussi de fermer les portes à clef ? Cette question n'avait pas d'importance au cas où la jeune Cinnamon serait l'assassin. Mais, si un inconnu s'était introduit dans la maison, l'absence de toute effraction devenait troublante.

Pour l'instant, le policier n'était pas convaincu de l'identité de la meurtrière. Il continuait à partir du principe que rien ne pouvait être tenu pour acquis.

Quand il arriva au petit enclos des chiens, dans le fond du jardin, il faisait déjà grand jour. Le soleil du mardi s'était levé, mais il faisait encore frais. On entendait le bruit des premières voitures matinales qui rejoignaient la voie express. Il jeta un coup d'œil à sa montre : 6 h 50.

Distraitement, McLean observa les quatre bêtes qui aboyaient dans leur enclos : deux cockers blonds, un loulou de Poméranie blanc et le chiot de la caravane, si menu qu'il était en train de se faufiler à travers une brèche voisine de la porte du grillage. Les autres jappaient de plus belle en courant en tous sens. Ces animaux appartenaient tous à des races très nerveuses et ils n'auraient pas manqué de réveiller le quartier si un inconnu était venu rôder dans les parages.

Les niches, peintes en rouge, s'adossaient au garage. Au-delà, on voyait une pile de bûches et, à côté, une cuvette vide. McLean ramassa le chiot et enjamba la barrière pour le remettre à l'intérieur.

Une fois là, il se tourna vers les niches et ressentit une curieuse prémonition. La plus grande n'était pas vide. Il s'accroupit pour regarder.

Quelqu'un était pelotonné à l'intérieur. Une petite créature humaine y gisait, recroquevillée autour de sa tête baissée. De longs cheveux bruns lui masquaient le visage :

– Cinnamon ? murmura McLean. Cinnamon ?

Il se rapprocha. Le soleil ne filtrait pas encore à travers l'épaisse végétation et les arbres qui ombrageaient le chenil.

Tout à coup, la silhouette blottie dans la pénombre s'agita

légèrement et marmonna quelques mots que le policier ne comprit pas. Elle était vivante.

Il allongea le bras et une petite main saisit la sienne. Gauchement, ankylosée d'être restée longtemps prostrée, une jeune fille s'extirpa de la niche.

McLean l'examina à la lueur du jour. C'était bien Cinnamon. Il avait vu des photos d'elle dans la maison. Elle était vêtue d'un jogging maculé de vomissures rougeâtres et d'urine.

Tout en la soutenant, le policier se pencha et constata que le plancher de la niche était couvert de déjections, au milieu desquelles surnageaient quelques gélules orangées.

Cinnamon Brown était une petite adolescente, encore potelée comme un bébé. Muette, elle se cramponnait à McLean, un parfait inconnu, comme à un sauveteur. Il paraissait évident qu'elle était malade, transie et ensommeillée. Elle ne correspondait guère à la créature sauvage et à moitié folle qu'on lui avait décrite.

McLean la tint par la main pour la mener vers une voiture de patrouille et dit à Davis de la conduire immédiatement au siège de la police.

Elle ne ressemblait pas du tout à ce qu'il avait cru. Pourtant, il avait arrêté bon nombre de tueurs au cours de sa carrière. Il savait donc mieux que personne que, dans son métier, les choses étaient rarement ce qu'elles avaient l'air d'être. N'empêche que cette adolescente restée recluse pendant une nuit glaciale au milieu des ordures était la suspecte la plus pathétique qu'il eût jamais rencontrée.

Sans prendre garde à l'odeur qui le contaminait, McLean déroula le morceau de carton rose que Cinnamon étreignait dans sa main droite quand il l'avait fait sortir de la niche. Pour le lui arracher, il lui avait fallu lui desserrer les doigts de force. Il dénoua la faveur mauve qui entourait le rouleau et distingua quelques mots, gribouillés par une laborieuse écriture enfantine :

« Mon Dieu, je vous en supplie, pardonnez-moi. Je ne voulais pas lui faire de mal. »

5

Longtemps avant d'arriver à Anaheim, Woods et Sanders apprirent par la radio de leur voiture qu'ils pouvaient cesser de rechercher Cinnamon.

— Nous tenons la jeune suspecte, leur expliqua Davis. Je vais la conduire chez nous. Ma montre indique 7 h 16 et je quitte en ce moment la maison d'Ocean Breeze...

Il précisa aussi la position de son compteur kilométrique, car les règlements de la police américaine imposent qu'aucune personne de sexe féminin ne soit jamais véhiculée seule par un agent masculin sans que ce dernier rende compte de la durée et de la longueur du trajet.

Sanders et Woods firent demi-tour et se dirigèrent vers l'hôtel de police de Garden Grove. Ils reconnurent bientôt la voiture de patrouille de Davis qui roulait devant eux et finirent par arriver tous ensemble.

Cinnamon Brown fut d'abord conduite dans une salle de garde à vue du rez-de-chaussée.

— Vous vous souvenez de moi ? lui demanda Steve Sanders.

— Oui, répondit-elle en relevant la tête

— Pouvez-vous rappeler où nous nous sommes rencontrés ?

— L'automne dernier, à Bolsa Grande. C'est vous qui êtes venu quand j'avais vu ce... sale type !

C'était exact. Elle avait une mine affreuse et une odeur pire encore, mais elle gardait la tête assez claire pour se souvenir d'un flic qu'elle n'avait vu qu'une fois, cinq mois plus tôt.

— J'ai horriblement mal au crâne, murmura-t-elle. Et j'ai peur d'avoir encore envie de rendre...

On lui tendit précipitamment une corbeille à papier, dans laquelle elle régurgita des matières orangées. Woods la soumit ensuite au test révélant si elle s'était servie d'une arme à feu. Ses Coton-tige allaient rejoindre ceux de Patti et de David au laboratoire.

Sanders demanda à Halligan et à Davis si, comme l'exige la procédure, on avait lu ses droits à la jeune fille.

— Non, nous ne l'avons pas interrogée jusqu'ici : nous ne lui avons même pas du tout parlé.

À 7 h 20, des auxiliaires médicaux examinèrent Cinnamon. Ils lui trouvèrent un pouls normal, une tension légèrement faible et des pupilles lentes à réagir à la lumière, mais qui n'impliquaient pas un danger immédiat. Ses vomissements avaient dû débarrasser son organisme des produits toxiques qu'elle avait avalés.

— On sait au juste ce qu'elle a pris ?

— Non. McLean l'a simplement trouvée comme ça.

— Dans ce cas, il vaut mieux la faire examiner par un toubib.

En attendant, elle répondit aux infirmiers qu'elle avait ingurgité le contenu de trois petits flacons de gélules – dont au moins un de tranquillisants délivrés exclusivement sur ordonnance – et qu'elle s'était mise à rendre dès qu'elle était arrivée dans la niche.

— Quand avez-vous pris ces cachets ?

— Vers 2 heures et demie, je crois. Ou 3 heures. Je suis fatiguée, j'ai mal à la tête et des vertiges, bredouilla-t-elle. Est-ce que papa va bien ?

Sanders réprima un haut-le-corps. Cette gosse était malade comme une bête et elle s'inquiétait pour son père plus que pour elle-même. Il choisit ses mots avec soin :

— Votre papa va bien et Patti aussi.

— Et Linda ? Comment va Linda ?

Sanders se détourna sans répondre : il n'appartenait qu'à McLean de procéder à l'interrogatoire.

Celui-ci arriva quelques minutes plus tard. Il communiqua aux infirmiers le nom des médicaments qu'il avait placés sous scellés et ils firent la grimace : le Darvocet-N était un analgésique dont leurs ouvrages de référence précisaient que le dosage à 100 mg se présentait bien sous forme de grosses gélules rouge orangé ; le Dyazide était un diurétique, généralement prescrit contre l'hypertension, pour débarrasser les tissus d'un excédent de sécrétions.

McLean hocha la tête quand les infirmiers lui demandèrent si les flacons avaient été vidés. Si la jeune fille avait pris tous les médicaments contenus dans ces flacons, elle devait avoir absorbé quelque 260 gélules. Faute d'avoir vomi, elle serait déjà morte. Mais elle tenait sur ses jambes et elle parlait normalement, ce qui sous-entendait que les flacons n'avaient pas dû être pleins.

Elle continua de se plaindre de nausées et de maux de tête. Des techniciens du labo vinrent effectuer une prise de sang, pour se faire une idée plus précise des concentrations de toxiques dans son organisme. Les infirmiers la gardaient en observation, prêts à l'évacuer vers les urgences hospitalières au premier signe d'aggravation.

Ce mardi à 7 h 30, Steve Sanders demanda à Barbara Gordon, la gardienne-chef du quartier des femmes de la maison d'arrêt, d'accompagner Cinnamon Brown dans une cellule pour qu'elle se change. La jeune fille ôta son sweat-shirt, son pantalon, ses dessous, la fine chaîne d'or avec une étoile qu'elle portait au cou ainsi que ses boucles d'oreilles, et les confia à la gardienne, qui les plaça dans des sachets différents qu'elle étiqueta. Remarquant que Cinnamon avait ses règles, elle lui apporta des tampons et des serviettes. Une fois habillée d'une blouse de prisonnière, l'adolescente fut conduite par Sanders jusqu'à une salle d'interrogatoire, au premier étage. Elle paraissait terriblement fatiguée et son visage était dépourvu de toute expression.

À 8 heures, Fred McLean s'assit à la table, face à l'adolescente qu'il avait tirée de la niche. Il considéra un moment la jeune fille, plutôt jolie avec ses cheveux châtains et une mèche décolorée en travers de la frange. Ses yeux marron étaient si ternes qu'on aurait cru ceux d'une vieille femme. Elle soutint son regard d'un air désespéré.

— Cinnamon, murmura-t-il.

— Oui ?

— Il faut que je vous parle. Je suis Fred McLean, inspecteur de la brigade criminelle de Garden Grove. Et mon collègue est l'agent Sanders, que vous connaissez, je crois ?...

— Oui, je l'ai rencontré au collège.

— Bien. Vous êtes en ce moment au siège de la police de Garden Grove. Savez-vous pourquoi vous êtes ici ?

— Parce que j'ai fait du mal à Linda...

— Parce que vous avez fait du mal à Linda, répéta McLean. Comment avez-vous fait du mal à Linda ?

— Je lui ai tiré dessus.

— Bon, Cinnamon, il faut que je vous lise vos droits.

— Qu'est-ce que ça veut dire ?

— Je dois simplement vous expliquer un certain nombre de choses, après quoi nous pourrons parler. Nous sommes aujourd'hui le mardi 19 mars 1985 et il est 8 heures du matin. Vous vous appelez bien Cinnamon Brown, n'est-ce pas ?

— Oui.

— Cinnamon Darlene Brown... Et vous avez quatorze ans.

— C'est ça, oui.

— Bien. Vous avez été arrêtée...

— Moi ? Arrêtée ? s'écria-t-elle, manifestant pour la première fois une certaine stupéfaction.

— Oui, par moi-même : je vous ai arrêtée à cause de ce que vous avez fait à Linda. Parce que Linda est morte...

— Elle est morte ?

Cinnamon parut sincèrement choquée.

— Oui.

— Oh... non !

— Vous êtes donc accusée de meurtre et nous voulons que vous m'écoutiez, à présent.

McLean mit rapidement Cinnamon au courant de ses droits et les lui expliqua de son mieux. Difficile de dire si l'adolescente était abrutie par les médicaments qu'elle avait avalés ou épuisée par une nuit sans sommeil, mais son attention vacillait. Pourtant, quand McLean lui posait une question, elle répondait vite et intelligemment, sans hésiter.

— En tenant compte des droits que je vous ai expliqués, dit-il enfin, acceptez-vous de me parler de l'accusation de meurtre retenue contre vous, Cinnamon ? Vous avez bien compris que vous n'êtes pas obligée de me parler ?

— Oui.

— Bon. Donc, Cinnamon, vous vivez chez votre père au numéro 12 551 d'Ocean Breeze Drive ?

— Oui, mais nous déménageons souvent.

— Quand êtes-vous venue habiter chez votre père ?

— Le jour de la rentrée des classes.

— Pourquoi ne viviez-vous plus avec votre mère ?

— Parce qu'elle crie trop. Elle me faisait peur.

— Pourquoi votre mère criait-elle contre vous ?

— Parce que je suis une sale môme.

— En quoi êtes-vous une sale môme ?

— Je vais tous les jours à la plage...

— Qu'est-ce que vous faites, à la plage ?

— Je bronze.

— Vous y allez avec quelqu'un ?

— Avec ma meilleure copine, Krista Taber.

McLean ne reconnaissait toujours pas l'adolescente rebelle à laquelle il s'était préparé. Faire l'école buissonnière, ce n'était tout de même pas une infraction grave. Il s'aperçut en outre que Cinnamon menaçait de s'assoupir, qu'elle lui échappait, qu'il devait de plus en plus souvent répéter son nom :

— Cinnamon ! Cinnamon ?

— Quoi ?

— Vous m'entendez ?

— Oui.

— Combien de coups de feu avez-vous tirés ?

Pas de réponse.

— Cinnamon, le revolver, vous rappelez-vous combien de fois vous avez tiré avec ?

— Trois... trois fois. Une fois dans la chambre de Patti... et deux fois sur Linda, dans sa chambre.

— Vous séchez souvent les cours ? demanda McLean pour s'écarter un moment des questions les plus sensibles.

— Seulement l'été. Cette semaine, je n'y suis pas allée, parce que je ne me sentais pas bien. Hier, j'ai commencé à aller mieux, mais...

— Oui, nous savons maintenant pourquoi vous ne vous sentez pas bien. Que s'est-il passé hier ?

Silence.

— Cinnamon ?

— Je suis là.

— Bon. Que s'est-il passé hier entre Linda et vous ?

— Mon père et moi nous entendons assez bien, mais Linda avait dit qu'elle ne voulait plus de moi dans la maison. Alors, on m'a installée dans la caravane, mais ça n'a toujours pas marché. Elle voulait que je m'en aille plus loin. Elle m'a dit : « Si tu n'as pas quitté la maison à mon réveil, je te tuerai ! »

— Linda a dit qu'elle allait vous tuer ?

— Oui. Elle et moi, nous avons eu une grosse dispute et je ne sais pas pourquoi elle a commencé.

— Vous ne savez pas du tout pourquoi il y a eu cette grosse dispute ? Hé, Cinnamon...

— Je suis là... Je ne me sens pas trop bien.

— Pourquoi Linda voulait-elle que vous partiez ?

McLean n'aimait pas s'appesantir. Il n'était nullement heureux de tourmenter cette pitoyable enfant avec ses questions, mais il sentait qu'elle les éludait. Or il lui fallait découvrir le mobile d'un crime aussi insensé.

— Elle en avait assez de moi, elle ne voulait plus me voir. Elle ne m'aime pas, quoi... C'est tout.

— Pourquoi ?

— Probablement parce que je suis la fille de mon papa. Elle doit être jalouse... Je ne sais pas, moi. Nous ne nous sommes jamais entendues... Un jour papa est allé à la poste avec Patti, je suis restée à dessiner dans la chambre de Patti, et Krystal s'étouffait ; alors, tout ce qu'a fait Linda, c'était de demeurer assise là, comme ça. Elle n'essayait même pas d'aider le bébé. Et, quand mon papa rentre à la maison, elle ne lui saute jamais au cou, jamais elle ne lui dit : « Bonjour, mon chéri. » Elle l'ignore. Elle se conduit très bizarrement, tous ces temps-ci.

— Quand Krystal s'est étouffée, est-ce que vous l'avez secourue, vous ?

— Non, mais j'aurais bien voulu... Des fois, elle tape Krystal et ça me met en boule quand papa n'est pas là. Un jour, papa l'a vue faire : elle ne savait pas qu'il était revenu...

— Vous n'aimiez pas qu'elle maltraite le bébé ?

Silence.

— Cinnamon ?

— Je suis là, oui, dit-elle. (Et, dans un souffle, elle chuchota :) Bon Dieu, faites qu'ils ne s'en tirent pas comme ça...

— Eh bien, alors, il faut répondre à mes questions, reprit McLean avec douceur, décontenancé par le décalage entre les réponses et les questions.

— Oui, j'essaie... Mais je ne peux pas garder les yeux ouverts.

— Vous n'avez pas besoin d'avoir les yeux ouverts pour me parler. Je veux simplement que vous vous concentriez sur ce que vous me racontez. Hier, Linda a dit qu'elle vous tuerait si vous ne partiez pas ?

— Oui. C'était la première fois qu'elle me disait ça. Je croyais qu'elle m'aimait. Elle m'a dit qu'elle me détestait, alors, moi, je lui ai dit : d'accord, je te déteste aussi. Et nous avons commencé à nous disputer.

— Linda vous a-t-elle dit pourquoi elle vous détestait ?

— Non, elle n'a pas voulu me le dire.

Cinnamon ne paraissait pas se rendre compte qu'elle se contredisait. McLean devait lui arracher chaque bribe, mais elle ne faisait que répéter que Linda la détestait, qu'elle voulait se débarrasser d'elle, qu'elle était méchante avec le bébé, sans répondre avec précision aux questions précises, notamment au sujet du motif de la dispute.

– Je ne sais plus... Ça venait de petits trucs.

– Quels petits trucs ?

– Hein ?

– Cinnamon ?

– Hein ?

– Cinnamon !

– Euh... Je suis là, oui.

McLean l'interrogea de nouveau sur le revolver et elle se souvint qu'elle avait trouvé l'arme dans un tiroir, dans le bureau de son père, « à la portée de n'importe qui, en cas d'urgence ». Elle affirma qu'elle n'avait demandé à personne la permission de s'en servir.

– J'ai tiré trois balles.

– Trois balles ?

– Oui. La première, dans la chambre avec Patti ; les deux autres, avec... Linda.

– Pourquoi avez-vous tiré dans la chambre de Patti ?

– Le pistolet s'est enrayé, ou quelque chose comme ça... Un truc s'était coincé : le machin qu'on presse, la détente, quoi. Je ne pouvais pas allumer, parce qu'elle l'aurait vu.

– Avez-vous demandé à quelqu'un comment vous servir de l'arme, Cinnamon ?

Silence.

– Cinnamon !

– Hein ? Euh, non... non...

– Cinnamon ?

– Je suis là, oui ! Vous ne pouvez pas arrêter de me crier mon nom ?

McLean comprit qu'il lui restait très peu de temps à passer avec elle. Les questions commençaient à l'irriter, à mesure que le sommeil la gagnait. Oui, assura-t-elle, elle savait bien tirer au pistolet. Ils allaient faire du tir dans le désert...

– Cinnamon ?

– Oui.

– Cinnamon !

– Je suis là...

Mais elle n'y était plus vraiment. Elle grogna qu'ils se servaient d'armes de petit calibre dans la famille, « parce qu'elles ne pouvaient pas faire grand mal ».

– Où alliez-vous tirer, avec ces petites armes ?

– Qu'est-ce que vous voulez dire ?

– Ces petites armes, où alliez-vous tirer avec ?

– Je regardais la télé, et puis... je me suis endormie...

McLean mit fin à l'interrogatoire. Avant de poursuivre, il préférait recevoir les résultats de l'analyse sanguine, savoir quelle quantité de médicaments elle avait ingurgitée. Il observa un moment ses paupières qui se fermaient. Elle lui faisait l'effet d'une très petite fille. Moins de quatorze ans, peut-être même pas douze. Pourtant, elle venait de lui avouer qu'elle avait tiré sur sa belle-mère.

Pour une fois, il regrettait presque d'avoir un suspect.

À 8 h 20, Edith Gwinn, du laboratoire de criminologie, vint effectuer la prise de sang. Pendant les huit minutes suivantes, elle en remplit trois fioles. Cinnamon paraissait être sortie de son état comateux et paraissait un peu effrayée par cet examen qu'elle n'avait encore jamais subi.

À 8 h 40, quand McLean tenta de reprendre l'interrogatoire, son état changea radicalement. Elle avait la tête lourde, son regard devenait vitreux et elle semblait incapable d'articuler une réponse. Il interrompit aussitôt l'entretien pour la remettre entre les mains des auxiliaires médicaux. Ces derniers constatèrent une dangereuse chute de tension et la placèrent aussitôt sous perfusion, avant de la conduire au centre médical de Garden Grove, accompagnée de l'agent Pamela French. Elles n'échangèrent pas un mot pendant le trajet ; Cinnamon paraissait inconsciente.

De 9 heures à midi, Pam French resta avec l'adolescente dans la chambre d'hôpital sans en obtenir de véritable déclaration. Cinnamon bredouillait quelques paroles peu intelligibles, vomissait et somnolait alternativement. Certaines de ses divagations étaient assez claires pour que Pam French en prenne note :

– Pas dormi depuis vingt-quatre heures... Eu accident... Tué ma belle-mère, pas exprès... Voulais pas faire ça...

D'autres phrases demeuraient comme suspendues en l'air :

– Me détestait... Voulait me tuer... Elle voulait me chasser... Pris le revolver... J'étais en colère...

Finalement, Cinnamon se tut, jugulée par l'effet des sédatifs.

Dans la maison d'Ocean Breeze, Morrissey continuait de prendre des photos, de rassembler tout ce qui pourrait servir de pièces à conviction et de relever des plans. McLean l'avait informé que Cinnamon prétendait avoir tiré trois fois, dont deux sur Linda et une première fois dans la chambre de Patti. Patti elle-même déclarait avoir été réveillée par un coup de feu. Morrissey passa donc dans la chambre de Patti, celle de devant.

Ses clichés montrèrent que cette pièce, comme le reste de la maison, était encombrée d'une profusion de meubles neufs. À première vue, c'était une chambre de rêve pour une adolescente. Les murs étaient tapissés d'un papier beige, jaune et marron, tandis qu'un voilage blanc bien amidonné sous une cantonnière de dentelle dissimulait la fenêtre. Le mobilier était en érable massif avec des ferrures de cuivre et le lit à une place du même style que le grand lit de la chambre principale. Draps et couvertures étaient défaits, comme si quelqu'un s'était levé en hâte. Sous le sommier, un lit de camp demeurait plié et n'avait manifestement pas servi.

Patti avait sa propre chaîne stéréo, sa propre télévision. Elle possédait une flopée de poupées et de peluches de collection, dont aucune ne devait coûter moins de 100 dollars. Patti avait aussi des livres, les seuls de la maison à part la Bible et des publications du *Reader's Digest* posées sur l'une des commodes du maître de maison. Ceux de Patti étaient des romans roses, des histoires d'amour.

Non seulement David Brown avait accueilli chez lui la jeune sœur de sa femme, mais il lui avait aménagé une chambre que toute jeune fille aurait enviée. Elle semblait la tenir en ordre, tous ses trésors bien disposés sur des meubles soigneusement cirés.

Morrissey scruta les murs pour chercher un impact de balle et ce fut la seule chose que son objectif ne put enregistrer : les miroirs, la télé, la fenêtre, tout était intact, comme les poupées, les peluches et la grande boîte à bijoux d'où débordaient des chaînes en or.

Juste au-dessus du chevet du lit, une petite niche avec des étagères contenait des oursons et une gravure encadrée représentant un oiseau prenant son essor. Morrissey songea aux volatiles qu'il avait repérés dans le bureau de David : des aigles ? Non, plutôt des phénix.

Morrissey était un homme trop terre à terre pour philosopher à propos d'oiseaux mythiques. Le manque de sommeil lui piquait les yeux et il avait encore des heures à passer sur place. Pour le moment, il voulait surtout en finir avec cette chambre et trouver la balle manquante qui confirmerait que, comme le disait Patti, Cinnamon s'était trouvée là et lui avait tiré dessus.

Alors il la vit. Elle lui avait sauté aux yeux sans qu'il s'en rende compte. Au-dessus du lit, il y avait une tapisserie d'environ un mètre sur un mètre cinquante, le genre de tapisserie vendue sur des éventaires et représentant des tigres jouant avec leurs petits, sur un sol jaune vif, sous des palmiers verts et un ciel rouge.

L'un des fauves avait reçu le projectile en plein cœur.

Morrissey pensa qu'il devait être profondément incrusté dans le mur. Il allait donc falloir décrocher la tapisserie et, si la balle n'était pas écrasée à la surface du mur, démolir la cloison. En fait, il fut relativement facile de scier un grand rectangle dans le plâtre et de l'extraire pour trouver une ogive cabossée de calibre 38.

À part cette balle, la liste des objets significatifs répertoriés par Bill Morrissey comprenait :

– une trousse de tests pour traces de poudre, avec les Coton-tige, des examens effectués sur David Arnold Brown et Patricia Bailey ;

– un revolver Smith & Wesson 38, numéro de série R 304 915, gisant sur le tapis de la chambre principale ;

– un revolver 357 magnum également de Smith & Wesson, mais modèle 19-4 et numéro de série 6F8K783, encore chargé de six balles dans son étui et rangé dans un sac en plastique, dans la chambre principale ;

– une boîte de munitions Winchester 38 Special à pointes d'argent, sous le lit de la chambre principale ;

– une boîte de munitions Winchester 357 magnum à pointe d'argent, sous le lit de la chambre principale ;

– un drap de lit ensanglanté, imprimé de fleurs avec les taies, oreillers et couvertures assorties ;

– un holster de cuir noir Liberty adapté au Smith & Wesson 38, avec pince à ceinture chromée, dans un tiroir de la chambre principale ;

– un verre orné d'un personnage de *Star Trek* ;

– un échantillon d'un liquide incolore dans le verre ;

– trois flacons pharmaceutiques vides ;

– une tapisserie murale décorée de fauves, de 143 x 98 cm.

Tous ces articles formaient des pièces à conviction présentables dans un procès pour meurtre. L'arme du crime, à elle seule, en était une. Mais le reste ?

Les enquêteurs s'attardèrent dans la maison longtemps après le départ, à 7 heures, de David Brown et de Patricia Bailey, partis se réfugier chez Arthur et Manuela Brown, avec tout juste une mallette de changes pour le bébé. Ils disaient ne plus supporter de rester sur le lieu du drame et les policiers étaient soulagés de pouvoir travailler en paix.

Alan Day suggéra à Brown de revenir une heure plus tard, délai au terme duquel il espérait pouvoir lui donner une idée du temps qu'il faudrait avant de libérer les lieux.

Au retour de David et de Patti, Day leur annonça que ses collègues en avaient au moins pour plusieurs heures, voire pour quelques jours. Il leur permit de prendre d'autres bagages, des jouets et des couches, qu'ils chargèrent dans leur fourgonnette.

Brown s'inquiéta de bijoux qu'il avait laissés dans sa chambre et demanda s'il pouvait les récupérer. Day lui répondit que ce n'était pas possible mais lui demanda lesquels il voulait.

– Ma montre-bracelet, une Rolex, et ma croix avec sa chaîne. Je les ai enlevées hier soir et posées sur ma commode.

Day les trouva dans une boîte à bijoux et les rapporta à Brown. Patti et David repartirent.

Quand les enquêteurs auraient fini, Morrissey veillerait à boucler l'entrée de la maison avec un cadenas de la police. Brown lui avait laissé le code du système d'alarme habituel. Il faudrait revenir au moins pour perquisitionner dans la caravane.

Les autres policiers travaillèrent toute la matinée. Claquant au vent de mars, leurs rubans en plastique jaune signalaient aux passants qu'il était survenu là un événement inhabituel. Des voisins s'attroupaient pour regarder, en essayant de se rappeler quelque chose qui aurait laissé présager que tout n'allait pas pour le mieux chez les Brown.

Mais ils avaient du mal à se souvenir du moindre incident. Personne ne connaissait vraiment David et Linda, ni les adolescentes qui vivaient avec le couple. Ils n'étaient que locataires et donnaient l'impression d'une famille réservée, qui n'avait ni le temps ni le goût de bavarder avec autrui. Plus tard, après réflexion, certains voisins allaient trouver d'autres confidences à faire aux journalistes de l'*Orange County Register* et du *Los Angeles Times*. Incités à fouiller au tréfonds de leurs mémoires, ils auraient quelques réminiscences floues.

Quelques heures à peine après le meurtre de Linda Brown, les policiers croyaient déjà savoir qui avait commis le crime. Ils connaissaient même un mobile plausible, bien que simpliste. Ils se doutaient qu'ils ne sauraient peut-être jamais la vraie raison pour laquelle Cinnamon Brown avait tué sa belle-mère. Car leur suspecte avait sombré dans un état d'où elle risquait de ne jamais se réveiller.

6

D'origine à la fois écossaise et allemande, Fred McLean, le teint rubicond et la silhouette encore bien musclée à cinquante-trois ans, était un fervent de jogging. Il commençait chaque journée par une bonne course d'une dizaine de kilomètres. C'était prévisible chez un ancien marine de carrière, converti en flic à l'apparence dure et taciturne, mais au cœur tendre quand son armure tombait.

– Mes parents sont arrivés à Los Angeles dans les années 1930, pour chercher de l'or ; ils y ont trouvé la Grande Dépression et je suis né dans un hôpital de l'Armée du Salut. À Wellington, dans le Kansas, mon grand-père maternel, immigré germanique, possédait la moitié des commerces de la ville et avait un contrat avec les Chemins de Fer de Santa Fe pour la réfrigération de leurs wagons de primeurs. Quand l'aventure de mes parents s'est révélée un fiasco, le vieux Heinrich Wilhelm Gramann a offert un emploi à mon père, qu'il payait 85 cents par jour, un salaire plutôt correct en 1937.

Ainsi avaient commencé les navettes sporadiques de Fred entre le Kansas et la Californie. Son amour du sport remontait aux heures de gloire où son équipe de football était la meilleure du Kansas. Il s'était engagé dans les marines en 1956 et y avait vite gravi les échelons. Promu lieutenant avant sa vingt et unième année, il avait appris à piloter tous les avions qu'utilisait son corps militaire. Il n'avait pas trente ans quand il compta au nombre des « vieux briscards » chargés de commander cinq mille jeunes soldats en attente de débarquer à la baie des Cochons lors de la crise des missiles de Cuba. Ils n'avaient jamais eu à se battre, mais étaient trop jeunes pour s'en réjouir et s'étaient montrés tellement déçus qu'ils avaient failli mettre une ville à sac.

Il avait appris dans l'armée beaucoup de choses sur le comportement des hommes, sur la discipline et sur l'engagement. Il adorait cela. Quand il affirmait « les marines étaient toute ma vie », on voyait qu'il le penserait toujours. Mais sa première femme lui avait adressé un ultimatum au terme de ses dix ans de service : l'armée ou elle. McLean avait préféré sa vie conjugale.

La police était la seule carrière civile qui l'intéressât parmi celles qui lui étaient accessibles. Il prévoyait que cela lui paraîtrait aussi risqué et absorbant que la vie militaire. Sa femme n'accepta ce choix qu'à condition qu'il reste à l'écart de Los Angeles, ce qui le conduisit à s'engager dans la police du petit comté somnolent d'Orange. Si Garden Grove méritait encore ce qualificatif lorsqu'il était entré dans la police le 26 août 1966, ce ne devait plus être pour longtemps.

Sa vie conjugale se détériorant, McLean devint de plus en plus « accro » à son métier. Pour en combattre la tension perpétuelle, il se partageait entre le jogging et le football. Il avait quarante-huit ans quand il raccrocha pour la dernière fois ses épaulettes de footballeur. Il n'abandonnait pas pour autant les exercices et, pour son cinquantième anniversaire, il disputa brillamment un super-marathon de soixante-dix kilomètres. Au fil des ans, il avait survécu à tant de fusillades et autres situations périlleuses que son habileté dans les contacts humains lui avait valu des promotions régulières, le faisant grimper du rang de simple agent de la circulation à celui d'inspecteur à la brigade criminelle.

À titre de principal enquêteur sur le meurtre de Linda Marie Brown, McLean assista à l'autopsie. Elle commença à 9 h 30. Cinq heures seulement après la mort de la jeune femme, le corps fut transporté depuis la chambre froide du centre médico-légal du comté d'Orange jusqu'à la salle de dissection. C'était une pièce rectangulaire illuminée par des plafonniers impeccables, équipée de cinq ou six tables d'aluminium. Selon le temps qu'il faisait, les phases de la lune ou tout autre facteur semblant servir de catalyseur à la mort violente, ces tables pouvaient se trouver toutes occupées. L'irrespect et l'humour noir caractéristiques de ceux qui côtoient la mort régnaient dans l'antre du coroner d'Orange.

L'opération fut pratiquée par le docteur Richard Fukomoto avec pour témoins McLean, Steve Sanders et Joe Luckey, ainsi que deux représentants du bureau du coroner qui étaient parallèlement médecins légistes du bureau du shérif. Tous avaient assisté à de nombreuses autopsies et ne se pressaient autour de la table qu'avec un détachement né d'une longue habitude, parfois difficile à conserver.

Linda Brown avait été une très jolie jeune femme au corps parfait. Le médecin légiste lui recouvrit la poitrine d'acétate et, d'une ferme incision diagonale, découvrit la trajectoire des tirs pour extirper du sein droit trois reliefs de poudre non brûlée qu'il recueillit en tant que pièces à conviction. Les mains portaient également des grains de poudre non brûlée qui furent extraits avant l'administration du test susceptible d'en déceler des traces plus discrètes : d'après l'emplacement de la blessure et de l'arme, il était impossible que la victime ait tiré elle-même, mais elle aurait pu lever les mains pour se protéger au moment où les coups de feu étaient tirés.

Fukomoto gratta sous les ongles et passa un peigne fin dans les poils pubiens, au cas où auraient subsisté des fibres ou un corps étranger, mais ne releva rien d'anormal. Il commença alors à dicter ce qu'il constatait sur le sujet. Le médecin se conforma au protocole d'enregistrement systématique en décrivant la première blessure au centre supérieur de la paroi thoracique comme « située à 125 cm de la plante du pied et à 33 cm du sommet de la tête, légèrement à droite d'une ligne médiane ».

La plaie au sein droit ne mesurait qu'un peu plus d'un centimètre et paraissait cernée d'un tatouage de poudre sur un diamètre proche de 6 centimètres, plus ou moins prononcé selon les angles de tir. Fukomoto retourna ensuite le corps et découvrit un hématome derrière la colonne vertébrale. Il en nota un second en haut de l'épaule droite, ainsi que la fine ligne laissée par le coup de bistouri qui avait permis de récupérer les deux balles un peu déformées dont on s'était aussitôt emparé pour les mettre dans des sachets.

Le médecin pratiqua enfin l'incision rituelle en Y descendant en diagonale depuis chaque épaule. Dans le jeune organisme de Linda Brown si fraîchement et abruptement privé de vie, les artères coronaires étaient encore roses et brillantes, les poumons pâles malgré le tabac, et les reins parfaitement sains.

Une balle n'avait fait que frôler le poumon droit, mais la veine cave supérieure – le grand vaisseau qui exerce la fonction vitale d'y amener le sang – avait été sectionnée à son orée. Vite et bien soignée, Linda aurait gardé une petite chance de survivre avec un seul poumon ; à défaut, elle n'avait pu tenir plus d'un quart d'heure avant de se vider de son sang. Certes, il lui restait encore un souffle de vie quand l'agent Halligan s'était penché et elle demeurait cliniquement vivante à son arrivée à l'hôpital, mais il était déjà trop tard pour la sauver. Même si ses chances de survie étaient déjà terriblement réduites, il aurait fallu la secourir plus tôt.

Seulement voilà, son mari disait avoir eu peur d'aller la voir.

Pour l'heure, il ne restait donc qu'à prélever de nombreux échantillons en vue d'analyser les liquides biologiques, les chairs et les vêtements de la défunte.

La dépouille de Linda allait enfin être transportée au funérarium de Pasadena désigné par sa famille. Elle devait y être incinérée le 25 mars 1985.

Longtemps après, David Brown rappela les affres qu'il avait alors traversées :

– Linda et moi étions favorables à la crémation. Nous étions d'accord pour décider que celui des deux qui survivrait à l'autre en ferait transporter les cendres à Hawaii, où nous avions été si heureux ensemble. Mais je ne me suis pas senti en droit de priver ainsi notre fille de la possibilité de s'incliner un jour sur la tombe de sa mère. Je me suis donc contenté d'enjoindre au cimetière de Newport d'autoriser plus tard Krystal à procéder à un tel transfert si elle le jugeait bon.

« Aujourd'hui, Linda se trouve au pied d'une fontaine d'où elle peut entendre l'eau cascader toute la journée. Elle est juchée sur une hauteur d'où elle peut voir l'océan s'il n'y a pas de brouillard. Je l'aimais assez pour vouloir lui offrir tout ce dont nous avions parlé.

Les employés du cimetière n'ont pas oublié David Brown. Il leur a commandé de lui concéder deux niches puis a exigé que soit faite une seconde plaque de bronze, patinée à l'antique, parce qu'il n'était pas satisfait de la gravure de la première. Ses façons étaient si raides et si arrogantes qu'il ne leur a pas laissé un souvenir sympathique.

Pour des raisons connues de lui seul, il avait fait détruire la première plaque.

7

Les enquêteurs de Garden Grove s'étaient réparti une demi-douzaine de pistes simultanées, conscients que les indices essentiels ne pouvaient être collectés que durant les toutes premières heures suivant la découverte d'un crime. Tout comme la victime d'un traumatisme doit être soignée immédiatement pour éviter des séquelles fâcheuses, les policiers de la brigade criminelle ne disposaient que d'une journée avant que les événements s'évaporent : les témoins oublient leur déposition initiale, en modifient le sens délibérément ou à leur insu, transforment les faits de manière aussi sournoise qu'inexorable, réduisant d'autant les chances d'arrestation.

Fred McLean voulait commencer par interroger les personnes connaissant bien la famille Brown ou qui lui étaient apparentées. Pour le moment, il n'avait fait qu'entendre David et Patricia, tous deux d'accord avec les aveux de Cinnamon elle-même ; il ne s'agissait donc pas de rechercher un suspect.

Steve Sanders fut dépêché au Manchester Building, un ensemble de vieux bâtiments abritant le tribunal pour enfants et les bureaux du DA des mineurs, le district attorney étant l'équivalent d'un procureur. Celui-ci avait la charge des délinquants juvéniles comme les juges pour enfants dans d'autres pays.

Le Juvenile Hall se profilait derrière le bâtiment du tribunal pour mineurs, vétuste comme toutes les installations vouées aux jeunes. Les édifices y étaient et restent regroupés d'une manière discutable : les enfants victimes d'abus sexuels jouent dans une cour de récréation jouxtant un refuge pour mineurs, sous l'œil d'adolescents qui les épient à travers leurs barreaux.

Sanders pensait que le moment était venu d'avoir une conversation avec Dick Fredrickson, l'adjoint du DA, pour lui résumer l'affaire et l'informer des chefs d'accusation retenus contre Cinnamon. Pour autant que pouvaient en juger les enquêteurs, ce crime était dénué de circonstances atténuantes, selon les termes de l'article 187 du Code pénal de Californie. La meurtrière n'avait que quatorze ans, mais elle avouait avoir tiré trois fois. Elle était sans doute jeune, mais son forfait était celui d'une adulte.

Dick Fredrickson n'avait rien d'un néophyte en la matière. Il avait eu à s'occuper peu auparavant de deux affaires de meurtres particulièrement odieux mettant en cause des adolescents : Kathy Sloanz n'avait que quatorze ans et son copain Sean Comlzy, seize, quand ils avaient sauvagement battu et poignardé la propre mère de Kathy, Debbie Newton, trente-six ans, le 16 février 1984. Par une ironie du sort, la victime était membre de l'association locale contre la violence familiale et l'inceste. Elle avait permis au garçon de vivre dans le garage de sa maison de Fullerton jusqu'au moment où elle s'était inquiétée de l'intérêt excessif qu'il manifestait à l'égard de sa fille. Son immixtion dans leur petite amourette lui avait valu d'être assassinée par les jeunes amants. Kathy et Sean avaient été séparément accusés de meurtre avec préméditation, mais pareillement condamnés à vingt-six années de prison.

Fredrickson s'était également occupé d'Alan Coates, un garçon de seize ans accusé du meurtre sadique de sa mère, qu'il détestait et méprisait, à en juger par les écrits haineux retrouvés parmi ses cahiers de classe.

C'était un problème croissant pour le maintien de l'ordre dans toute l'Amérique, que des mineurs aient à comparaître en justice pour des crimes majeurs. De telles sanctions pouvaient-elles être légitimement infligées à des adolescents ?

Fredrickson avait parcouru sans un mot le dossier de la

nouvelle affaire qui venait reposer cette ancienne question. Puis il l'avait passé à l'homme assis en face de lui, l'enquêteur avec lequel il travaillait en tandem, Jay Newell.

Newell, trente-neuf ans, était grand et large d'épaules. Il avait une carrure d'athlète alors qu'en réalité il ne faisait qu'un minimum de jogging et de plongée sous-marine. Il ne jouait ni au golf ni au bowling. Il disputait néanmoins chaque année la Challenge Cup, une course de relais, de près de deux cents kilomètres, entre Baker, en Californie, et Las Vegas. Il entraînait aussi une équipe de foot depuis neuf ans, uniquement pour faire plaisir à ses enfants. Une de ses filles était une championne de volley et il en était très fier. Il était tout aussi fier de sa seconde fille et de sa femme, Betty Jo, qui réussissait dans les affaires. Newell ne regardait toutefois jamais de sport à la télévision : cela ne l'intéressait pas.

Newell avait quatorze ans de métier derrière lui. Son travail le passionnait. Il était remarquablement doué pour jauger les gens et juger de leur sincérité à leur façon de se tenir, de s'agiter sur leur chaise, d'éviter son regard, de s'éclaircir la gorge, de respirer, de fumer, de boire.

Il avait un visage séduisant aux traits burinés, des cheveux bruns, des yeux au regard doux. Inquisiteur à l'amabilité trompeuse, toujours à l'affût du moindre faux pas, c'était un personnage opiniâtre, qui ne renonçait jamais.

Il ne faisait pas bon l'avoir pour ennemi si l'on était un criminel.

À 11 heures en ce matin de mars, Jay Newell déchiffra pour la première fois le nom de Cinnamon Brown. Il lut et relut le résumé des événements d'Ocean Breeze Drive avant de se diriger vers la porte.

« La première chose que j'aie à faire, se disait-il, c'est de me rendre sur les lieux du crime. Je n'ai rien de particulier à chercher, juste pour me faire une idée, respirer l'atmosphère de cette maison. C'est mon point de départ. »

Newell prit donc sa voiture et roula jusqu'à Ocean Breeze Drive. Pendant qu'il s'approchait de la maison étrangement silencieuse, les hommes de Morrissey y furetaient encore pour vérifier qu'ils n'avaient rien laissé échapper. Newell nota que trois véhicules y demeuraient après le départ des Brown : une vieille MG classique, une Ford Mustang et une Chevrolet Monte Carlo. Il dut se baisser pour passer sous les branches du grand érable. Même par plein soleil, le jardin restait ténébreux. Il discerna l'enclos du chenil derrière le garage et en examina les niches rouges. La famille avait abandonné là quatre animaux qui jappaient nerveusement.

Newell se détourna en se demandant avec un frisson ce qu'avait pu être pour une enfant de quatorze ans une nuit glaciale passée dans une niche. Sa fille aînée avait l'âge de Cinnamon et il avait toujours essayé de protéger ses enfants de tout ce qui était douloureux ou effrayant. Difficile de ne pas faire de rapprochement.

La petite caravane à la carrosserie blanche cabossée et rongée de plaques de rouille était garée contre la double porte de verre séparant les deux ailes arrière de la maison, juste à quelques pas de la porte de service. Il jeta un coup d'œil à l'intérieur, mais l'odeur du plancher maculé d'excréments le fit reculer aussitôt. La caravane était un véhicule compact d'environ 4,50 m de long, avec une cuisinière, un réfrigérateur et des couchettes encastrés. Ce pouvait être amusant d'y camper par une belle nuit d'été, mais cela paraissait plutôt désolant durant un mois de mars où toute la famille était calfeutrée dans la maison. Cinnamon avait juste eu droit à un téléviseur portable, à une radio et à un radiateur. Un grand nounours passablement râpé occupait la couchette supérieure et une poupée de chiffon celle du dessous.

Newell pénétra ensuite dans la maison et grava dans sa mémoire l'emplacement de chaque pièce. Tout semblait normal, comme si la famille venait de se disperser entre le bureau et le collège. La cuisine était ensoleillée ; la maîtresse des lieux avait sans doute la main verte, car la pièce, pimpante comme celles que l'on peut admirer dans les magazines féminins, était pleine de plantes en pot. Il passa ensuite à la nursery. Comme les autres enquêteurs, il fut frappé par le fait que tout semblait neuf. Les meubles cossus contrastaient avec l'équipement sommaire de la caravane. Il y avait là assez de jouets pour occuper une bonne dizaine de bébés. Newell renonça à compter les peluches de toutes espèces et de toutes couleurs. Il y avait même un troupeau de petites licornes de porcelaine. Le prénom de Krystal, affiché sur un mur en lettres géantes, manifestait que la petite fille avait dû être aussi désirée que bienvenue.

Mais maintenant, elle n'avait plus de mère.

Le mobile avancé par le procès-verbal de la police était vraisemblable : une enfant d'un premier lit, jugée gênante ; une belle-mère et peut-être un père qui favorisaient leur dernière-née et reléguaient l'adolescente dans une caravane minable... Mais un détail clochait, qui sautait aux yeux de Newell pendant qu'il regardait Bill Morrissey défoncer le mur de la coquette chambre de Patricia Bailey : pourquoi la jeune belle-sœur était-elle apparemment mieux traitée que la propre fille de David Brown ?

Le lendemain, Newell trouva l'occasion de parler avec Patti. C'était une jeune fille réservée, presque flegmatique, dont l'air impavide rendait banal son visage. Il était évident qu'elle avait beaucoup pleuré, mais elle garda un calme inexpressif en expliquant à l'enquêteur du DA pourquoi elle était venue vivre chez son beau-frère :

– La vie était trop dure avec ma mère. Quand je venais en visite le week-end, Linda répétait : « Si ça ne va vraiment pas, ça ne me gênerait pas que tu viennes vivre avec moi jusqu'à ce que les choses s'arrangent ou jusqu'à ce que tu aies dix-huit ans. Je serais ravie de t'avoir. » Moi, j'ai répondu : « D'accord. »

Quels qu'aient été ses problèmes avec elle, David Brown se battait pour sauver Cinnamon. Alors qu'elle reposait encore, inconsciente, sur son lit d'hôpital, il avait déjà chargé un avocat de défendre les intérêts de sa fille.

Al Forgette avait dix-huit ans d'expérience en droit pénal et une excellente réputation. Il avait un faciès de boxeur, des manières chaleureuses, de larges épaules et des cheveux gris ondulés. L'avocat avait écouté David Brown insister sur l'idée qu'il faudrait tenter l'impossible pour épargner la prison à l'adolescente. L'homme lui avait paru accablé de chagrin.

Forgette accepta de s'occuper de cette affaire qui piquait sa curiosité. Il se rendit immédiatement au centre médical de Garden Grove pour voir sa cliente, mais Cinnamon Brown restait dans un état comateux. L'avocat laissa sa carte de visite et demanda à être alerté dès qu'elle reprendrait connaissance.

Mardi à midi, l'agent Pamela French céda sa chaise, au chevet de Cinnamon, à l'agent Kurt Roudybush. Leur collègue Gus Ortiz devrait prendre la relève à 20 heures pour le service de nuit. Dans le cas improbable où la jeune fille aurait dit quoi que ce soit, tout était prévu pour qu'on le note scrupuleusement.

Le personnel médical allait et venait ; une externe demeura de longs moments auprès de Cinnamon. La plupart des traitements qu'on lui avait administrés étaient très pénibles : les premiers secouristes l'avaient mise sous perfusion afin de compenser la déficience respiratoire causée par l'absorption de stupéfiants. Pour qu'elle continue de vomir, on lui faisait prendre du sirop d'ipéca ; en guise de laxatif, on lui donnait du citrate de magnésium.

Même si le pire semblait passé, Cinnamon risquait encore de mourir. Ses fonctions étaient redevenues presque normales lorsque Fred McLean était venu l'interroger, mais, depuis, son état s'était détérioré avec une rapidité inquiétante.

Les policiers restant à Ocean Breeze Drive n'avaient pas nettoyé la niche et ils avaient maintenant le répugnant devoir de compter les gélules qui surnageaient dans le vomi. On estimait de vingt-quatre à trente-six le nombre de gélules intactes et on remarquait aussi des traces de granulés à action retard, non digérés. Si l'adolescente n'avait pas été prise de violentes nausées, elle aurait perdu la vie. Si elle s'en tirait, elle risquait encore de contracter une pneumonie et il restait de fortes possibilités pour que son foie soit endommagé par l'overdose de produits chimiques. À 17 h 30 en ce très long après-midi du mardi, Cinnamon reprit connaissance en s'efforçant de respirer. On lui appliqua un masque imprégné d'une substance à l'odeur nauséabonde, destinée à dégager ses poumons des mucosités. Elle devait subir ce traitement pendant au moins deux jours.

Me Forgette revint à l'hôpital et ne put échanger que quelques mots avec sa jeune cliente. Il la quitta très attristé. L'histoire s'annonçait tragique. Il confirma au père qu'ils reparleraient plus longuement dès qu'elle irait un peu mieux.

À 20 h 30, une ambulance transporta Cinnamon au centre médical californien d'Orange. Sur mandat du juge Jane Franks, elle fut enregistrée par défaut au registre d'écrou du quartier des mineurs à la maison d'arrêt. Elle devait rester en garde à vue permanente, son incarcération officielle prenant effet à compter du 20 mars 1985 à 0 h 15.

Cinnamon Darlene Brown, quatorze ans, venait de pénétrer dans les rouages du système judiciaire de Californie. Cette nuit-là, elle dormit d'un sommeil agité, même si elle ignorait encore ce que cela allait signifier.

8

« Une enfant de quatorze ans détenue pour l'assassinat de sa belle-mère », proclamèrent les gros titres de l'*Orange County Register* et du *Los Angeles Times*.

Les voisins d'Ocean Breeze Drive furent assaillis par des reporters avides de détails inédits sur Cinnamon Brown et la femme qu'elle était accusée d'avoir tuée. Le communiqué de la police n'exprimait que les faits dans toute leur sécheresse. La plupart des articles n'y ajoutaient que des délayages et pas mal d'inexactitudes. Certains affirmaient que Linda Brown avait reçu deux balles dans le ventre au lieu de la poitrine, ou que Cinnamon était hospitalisée en raison d'une « maladie indéterminée ».

Les quelques personnes qui avaient eu des relations avec la famille Brown ne savaient comment expliquer ce qui s'était passé, non pas parce que le drame leur paraissait incompréhensible, mais parce qu'elles ne connaissaient guère les Brown. Une camarade de classe de Patti, âgée de seize ans, déclara aux journalistes que Cinnamon était une fille bizarre qui avait des amis invisibles et d'« autres trucs comme ça ». Pénétrée de l'importance que lui conférait son interview, la jeune fille rendit public le fait que Cinnamon était venue vivre avec son père parce qu'elle ne pouvait s'entendre avec sa mère. La même prétendit avoir « trouvé drôle » que Cinnamon et Patti se soient déguisées pour aller mendier des friandises comme le réclamait la tradition de la fête de Halloween, cela lui ayant paru un comportement enfantin pour des filles de leur âge.

74

La récolte s'avérait maigre pour des reporters friands de détails sordides. Une autre voisine leur affirma que Cinnamon était la seule personne de sa famille qui condescendait à parler aux étrangers :

— Mon mari et moi sommes encore allés lui rendre visite il n'y a pas deux jours, quand elle a reçu son nouveau chiot, un teckel nain. Elle était tout à fait gentille.

Nul ne semblait connaître Linda, qui ne paraissait s'être liée avec personne :

— Le seul moment où on l'apercevait, c'était quand elle sortait tondre sa pelouse, souligna la même voisine.

Les familles des environs savaient qu'un bébé était né dans le courant de l'été 1984, mais c'était à peu près tout : avec des voisins de ce genre, il n'y avait jamais de bavardages d'un jardin à l'autre.

La maison du drame était maintenant déserte. Les rubans en plastique jaune de la police en barraient tous les accès et le photographe qui eut l'audace de les enjamber ne trouva rien de plus à se mettre sous l'objectif, les fenêtres étant aveuglées par des rideaux opaques. De toute façon, la famille n'y résidait plus. David, Patti et Krystal étaient restés vivre provisoirement chez les parents, Arthur et Manuela. Cette dernière s'occupait presque seule du bébé pendant que Patti passait son temps à sangloter. David songeait cependant à regagner bientôt la maison où sa femme était morte. Il allait lui falloir reprendre en main ses affaires, dont certaines ne pouvaient attendre davantage. Il devait aussi contacter les compagnies d'assurance auprès desquelles Linda avait souscrit des polices.

Cinnamon, qui avait repris conscience dans son lit d'hôpital, restait livide et amorphe. Elle contemplait d'un œil vitreux les policiers qui la gardaient et qui lui avaient expliqué qu'elle était désormais en détention, écrouée par défaut, ce qu'elle n'avait pas l'air de bien comprendre. Elle dormait beaucoup et, de temps à autre, s'entretenait brièvement avec Forgette, son avocat.

À Garden Grove, les policiers travaillaient à reconstituer

le passé de la jeune fille pour tenter d'établir un rapport entre sa personnalité et son crime. Dans ce genre d'enquête laborieuse et souvent monotone, les policiers de la criminelle en viennent à connaître victimes et tueurs mieux que quiconque. Comme ils ne peuvent prévoir quelle information se révélera capitale, ils rassemblent les moindres données, les secrets les plus intimes. Ils savent qu'ils ne connaîtront pas les victimes vivantes mais qu'ils connaîtront les tueurs plus intimement que leur propre femme.

Même enterrés depuis longtemps, les morts survivent dans la pensée des inspecteurs qui travaillent à élucider leur décès. Meurtriers et assassins n'offrent au départ que des séries de cases à remplir : le mobile, les moyens et l'occasion sont les moins difficiles à établir. Quant à savoir pourquoi un être humain se résout à en faire mourir un autre, cela dépasse souvent l'entendement.

Steve Sanders et Fred McLean entreprirent alors de brosser le portrait de Cinnamon Brown : qui était-elle exactement ?

Sanders avait noté les noms de trois filles qui allaient avec elle au collège d'Anaheim : Jamie Williams, Lauri Ann Hicks et Krista Taber. Il se rendit dans l'établissement le mardi 19 mars à 14 heures et s'entretint en premier lieu avec le proviseur, qui l'attendait pour raconter :

– Cinnamon avait été transférée de Bolsa Grande tout récemment, le 6 mars. Depuis, elle a manqué la classe la plupart du temps, ce qui fait que nous ne la connaissions pas encore très bien. Aucune précision sur son cursus antérieur n'est parvenue à mon bureau.

Sanders demanda à inspecter le placard ou le casier personnel de Cinnamon, mais apprit qu'elle n'en avait pas. Comme il avait besoin d'un échantillon de son écriture pour la comparer avec l'avis de suicide qu'elle serrait dans sa main quand McLean l'avait dénichée, le professeur d'économie lui apporta un devoir qu'elle avait rédigé en gros caractères d'imprimerie semblables à ceux du billet en question.

À la demande de Sanders, Krista Taber fut convoquée au bureau du proviseur, où elle déclara d'emblée :

— Je sais pourquoi vous êtes là, parce que la police est déjà venue chez nous à 4 heures, ce matin. J'ignore pour quelle raison le père de Cinny a pensé qu'elle pourrait être chez nous. Je ne l'ai même pas vue depuis l'autre lundi, le 11, elle était absente depuis.

Krista affirma néanmoins qu'elle était sa meilleure amie depuis le jardin d'enfants et que Cinnamon s'était même fait transférer en première année à Loara pour qu'elles se retrouvent ensemble.

— Avez-vous remarqué si elle était perturbée, ces derniers temps ? questionna Sanders.

Krista secoua la tête :

— Non, elle était comme toujours... Peut-être un peu intimidée d'être nouvelle, de débarquer dans un nouveau collège en plein trimestre. Elle avait été consignée par ses parents, mais pour rien de sérieux, de grave, ni de nouveau : elle était rentrée en retard le vendredi 8 mars. Nous étions allées voir un de ses copains, Len, avec qui elle était sortie l'été dernier. Nous avions quitté le lycée à 14 h 30 et nous devions rentrer tout droit à la maison. Mais elle était venue en classe à bicyclette et elle a téléphoné chez elle pour demander si elle pouvait rester un peu plus longtemps. Linda lui a ordonné de rentrer immédiatement, alors Cinnamon nous a quittés.

— Qu'est-ce que ses parents lui reprochaient ? demanda Sanders.

Krista soupira et leva les yeux au ciel :

— Elle avait eu une punition de trois mois, sans télé, ni visites, ni téléphone. Parce qu'elle avait répondu. Chaque fois qu'elle répond, elle est punie...

— Vous pensez que c'est une faiseuse d'histoires ?

— Cinny ? Peut-être un tout petit peu. Elle joue des tours, fait des bêtises, mais rien de bien méchant. Chez elle, elle écoute quand même ce qu'on lui dit. Elle s'entendait aussi bien avec sa belle-mère qu'avec Patti. La seule chose qui lui ait causé des ennuis, c'est quand elle s'accrochait avec son père pour des bricoles.

Krista se disait étonnée des rumeurs qui circulaient sur sa camarade. Elle connaissait Cinnamon mieux que personne : elles n'avaient jamais cessé de s'écrire et Cinny avait eu le droit de venir la voir chaque jeudi soir jusqu'à sa dernière punition.

– Elle ne m'a jamais parlé d'aucun problème à part ces petites chamailleries avec son papa.

– Savez-vous où elle dormait ?

– Dans la chambre de Patti, je crois. Sauf que, quand elle était fâchée contre son père, elle allait dans la caravane. En plus, quand elle était privée de sortie le week-end, son père la bouclait dans le jardin, qui est clôturé par un grillage anticyclone...

– Vous a-t-elle jamais parlé de se servir d'une arme à feu pour faire du mal à quelqu'un ou pour tuer ?

Krista eut un mouvement de recul.

– Jamais ! Cinny serait la dernière personne à avoir ce genre d'idées. La seule raison qu'elle aurait de tuer, ce serait pour se défendre si quelqu'un la menaçait. Je ne peux pas croire qu'elle ait fait une chose pareille.

Les deux autres amies de Cinnamon se disaient tout aussi stupéfaites. Elles n'avaient jamais constaté le moindre geste de violence ou de méchanceté chez Cinnamon. Elles balayèrent l'hypothèse selon laquelle l'adolescente aurait agi sous l'emprise de l'alcool. Sanders leur demanda de lui parler de ce « Steely Dan » que Patti avait mentionné.

– Cinnamon et nous allions le voir quand nous n'avions rien de mieux à faire, répondit la première. Mais nous avions décidé que jamais aucune de nous n'irait seule.

– Nous n'avions pas trop confiance en lui, compléta la seconde. Un jour, il a acheté tout un tas de bouteilles de bière et il a voulu nous faire boire avec lui. Nous avons refusé parce que nous pensions qu'il en profiterait d'une façon ou d'une autre.

– Cinnamon pensait comme vous ?

– Tout à fait. Après ça, nous ne sommes même plus allées le voir du tout. Ça remonte à l'été dernier, d'ailleurs.

Len Miller, l'ancien petit ami de Cinnamon, reconnut qu'elle s'était fait punir parce qu'elle était passée chez lui plutôt que de rentrer directement. Il décrivit leurs rendez-vous comme parfaitement innocents, le plus souvent à la piscine du collège, sauf une fois où ils étaient allés à Disneyland, l'automne précédent.

Le portrait qui s'esquissait à partir de tout cela était celui d'une adolescente élevée avec sévérité :

– Nous ne pouvions pas lui téléphoner, témoigna Jamie. Elle n'avait même pas le droit de donner son numéro et nous ne connaissions pas son adresse. On ne la voyait qu'en classe ou le week-end quand elle rendait visite à Krista.

S'il y avait des domaines cachés dans la vie de Cinnamon Brown, ses amis n'en avaient pas connaissance. Ils ne l'avaient jamais vue en colère. Les seuls problèmes qu'elle leur semblait avoir rencontrés l'avaient opposée exclusivement à son père.

– Elle pensait qu'il ne l'aimait pas, conclut Lauri Ann.

Le même après-midi, Fred McLean alla rendre visite à Brenda Sands, la mère de Cinnamon. Il se montra très patient avec cette petite femme qui ressemblait beaucoup à sa fille et qui faisait des efforts méritoires pour se calmer et répondre aux questions. Elle raconta qu'elle avait divorcé de David dix ans plus tôt parce qu'elle le soupçonnait non sans raison d'entretenir une liaison. Cinnamon était leur unique enfant et avait vécu tantôt avec l'un, tantôt avec l'autre, selon les moments.

Brenda gardait de mauvais souvenirs de sa brève vie conjugale, terminée par un pénible divorce. Elle rapporta que son mari l'avait menacée avec une arme à feu :

– C'était juste après que je l'ai quitté. Il est venu chez moi pour reprendre son fusil de chasse qu'il avait laissé, et mes bagues qu'il voulait donner à sa nouvelle amie.

Elle expliquait qu'elle avait eu peur qu'il emporte l'arme ;

elle l'avait suivi à l'extérieur jusqu'à sa voiture pour la lui reprendre.

– Je me cramponnais à une extrémité du fusil et lui à l'autre. Alors, il a emballé son moteur, je m'en suis trouvée déséquilibrée et je suis tombée contre un poteau télégraphique en lâchant prise...

Une décennie plus tard, elle redoutait encore son ex-mari et ajoutait :

– Je crois que Linda n'était pas plus rassurée, depuis que c'était son tour !

Voilà qui était nouveau pour McLean. Brown avait tellement l'air d'une si bonne pâte, son couple avait été décrit comme tellement parfait...

– Ils viennent de passer, enchaîna Brenda.

– Qui vient de passer ?

– David et Patti... Il m'a appris que Cinny avait fait une overdose de médicaments. Il voulait que je dise à la police que Cinny avait toujours été une gentille fille très bien élevée, mais très capricieuse.

Elle avoua à McLean que les voir affronter ce drame avec autant de tranquillité l'avait surprise. Son ex-époux, souvent si émotif, lui avait paru exceptionnellement maître de lui-même. Le policier s'étonna :

– Patti n'a pas pleuré pendant qu'elle était ici ? David n'a pas fumé cigarette sur cigarette ? Leurs mains ne tremblaient pas ?

– Bof... Il a toujours fumé cigarette sur cigarette ! Et il avait tout son sang-froid. Je lui ai demandé d'où le revolver était sorti et il m'a dit qu'il n'en savait rien. Il a supposé qu'il devait appartenir à Linda, comme le soutenait Patti.

McLean demanda à Brenda de lui donner son sentiment sur l'état d'esprit de sa fille durant les derniers mois. Elle paraissait ahurie par ses faits et gestes, à commencer par la tentative de suicide.

– Toutes les deux, nous sommes assez proches, dit-elle. Elle partageait avec moi ses pensées, ses petits secrets et ses gros chagrins. Je savais qu'elle était convaincue que Linda avait peur de David.

– Cinnamon vous a-t-elle jamais fait part de pensées sui-
cidaires ?

– Oh... vous savez comment les jeunes peuvent parfois
dramatiser. Si elle était furieuse ou blessée, elle était capable
de dire : « Je voudrais être morte ! » Mais ce n'était pas
sérieux, je le savais bien...

– Quand l'avez-vous revue pour la dernière fois ?

– Pas plus tard qu'hier : ma grand-mère Ruby et ma tante
étaient venues me voir de Salt Lake City et nous sommes
allées chez David pour qu'elles puissent embrasser Cinnamon. David est même venu les saluer quand ma fille le
lui a demandé et il n'a pas paru mécontent de les recevoir.
Moi, je savais bien qu'il faisait juste semblant, mais elles
ne l'ont pas du tout compris comme ça et l'ont plutôt trouvé
charmant.

– Et comment était Cinnamon, alors ?

– Très bien. Elle avait envie de revenir avec nous, mais
je ne pouvais pas l'emmener, ma voiture était déjà bourrée
de bagages. Une fois rentrée, et la voiture déchargée, je lui
ai téléphoné pour lui dire que je pouvais revenir la chercher,
mais je suis tombée sur David, qui m'a annoncé que tout
le monde était déjà au lit et qu'il ne voulait pas réveiller
Cinny.

Brenda baissa les yeux sur ses mains qui déchiquetaient
un mouchoir en papier.

– C'est ce qui ne cesse de me tracasser : si je lui avais
fait de la place dans ma voiture, si je l'avais emmenée, sans
doute que rien ne serait arrivé. Cette pensée ne cesse de me
tourner dans le crâne.

Chaque fois qu'il abordait la question de la psychologie
de Cinnamon, McLean recevait quasiment les mêmes
réponses :

– Une adolescente très normale, résuma sa mère. Ses
seuls moments de dépression étaient liés à un gros rhume
ou à des règles douloureuses.

Dans ce cas, pourquoi David affirmait-il que sa fille était
instable, capricieuse, suicidaire, incontrôlable ? Pourquoi
Patti Bailey le répétait-elle et pourquoi avait-il presque

demandé à Brenda de le confirmer ? Peut-être espérait-il que cela vaudrait à sa fille des circonstances atténuantes, voire un acquittement pour troubles mentaux ?

Brenda admit qu'elle s'était violemment disputée avec Cinnamon et ne cacha pas qu'elle avait été soulagée que sa fille aille vivre quelque temps chez David. L'adolescente aurait même déclaré qu'elle s'enfuirait si on la forçait à revenir chez sa mère, mais leur brouille avait fait long feu. Ou avait été remplacée par une autre, du côté paternel :

— Elle se plaignait parce que à Garden Grove on la faisait trimer comme une esclave et que Linda et Alan, le frère jumeau de Linda, parlaient de se débarrasser de David.

— Se débarrasser de David ?

— Oui. C'est ce qu'elle m'a dit. Ils l'auraient tous entendu un jour où ils rentraient à l'improviste...

— Et quelle aurait été la réaction de David en apprenant ça ? Cinnamon vous l'a racontée ?

— Non. Elle m'a simplement dit que, ce jour-là, ils avaient fait demi-tour sans bruit pour ne pas montrer qu'ils avaient entendu la conversation de Linda et Alan.

— Pourquoi Linda et son frère auraient-ils voulu se débarrasser de David ?

— Je n'en ai pas la moindre idée. Mais je suis sûre qu'il se passait des choses : Cinnamon m'a par exemple rapporté que Linda avait peur que David la quitte pour Patti et lui fasse, à elle, des ennuis.

De la mère ou de la fille, McLean se demanda laquelle risquait de montrer un peu trop d'imagination. Il trouvait peu vraisemblable que tant d'intrigues aient couvé derrière les rideaux de la maison d'Ocean Breeze Drive. Il objecta à Brenda :

— Patti n'a même pas dix-sept ans, n'est-ce pas ?

— David aime les jeunettes. Linda était moins âgée que ça quand il a commencé avec elle.

Avec une pointe d'amertume, elle ajouta :

— Moi aussi, au début...

McLean lui demanda ensuite de rappeler ce que David lui avait dit des événements aboutissant au meurtre de

Linda. Elle répéta presque mot pour mot l'histoire devenue familière aux policiers. Une version qui ressemblait de moins en moins à ce qu'il apprenait de Cinnamon. Il changea de sujet en proposant :

– Je vais vous citer quelques noms et vous me direz si vous les connaissez.

– D'accord.

– Oscar... Maynard... Tante Bertha ?

Pour la première fois, Brenda ébaucha un sourire :

– Maynard était le copain imaginaire de Cinnamon. Vous savez comment sont les gosses... Elle nous taquinait en disant : « Bon, eh bien, nous allons dire ça à Maynard ! » Il n'y a jamais eu de Maynard. Elle le savait, et nous aussi. Il n'y avait pas plus de Tante Bertha. C'étaient des blagues...

– Et Oscar ?

– Lui, c'est nouveau : je n'en ai jamais entendu parler.

Le 19 mars, peu avant 17 heures, Fred McLean rentra au siège de la police de Garden Grove, où Alan Bailey avait été convoqué pour lui parler. Il était évident que le jeune homme aux cheveux blond-roux et avec quelques dents en moins avait pleuré. Il insista sur le fait qu'il était le jumeau de Linda.

Il dit qu'il avait vu sa sœur pour la dernière fois vers le 1er mars et qu'il lui avait parlé au téléphone quatre jours plus tôt. La voix de Linda n'indiquait rien d'anormal. Il n'avait aucune raison de s'inquiéter. Très proche d'elle comme le sont souvent les jumeaux, il aurait senti s'il se passait quelque chose.

Alan constatait cependant qu'il s'était produit un changement dans l'attitude de Cinnamon :

– Envers nous deux, souligna-t-il. Elle qui avait l'habitude de m'appeler son « tonton préféré », tout à coup, elle ne pouvait plus me souffrir.

Selon lui, la jeune fille avait plus ou moins le droit de vivre où bon lui semblait. Si elle logeait dans la caravane, ce devait être parce qu'elle l'avait voulu.

– Quant aux liens entre elle et Patti, ils n'ont jamais été très étroits. Patti n'a aucun sens de l'humour et se vexe quand Cinnamon s'amuse avec Maynard et Oscar, ses copains imaginaires. Patti ne comprend pas ce qu'il y a de drôle.

Pour ce qui était de l'instabilité supposée de Cinnamon, cela le surprenait beaucoup. Il n'avait jamais entendu parler d'aucune menace de suicide. C'était plutôt David qui aurait pu ruminer de telles idées dans le passé, spécialement au moment de son divorce. Alan se souvenait que cela avait perturbé Patti, mais pas Cinnamon.

Il estimait que Patti avait causé pas mal de frictions dans le ménage Brown, mais il ne croyait pas que David s'intéressait à elle d'une autre façon. David savait que Patti avait eu pour lui un béguin d'adolescente et qu'elle était jalouse de Linda. Lui-même avait une très forte personnalité et s'accrochait là-dessus avec Ethel Bailey, la mère de Linda et de Patti. Pour sa part, Alan était persuadé que Patti aimait vivre avec David et Linda parce qu'elle avait chez eux plus de liberté.

– Saviez-vous que Patti ne va plus en classe, que David lui fait donner des leçons particulières à domicile ? questionna McLean.

– Non, s'étonna Alan, je l'ignorais...

Il rappela que David avait commencé à fréquenter Linda quand elle n'avait encore que quinze ans et qu'ils s'étaient d'abord mariés, avaient ensuite divorcé, puis s'étaient remariés.

– Ils se disputaient ?

– Oh... oui ! mais elle finissait toujours par céder, parce qu'il parvenait toujours à la persuader qu'il avait raison. David sait se servir des mots pour leur faire dire ce qu'il veut.

– Vous ne l'aimez pas beaucoup, n'est-ce pas ?

Alan haussa vaguement les épaules.

– Nous avons eu un litige à propos d'un salaire qu'il me devait. J'ai porté l'affaire devant l'inspection du travail. Je suis maintenant jardinier paysagiste et je travaille avec mon frère.

— Avez-vous jamais proféré des menaces de mort contre lui ?

— Quoi ?

— Vous avez pu être fâchés contre David, Linda et vous. Vous est-il alors arrivé, même en plaisantant, de parler de vous débarrasser de lui ?

— Je ne fais jamais de plaisanteries de ce goût-là.

McLean changea son fusil d'épaule.

— À votre avis, est-ce que Linda et David formaient un ménage heureux ?

— Oui... Je crois... Surtout depuis l'arrivée du bébé. David en est très fier et ils avaient l'air tous les deux très heureux de la naissance de Krystal.

Jusqu'à présent, personne – à part David et Patti – n'avait décrit Cinnamon autrement que comme une jeune fille normale.

Pour vérifier ce qui leur avait été dit à propos d'elle, Steve Sanders se rendit au collège de Bolsa Grande dont Cinnamon et Patti avaient suivi les cours de septembre 1984 jusqu'au 6 mars 1985, soit deux semaines seulement avant le crime. Bill Reynolds, le censeur, était aussi stupéfié que tout le monde par le meurtre de Linda Brown. Il n'avait jamais eu l'occasion de la rencontrer, non plus d'ailleurs que David. Cinnamon et Patti passaient en revanche de temps en temps à son bureau pour résoudre de petits problèmes communs, banals entre adolescents. Elles lui paraissaient s'entendre assez bien et, même si Patti était la tante par alliance de Cinnamon, elles se comportaient plutôt comme deux sœurs. Cinnamon avait de la malice et du cran, Patti était plus calme.

Le proviseur de Bolsa Grande avait parlé à Linda Brown, ainsi qu'à Cinnamon et Patti avant qu'elles n'aient quitté le collège. En principe, leur réunion aurait dû constituer une sorte de conseil de famille, mais David s'était fait excuser en disant qu'il était retenu. Cinnamon et Patti s'étaient plaintes toutes les deux : on leur avait volé des radios en classe, certains professeurs ne savaient pas enseigner, des élèves apportaient des armes, on tolérait la vente de drogue. Wise, le proviseur, en avait déduit que les deux filles tenaient tellement à changer d'établissement qu'elles étaient prêtes à imaginer n'importe quels prétextes pour se justifier.

Avec le recul, le proviseur estimait que Linda, Cinnamon et Patti s'accordaient bien toutes les trois. Il en concluait que c'était le père qui exagérait les incidents et qu'il était le véritable catalyseur du groupe, même quand il n'était pas physiquement présent. Puis David Brown avait quand même fait une apparition. Grommelant, il avait abruptement enlevé les deux jeunes filles devant un personnel enseignant déconcerté par son apparente colère. En fait, les filles avaient plutôt paru dociles et faciles à vivre jusqu'à l'entrevue avec Linda ; il n'y avait aucune raison de penser qu'elles ne se plaisaient pas au lycée. On n'avait jamais enregistré que deux minimes incidents qui avaient valu à Cinnamon d'être convoquée, une fois pour avoir perturbé la classe par ses singeries au moment de Halloween, et l'autre fois pour avoir séché des cours.

Sanders s'entretint avec plusieurs professeurs et en retint des avis aussi divers que l'étaient les personnalités de ces enseignants. Beaucoup évoquaient Cinnamon comme une gentille fille, appréciée de ses camarades, n'employant guère de gros mots et dénuée de toute agressivité. Ils répétaient :

— Quand nous avons eu une jeune aveugle en cours, Cinnamon a fait son possible pour l'aider.

La seule opinion négative était celle du prof de maths :

— Tous mes élèves savent que je n'accepte pas qu'ils s'absentent de mon cours sous prétexte d'aller aux toilettes. Eh bien, Cinnamon n'a pas seulement insisté pour que je l'y autorise, mais elle m'a apporté un mot d'excuse prétendant qu'elle souffrait d'une insuffisance rénale et devait avoir la permission de sortir chaque fois qu'elle le demanderait. Je reste convaincu qu'elle faisait tous ces embarras uniquement pour se faire remarquer.

Sanders grimaça intérieurement : tout cela n'évoquait guère une graine d'assassin... Tout au plus un des professeurs avait-il noté un changement très net après les vacances de Noël. Cinnamon n'écoutait plus en classe, bavardait et gribouillait sans cesse des petits mots.

– J'ai dû la changer de place, releva l'enseignant. Mais c'était devenu encore pire en février. Je me demande toujours ce qui avait pu se passer chez elle pour provoquer un tel revirement !

Ce même professeur n'en soutint pas moins que Cinnamon s'entendait bien avec tout le monde. Comme ses collègues, la pire chose qu'il avait relevée chez elle restait qu'elle était très taquine, qu'elle aimait se faire remarquer et distraire ses camarades.

Patti Bailey paraissait plus posée. Elle avait confié à un professeur que son père se trouvait dans un hôpital mais que personne ne voulait lui dire où :

– Plus tard elle est venue me voir, parce qu'elle avait obtenu une adresse dans l'Oregon et qu'elle lui avait écrit, racontait ce témoin. J'ai corrigé son orthographe et sa ponctuation mais je n'ai pas voulu me montrer indiscrète en lui posant des questions. J'ignore donc pour quelle raison Patti tenait à le joindre et je ne sais même pas si elle a posté sa lettre.

Jamais Patti ni Cinnamon ne parlaient en classe de leur vie familiale.

Tout cela portait les enquêteurs à conclure que les rapports étaient plutôt tendus entre les membres de cette famille élargie. Ethel Bailey, la mère de Linda, et Alan, son frère jumeau, trouvaient David Brown trop autoritaire. Brenda Sands n'avait aucune confiance en lui. David répliquait qu'ils étaient tous jaloux parce qu'il était beaucoup plus riche qu'eux. Quant à la position de Cinnamon, elle était tout sauf claire.

9

Fred McLean interrogea David Brown pour la deuxième fois le 20 mars, vingt-quatre heures après le drame. Tous deux récapitulèrent les événements de la veille et le policier remarqua que son témoin paraissait avoir peu dormi. Il observa aussi quelques modifications mineures entre ses dépositions. Au moment de raconter la fin des parties de cartes familiales de ce jour-là, il disait par exemple ne plus se rappeler pourquoi Cinnamon avait quitté le jeu. Au sujet de sa dispute avec Linda, c'était son propre père, Arthur Brown, qui aurait réglé la question en déclarant qu'il fallait laisser pleurer Krystal. David semblait se remémorer beaucoup plus fidèlement le trajet qu'il avait accompli ce soir-là jusqu'au retour, où il avait ouvert la porte avec sa clef. Il répéta qu'il avait trouvé Patti dans l'entrée avec le bébé et qu'elle bafouillait en disant que Cinnamon avait tenté de la tuer. À partir de là, le scénario changeait :

– Quand j'ai pris le bébé et que j'ai voulu monter dans ma chambre, Patti m'a retenu en criant : « Non ! N'y va pas ! »

McLean cilla. Patti avait au contraire insisté sur le fait qu'elle avait demandé à David d'aller voir comment se portait Linda et que c'était lui qui avait refusé parce qu'il avait peur. À présent, il présentait sa propre réaction face au danger d'une façon plus virile. Toutefois, il reconnut qu'il n'était pas allé plus loin que la porte de la chambre et avait reculé en apercevant sa femme couchée dans une posture anormale.

– Avez-vous tué votre femme ? lâcha McLean à brûle-pourpoint.

– Non ! bien sûr que non !

– Pensez-vous que Patti Bailey l'ait fait ?

– Pas du tout ! Je ne sais même pas pourquoi Cinnamon l'a fait...

David se pencha vers le policier.

– Vous savez que Cinnamon avait avalé un plein tube d'aspirine, il y a une quinzaine de jours ? J'ai même dû téléphoner à sa mère à ce sujet...

– Linda prenait-elle beaucoup de médicaments ?

– Non, rien que des suppositoires prescrits par le docteur Ogden.

McLean pria Brown de lui parler un peu de ses affaires, notamment des conditions dans lesquelles sa femme était assurée. David répondit que Linda était la seule vraiment au courant de tout. Son beau-frère Alan Bailey avait bien connu certains aspects de leur entreprise, mais il avait dû le congédier.

– Il m'avait menacé de mort devant témoins, expliqua David d'un ton détaché. Sam, notre voisin numismate qui tient l'échoppe au coin de Brookhurst et de Ball Street, l'a entendu.

À part sa regrettée épouse et sa jeune belle-sœur, David manifestait peu d'affection pour la famille Bailey.

Quant à l'assurance, il fit un effort de mémoire. Oui, il lui semblait avoir souscrit une police d'un million de dollars sur la tête de Linda mais il l'avait résiliée :

– J'en ai pris une moins chère voilà près d'un mois.

À la question de savoir pourquoi il avait retiré Patti du collège, il répondit qu'elle avait du mal à suivre le programme et qu'il pensait qu'elle ferait davantage de progrès en suivant des leçons particulières à la maison :

– J'ai pris toutes les dispositions qu'il fallait pour ça.

David Brown se montrait beaucoup plus soucieux de ce que la presse publiait sur le meurtre de sa femme. Un reporter prétendait que la maison des Brown était jour et nuit le théâtre d'allées et venues laissant supposer une

« activité suspecte ». David répliquait que l'activité en question n'avait jamais eu lieu et le journal devait effectivement publier plus tard un rectificatif.

Quand Fred McLean exprima le souhait de reparler avec Patti Bailey, David le pria d'attendre en prétextant qu'elle était encore sous le choc et qu'il préférait qu'on la laissât tranquille. McLean insistant et assurant qu'il la traiterait avec tout le tact possible, Brown céda à contrecœur.

Patti parut un peu fatiguée au policier, pas aussi paisible que la décrivait Brenda Sands, mais pas bouleversée non plus. Sans larmes ni erreur, elle répéta ce qu'elle avait dit immédiatement après le drame. Elle ajoutait maintenant qu'elle n'avait pas trouvé la porte de service verrouillée lorsque David l'avait envoyée à la recherche de Cinnamon.

C'était là un fait nouveau, de nature à confirmer que David avait quitté la maison sans brancher le système d'alarme.

Patti varia aussi en soulignant que Cinnamon était devenue récemment hostile à l'encontre de la famille :

— Elle devait être jalouse de Krystal. Elle n'a jamais aimé beaucoup le bébé, qu'elle n'appelait sa petite sœur que sur l'insistance de David.

Patti confirma en outre que Cinnamon avait pris une dose excessive d'aspirine après s'être disputée avec Brenda :

— Ensuite, elle s'est installée dans la caravane parce qu'elle avait tout le temps des discussions avec Linda et moi.

McLean choisit ce moment pour lui lancer sa brutale question :

— Avez-vous tué votre sœur ?

— Non, pas du tout, répondit-elle sans le moindre sursaut.

L'avocat de Cinnamon, Al Forgette, tenait à obtenir le plus tôt possible un diagnostic psychiatrique au sujet de sa cliente. Il s'arrangea pour la faire examiner dès le 20 mars par le docteur Seawright Anderson, qui avait témoigné dans non moins de cinq cents procès, en général cité par la défense. Il alla voir sa nouvelle patiente à l'hôpital du California Medical Center, où elle demeurait en observation.

Soucieux d'établir en vue d'un procès tous les grands traits de l'état mental de Cinnamon, le psychiatre trouva l'adolescente cohérente et pertinente à propos de la nuit du drame :

– Son récit semblait spontané et a déclenché une longue narration qui a duré toute la soirée. Une fois lancée, elle ne s'arrêtait plus, témoigna plus tard Anderson. Sa belle-mère la forçait à vivre dans la caravane et elle se sentait exclue, mais elle disait à tout le monde que cela ne l'ennuyait pas, qu'elle avait un nouveau petit chien et qu'il valait mieux qu'ils soient tous deux dans le jardin.

Cela lui faisait quand même de la peine, devait-elle avouer au psychiatre, mais elle ne le montrait à personne.

Quand elle lui décrivit le crime proprement dit, elle se révéla curieusement incapable de répondre aux questions qui lui auraient imposé de séparer ses sentiments personnels de l'histoire qu'elle racontait. Elle niait avoir voulu tuer Linda, ce qui était paradoxal puisqu'elle avouait avoir tiré deux fois. À la question de savoir si elle pensait avoir besoin d'être internée dans un service psychiatrique, elle secoua la tête. Son plus grand souci était de savoir si son père l'aimait encore. Elle avait peur qu'il ne veuille plus d'elle parce qu'elle avait tiré sur Linda.

Aux yeux du psychiatre, Cinnamon Brown ne paraissait pas facile à cataloguer. Elle avait l'air trop sensée pour être psychotique et donnait trop l'impression de regretter pour exprimer une personnalité asociale. Si elle était aussi dénuée de conscience que de responsabilité, c'était une actrice remarquable.

Alors qu'elle reconstituait les souvenirs de sa courte vie, le psychiatre lui demanda si elle avait jamais été triste pendant deux semaines ou davantage. Se rappelant la mort de son chien, quand elle avait neuf ans, elle pensait avec le recul qu'elle avait sans doute pleuré pendant plus longtemps. Il lui semblait que ses larmes ne se tariraient jamais, qu'elle ne supporterait pas d'avoir un autre chien.

Anderson crut pouvoir en conclure à une dépression clinique majeure, susceptible de récidive en cas de nouvel épisode semblable à celui qui l'avait bouleversée cinq ans plus tôt. Après avoir sondé Cinnamon pendant deux heures et pris en compte maints autres aspects de son récit, le psychiatre jugea qu'elle était si déprimée qu'elle ignorait la nature ou la gravité de l'acte qu'elle avait commis. Il en résultait que, selon une règle fondamentale de la procédure américaine, elle ne pouvait « connaître la différence entre le bien et le mal, à l'instant précis du meurtre ».

Un tel diagnostic permettait à l'avocat de la défense de faire envoyer sa cliente dans un hôpital psychiatrique au lieu de la prison. Mais Forgette gardait la désagréable impression que son affaire n'était pas bouclée. En rendant compte de sa mission à David Brown, il lui fit observer que c'était Cinnamon qu'il représentait – et elle seule :

– Si notre enquête venait à révéler l'implication de quelqu'un d'autre, par exemple vous, nous serions obligés de poursuivre ladite personne, même si c'était vous...

En bon Irlandais familiarisé avec les méthodes policières, Al Forgette lui rappela que les enquêteurs s'intéressent toujours de très près à tous les membres de la famille de la victime. Et il le mit en garde :

– Il est parfaitement concevable que vous-même puissiez vous trouver inculpé de meurtre, monsieur Brown. Dans ce cas, ce n'est pas vous que je représenterais, mais seulement votre fille. Est-ce assez clair ou préférez-vous choisir un autre conseil pour Cinnamon ?

David Brown s'agita à la pensée qu'il pourrait être suspecté. Il alluma une cigarette et réfléchit, mais finit par conclure qu'il tenait à ce que Forgette continue de défendre Cinnamon.

Cinnamon se faisait d'avance une joie d'être de retour dans sa famille au bout d'une semaine ou deux et elle était pleine d'espoir en se rendant à l'audience de révision de sa détention, le 26 mars, convaincue de ne pas être envoyée en prison. Mais le juge pour mineurs Betty Lamoreaux ordonna son retour sous écrou et Cinnamon réalisa sans doute pour la première fois qu'elle n'allait pas rentrer chez elle de sitôt.

Il ne lui importait guère de savoir qu'elle ne pouvait être jugée comme une adulte, puisqu'elle n'avait pas encore seize ans. Ce qui comptait pour elle, c'était qu'elle se retrouvait solitaire dans un univers qu'elle n'avait jamais imaginé.

David venait la voir fréquemment, d'abord à l'hôpital, puis au quartier des mineurs de Juvenile Hall, où elle avait été transférée après sa rémission. Son papa ne l'abandonnait donc pas. Elle comptait sur lui et sur ses conseils. Captivée, elle l'écoutait parler et elle l'examinait avec soin pour voir comment il supportait leur épreuve.

Malgré cela, alors que Cinnamon était plongée dans ce nouveau monde inconnu, son esprit se fermait de temps en temps. Alors, elle ne parlait plus du meurtre de sa belle-mère, ni des raisons qui l'y avaient poussée. Quand le docteur Anderson l'examina pour la deuxième fois, en juillet 1985, elle semblait avoir bloqué tout souvenir de son crime :

– La première fois, elle savait tout ce qui s'était passé. La deuxième, elle ne se souvenait même plus de moi. Tout ce qu'elle me répétait, c'était : « Si on dit que j'ai tué Linda, je veux aller dans un asile. Si j'étais condamnée, je deviendrais dingue. Je n'ai rien fait. Je veux rentrer chez nous avec mon père et ma sœur. »

Anderson affina dès lors son diagnostic. Il précisa que Cinnamon souffrait d'« amnésie psychogénique » – c'est-à-dire engendrée par la pensée plutôt que par un traumatisme physique – autant que d'un désordre dissocié, ainsi que de la dépression récidivante précédemment repérée. Cela revenait à admettre qu'elle ne se souvenait plus de rien. Elle savait seulement qu'elle avait désespérément envie de rentrer chez elle.

Dans le courant du printemps et de l'été 1985, la maison que se rappelait Cinnamon avait cessé de ressembler à celle de ses souvenirs. Tout y avait changé depuis que Linda avait disparu et, sans elle, tout leur foyer se désintégrait.

La semaine suivant la mort de Linda s'était passée dans une sorte de brouillard. Patti Bailey assista aux obsèques de sa sœur, mais sans parvenir à croire qu'elle était morte :

– J'étais dans une voiture et il me semblait que Linda aussi était toujours là. Krystal pleurait et criait sans cesse, mais elle était trop petite pour comprendre qu'elle avait perdu sa mère.

David et elle se sentaient hantés. La nuit, ils croyaient entendre des bruits de pleurs et de gémissements inexplicables. Comme si la morte était encore là. Pour ne pas se retrouver seuls face à leur imagination quand ils rentraient, tous deux insistaient pour se faire raccompagner par leurs parents et amis.

Parmi leurs relations se trouvait une jolie jeune femme de vingt et un ans nommée Denise Summers, qui habitait à Riverside. Elle avait d'abord été une amie d'Alan Bailey et c'est par son intermédiaire qu'elle avait fait la connaissance de Linda et de David quand ils habitaient ailleurs, à Yucca Valley. Ensuite, elle avait continué de les fréquenter.

– David m'avait parlé de la société qu'il allait fonder et de l'emploi qu'il m'y offrirait, expliqua-t-elle au sergent John Woods. Et, comme le trajet pour aller au travail risquait d'être long, je suis allée habiter chez David et Linda.

En 1983, autour du couple, Patti et Cinnamon ainsi qu'Ethel Bailey et son fils Alan formaient une joyeuse maisonnée. Avant qu'ils ne déménagent tous pour Ocean Breeze Drive, Denise avait vécu trois bons mois entre les Brown et les Bailey. Selon elle, Ethel n'avait pas tenu aussi longtemps :

– Je dirais que Linda était ma meilleure amie, mais j'étais liée aussi avec Patti et Cinnamon. Quand ils sont tous venus s'installer à Garden Grove, j'ai gardé le contact, mais surtout par téléphone...

Durant l'été 1984, alors que Linda était enceinte de Krystal, elle avait confié à Denise qu'elle soupçonnait sa sœur de seize ans, Patti, d'avoir une liaison avec son mari. Quand Denise lui avait demandé d'où elle sortait une idée pareille, Linda lui avait répondu que son mari consacrait beaucoup plus de temps et d'attention à sa belle-sœur qu'à sa propre femme enceinte.

Un jour, Linda avait même raconté à son amie qu'elle avait piqué une colère et dit à David qu'elle voulait qu'il ramène Patti chez Ethel. Tous deux avaient quitté la maison avec une valise pleine d'effets de la jeune fille, mais, en arrivant à Riverside, David avait téléphoné à Linda pour l'avertir :

– Je reviens avec elle ou pas du tout. C'est comme ça, et pas autrement !

Linda avait expliqué à Denise qu'elle avait cédé parce qu'elle avait trouvé le courage de l'affronter et de le sommer d'avouer s'il y avait quelque chose entre lui et sa jeune sœur :

– David aurait fini par admettre que Patti avait un petit béguin pour lui, rapporta Denise. Il prétendait qu'il n'avait pas voulu en parler parce que c'était sans importance, jusqu'à ce que Patti lui ait fait des avances. À ce moment-là, il aurait dit à sa belle-sœur d'oublier tout ça et il ne se serait rien passé...

Linda avait dit à Denise qu'elle avait alors décidé de laisser tomber. Elle voulait croire ce que lui affirmait David, même si elle était ulcérée à la pensée que, à choisir, il lui préférait Patti.

Cet épisode aurait marqué chez Linda le début d'une métamorphose. Elle qui avait toujours été chaleureuse et amicale devint distante, méfiante. Cette réserve s'était aggravée après les vacances de Noël, au point que ses conversations téléphoniques avec Denise étaient devenues froides et embarrassées :

– Je crois qu'au moins une partie du problème devait venir de ce que David écoutait les communications de Linda. Ils avaient de ces téléphones à amplificateur qui permettent à tous de tout entendre...

Comme tout le monde, Denise se disait abasourdie que Cinnamon ait pressé la détente du revolver. Elle connaissait bien la famille, avait même vécu au beau milieu et n'avait jamais remarqué le moindre problème entre belle-mère et belle-fille. La dernière fois que Denise avait vu les Brown, pour fêter la naissance de Krystal, en 1984, tout lui avait paru normal. Elle avait parlé à quelqu'un de la famille peu avant le drame ; en février 1985, David lui avait passé un coup de fil pour prendre de ses nouvelles.

Denise Summers avait eu Patti au téléphone après le drame. Elle rapporta à John Woods ce que celle-ci lui avait raconté de la nuit du 18 au 19 mars. Sa version semblait identique à celle que les enquêteurs avaient déjà entendue, à ceci près que Patti n'avait pas dit à Denise avoir attendu David dans l'entrée. Elle déclarait au contraire qu'elle avait refusé de sortir en lui criant : « Il y a des coups de feu, par là ! » Quand David lui avait demandé ce qui se passait, elle lui aurait répondu d'aller lui-même inspecter la chambre, où il aurait aperçu le corps de Linda qui avait glissé hors du lit.

— Au moment où Patti me racontait ça, l'arrivée de David dans la pièce l'a empêchée de m'en dire plus.

Comparé aux autres versions de cette soirée, ce récit présentait une intéressante variante. Jusque-là, personne n'avait décrit le corps comme tombant du lit. C'est couchée comme si elle dormait, avec un bras remonté, qu'elle avait été découverte. Quant à David, il avait toujours soutenu que Patti l'attendait derrière la porte avec le bébé dans les bras quand il était rentré.

Cette légère différence ne signifiait sans doute pas grand-chose.

D'autre part, Denise Summers était retournée à Ocean Breeze avec la famille, après les funérailles du vendredi 22 mars. Elle était montée s'asseoir avec Patti et David dans la chambre principale, où ils avaient parlé de déménagement et lui avaient demandé de venir les aider car il aurait été douloureux pour eux de déplacer les affaires de Linda.

À titre d'exemple, Patti avait montré une robe de chambre et questionné David sur ce qu'il voulait en faire. Elle était à lui, mais c'était sa femme qui l'avait portée le soir du drame. Et Denise avait cru devoir s'en mêler :

– Je l'ai ramassée avec précaution parce que je pensais qu'elle devait être trouée par les balles et pleine de sang, dit-elle. Mais elle paraissait impeccable, alors je suppose qu'elle l'avait quittée avant de se coucher. David a répondu qu'il ne voulait pas en parler et qu'il ne pourrait même pas passer la nuit là. Nous sommes tous partis chez ses parents à Carson. Le lendemain, il m'a redit qu'il allait déménager et je lui ai proposé de m'appeler quand il aurait besoin de quoi que ce soit.

David Brown et son bébé étaient ensuite retournés à Ocean Breeze et Patti les avait accompagnés pour s'occuper de Krystal, ainsi que Manuela Brown, la grand-mère. Des souvenirs de Linda traînaient dans tous les coins. Un superbe vitrail représentant une femme avec un lion stylisé, son signe astrologique, était encore posé contre le mur dans la nursery. Dans la cuisine, des pense-bête en forme d'oursons portaient encore des notes de sa main. Mais les plantes vertes qu'elle soignait si bien commençaient à se faner et, dans le réfrigérateur, les restes qu'elle avait soigneusement emballés se couvraient d'une fine couche de moisi verdâtre.

La fragrance de L'Air du Temps, le parfum de Linda, flottait encore. La poussière s'accumulait, le linge à laver s'empilait au point que Manuela et Patti n'étaient pas trop de deux pour s'occuper de la maison. Ce qui ne facilitait pas les choses, c'était que Patti avait toujours pensé qu'Arthur et Manuela Brown ne l'aimaient pas et demandaient sans cesse à David pourquoi elle vivait chez lui. De plus, David lui-même n'allait pas assez bien pour se montrer utile.

Les chiens que Cinnamon affectionnait tellement étaient infestés de puces et de tiques dans leur enclos humide et sombre derrière le garage. On les entendait hurler la nuit, quand les arbustes et le grand érable couvert de lierre cachaient la lune.

David n'était pas rentré à la maison depuis vingt-quatre heures qu'il téléphonait à Denise Summers pour solliciter indirectement son secours. Il se plaignait : le bébé criait et

Patti sanglotait sans arrêt. Mais Denise savait qu'il n'était pas homme à demander quoi que ce soit, préférant tourner autour du pot et laisser deviner de quoi il avait besoin.

– En fait, il voulait que je vienne l'aider, en conclut-elle. Il m'a dit que je pourrais me servir de la voiture de Linda.

C'était bien là sa façon de procéder, elle ne l'ignorait pas. Quand il demandait le moindre service, il proposait un dédommagement en contrepartie.

Denise lui avait répondu qu'elle ne pouvait pas venir le jour même, mais promit de passer la nuit du lundi en quittant son travail. Elle tint parole et arriva vers 20 h 30. Toute la maisonnée avait un air angoissé, comme si une nouvelle catastrophe risquait de survenir. David, en particulier, semblait avoir trop peur pour passer la nuit seul et voulut dormir sur un matelas entre Patti et Denise.

– Finalement, c'est Patti qui a couché au milieu, releva Denise. Tout veuf éploré qu'il était, David ne semblait pas dépourvu d'intérêt érotique. Il tenait des propos passablement ambigus, comme si de telles situations n'avaient rien d'insolite. Il est vrai que, dénué de tout ami masculin, c'est presque uniquement auprès des femmes qu'il recherchait la consolation...

Denise passa plusieurs nuits avec David, Patti, Manuela et Krystal. Un soir, une amie de Patti, Betsy Stubbs, vint leur rendre visite. Denise profita de ce que David et elle-même avaient raccompagné Betty, laissant Patti s'occuper du bébé, et se retrouvaient donc en tête à tête au retour, pour lui dire tout de go qu'elle pensait que Patti était amoureuse de lui. Il répliqua ne pas vouloir écouter ce genre de sornettes.

– Quand nous sommes rentrés, Patti a demandé pourquoi nous avions mis si longtemps, raconta Denise. Chaque fois qu'il restait avec moi, elle le soumettait à de tels interrogatoires. Elle n'a jamais montré qu'elle était jalouse, mais le ton de sa voix le laissait deviner.

Denise finit par déclarer au sergent Woods qu'elle commençait à avoir un peu peur de Patti Bailey. Peut-être influencée par l'ambiance inquiétante de la maison, elle se demandait jusqu'où Patti était capable d'aller pour rester seule avec David. Enfin, elle déclara :

– Je crois que c'est Patti qui a fait le coup, que c'est elle qui a tué Linda.

Woods la regarda d'un air ahuri.

– Pourquoi ?

– Parce que Cinnamon n'est pas capable d'une chose pareille. Elle a toujours suivi et imité Linda comme une sorte de figure maternelle. C'est avec Patti que Linda avait toujours des démêlés.

Denise alla plus loin. Elle affirma que Patti avait commencé à remplacer sa sœur en tous points :

– Elle a chaussé les pantoufles de Linda...

Les policiers se demandèrent dans quelle mesure un béguin d'adolescente pouvait se transformer en jalousie possessive, voire meurtrière. Patti Bailey leur avait paru falote et plutôt sincère dans son chagrin, accablée par la mort de sa sœur. De plus, les enquêteurs n'avaient guère d'éléments allant dans ce sens. C'était Cinnamon qui avait avoué et c'était bien l'écriture de celle-ci qui se reconnaissait sur le billet annonçant le projet de suicide. Personne d'autre qu'elle n'avait avalé de dose massive de médicaments.

En dépit des commérages et des suppositions de gens qui connaissaient la famille, il n'existait aucun indice sérieux contre Patti Bailey.

Entourée d'inconnus, Cinnamon demeurait profondément solitaire. Elle échangeait quelques mots avec le personnel médical, son avocat et les policiers de faction, mais elle parlait de moins en moins. Son univers avait rétréci à mesure qu'avait disparu tout ce qui avait compté pour elle jusque-là. Elle s'était réduite à un matricule anonyme : affaire pénale 85-11 342 de la police de Garden Grove.

David Brown, lui, ne pouvait supporter de rester seul. Il avait apparemment besoin d'une foule autour de lui ou d'occupations à longueur de journée. Il en voulait à la police de fouiller dans sa vie personnelle. Il craignait que des parents, amis ou relations disent quelque chose contre lui.

Il se comportait non pas comme s'il avait quelque chose à cacher, mais comme s'il détestait toute intrusion dans son intimité. Naguère, il avait même interdit à Linda de parler de leur vie de couple au reste de la famille. Il était réticent face aux enseignants ou aux autorités scolaires qui voulaient l'entraîner dans des discussions à propos de Cinnamon et de Patti, et il ne souhaitait pas, à présent, que des curieux de Garden Grove et d'Orange viennent poser des questions.

Il n'y avait déjà eu que trop de publicité après le meurtre, ce qui rendait toute vie privée pratiquement impossible. Alors que David aimait être un point de mire et s'enorgueillissait de sa renommée d'expert en récupération de données informatiques, il détestait être reconnu dans les rues d'Orange. En revanche, cela ne le gênait guère d'être appelé par son nom à sa banque, l'agence 86 de la Home Savings Bank of America, où il avait un compte de dépôt et un compte d'épargne. Il y était considéré comme un bon client et ne passait jamais à découvert.

Après de nombreuses transactions à son guichet, Ellen Gilbert, dix-huit ans, avait fini par bien connaître les Brown. Elle trouvait les manières de David charmantes, mais le jugeait trop vieux pour être le mari de la jolie blonde. Celle-ci l'escortait toujours quand ils avaient affaire à la banque et Ellen aimait bavarder un moment avec la future maman. Elle la plaignait un peu, car Linda lui semblait ne pas avoir de relations en dehors de sa proche famille. Elle parlait à Ellen comme si elle était avide d'amitié. L'existence de Linda paraissait étriquée à la jeune employée de banque, qui la voyait suivre son mari partout.

Un jour, Ellen avait demandé à David en quoi consistaient ses affaires. Il lui avait expliqué qu'il récupérait des données perdues dans des ordinateurs et qu'il travaillait pour de très grosses entreprises, et même pour le gouvernement fédéral : « Je suis seul aux États-Unis à pouvoir fournir un tel service. »

– Il se targuait de ce que ses affaires allaient si bien qu'il avait besoin d'embaucher du personnel et il m'avait même proposé : « Si jamais vous quittez la banque, venez donc travailler pour moi. »

De temps en temps, d'autres membres de la famille venaient avec les Brown. Ellen connaissait ainsi non seulement Alan et Patti Bailey, mais également les parents de David. Après la naissance de Krystal, en juillet 1984, elle déserta un instant son guichet pour aller admirer le nouveau-né dans son couffin, que transportait la camionnette de David. Linda avait l'air très heureuse et son union plus solide que jamais.

Ellen eut la surprise de voir arriver David en personne peu de temps après le drame. Il avait besoin de liquide pour payer les obsèques de Linda ; et il revint ultérieurement pour un autre retrait.

– Il semblait de marbre, se souvint Ellen, mais il avait les larmes aux yeux.

Ellen avait proposé de s'occuper de Krystal pendant le service funèbre, mais le malheur avait voulu que sa propre grand-mère meure subitement le même jour. Elle avait dû se contenter d'envoyer un mot de condoléances à la famille Brown.

Alors que le printemps faisait place à l'hiver, David vint de plus en plus souvent à la Home Savings Bank ; il demandait toujours Ellen. Si elle s'occupait de quelqu'un d'autre, il attendait qu'elle ait fini. Malgré son drame personnel, sa situation financière semblait plus florissante que jamais. Il avait en effet déposé des règlements de compagnies d'assurance, dont un gros chèque approchant les 350 000 dollars.

Ellen trouva curieux qu'une simple femme au foyer comme Linda ait souscrit une police d'un pareil montant, et elle eut l'audace de demander pourquoi. David lui répondit que Linda était seule à tout savoir de ses affaires, qu'elle y avait joué un rôle essentiel et que l'assurance devait maintenant l'aider à reconstituer une équipe, même moins performante. Ellen, qui jugeait Linda gentille et amicale, ne l'aurait jamais qualifiée de « performante ». Et elle ne l'imaginait pas indispensable à une société d'informatique.

David venait rarement seul. Patti Bailey l'accompagnait en général, tout comme Linda avant elle. Chaque semaine, Patti encaissait des chèques signés par David pour des sommes allant de 300 à 500 dollars. La jeune sœur ressemblait à la défunte au point que c'en était effrayant, d'autant plus qu'elle portait des vêtements et des bijoux qu'Ellen avait remarqués sur Linda. Patti portait également le bébé comme s'il était son propre enfant, comme si Linda n'avait jamais existé.

Ellen s'étonnait aussi de l'attitude de David à son égard, malgré l'omniprésence de Patti. À l'employée de banque, il parlait sur un ton familier, presque intime. Elle s'aperçut avec stupeur que ce petit homme rondouillard, presque assez âgé pour être son père, lui faisait du gringue. Il l'invita même à venir le voir chez lui, un soir, proposition qu'elle s'empressa de décliner.

Elle fut soulagée quand Brown déménagea de Garden Grove et ne vint plus que rarement à la banque. Elle ne s'en cachait pas moins dès qu'elle l'apercevait et demandait à des collègues de s'occuper de lui.

L'essentiel des spéculations au sujet de David Brown allait mettre longtemps à parvenir jusqu'au district attorney du comté d'Orange. David en inquiétait certains, en persuadait d'autres qu'ils se faisaient des idées, mais ne donnait envie à personne de se trouver mêlé à sa vie.

Patti, David et le bébé quittèrent Ocean Breeze Drive pour une maison de location au 2 041, Breckenridge Street, à Orange. C'était une petite rue située à une centaine de mètres de la voie express, ombragée par des buissons et des arbres, comme leur domicile précédent. Ils ne devaient pas y vivre longtemps.

10

Même si les enquêteurs continuaient à chercher des indices et des témoins à charge contre Cinnamon Brown, l'affaire leur inspirait un certain malaise. Ils avaient la pénible impression de traquer un lapin alors qu'un coyote rôdait dans les parages. Ils se disaient pourtant que, dans leur métier, il ne faut jamais se laisser guider par ses sentiments.

Ils ne disposaient de rien de tangible qui aurait pu les orienter vers un autre assassin. Tout au plus subsistait-il un élément qui pouvait sembler troublant. C'était que les deux tests scientifiques successifs qui avaient décelé sur les mains de David Brown et de Patti Bailey de faibles doses d'antimoine – substance notamment utilisée dans le détonateur des balles – n'en avaient pas repéré la moindre trace chez Cinnamon.

Mais n'importe quel criminologue aurait été capable d'expliquer cette apparente anomalie. D'abord, Cinnamon était restée toute une nuit couchée dans des vomissures et de l'urine qui avaient pu effacer les résidus. À l'inverse, sous le choc, Patti pouvait avoir oublié qu'elle avait manipulé le revolver que Cinnamon lui avait montré. De toute façon, d'autres actes banals, en particulier le simple fait de fumer une cigarette, peuvent marquer les doigts à l'antimoine.

Rien ne prévalait contre les aveux détaillés que Cinnamon avait livrés à Fred McLean et à Pam French.

L'adolescente devait être jugée devant la haute chambre du juge Robert Fitzgerald, mais comme mineure – pas comme adulte. L'État de Californie y poursuivait Cinnamon Darlene Brown sous le numéro J-123 914.

Cinnamon ne se rendait nullement compte de ce qui se tramait. Elle s'attendait toujours à rentrer chez elle. Et peut-être allait-elle avoir raison...

La thèse de l'accusation avait reçu un coup de grâce quand la confession de Cinnamon dans les locaux de la police fut jugée irrecevable à la demande de son avocat. Al Forgette avait argué que sa jeune cliente se trouvait à ce moment sous l'influence d'analgésiques et de sédatifs, et que, si elle s'était si librement confiée à Fred McLean, c'était précisément parce qu'elle ne jouissait pas de toutes ses facultés. La preuve en était qu'elle avait dû être hospitalisée de toute urgence aussitôt après. De même, vu son état pendant le trajet en ambulance, on ne pouvait tenir compte de ce qu'elle avait confié à Pam French.

Dans ces conditions, on ne pouvait légalement considérer l'unique suspecte du meurtre de Linda Marie Brown comme ayant avoué, et son geste n'était démontré par aucune preuve matérielle, ni dénoncé par aucun témoin.

Jay Newell réexaminait sans cesse le dossier. Il y avait quelque chose qui sonnait faux mais il était incapable de dire quoi.

Il constatait que Cinnamon était de santé fragile mais qu'on lui avait administré des médicaments qui avaient encore aggravé son état. En parcourant une fois de plus des pages de rapports bourrées de jargon médical, il tomba subitement sur des passages plus faciles à lire : des notes écrites à la main et reproduisant presque mot pour mot les aveux de Cinnamon à Fred McLean. Il s'étonna que des éléments d'un procès-verbal de police confidentiel se retrouvent au beau milieu d'un dossier médical. Il en tourna les feuillets avec curiosité et découvrit que les déclarations de Cinnamon se trouvaient contresignées des initiales K. H.

Fasciné, Jay Newell comprit que cela n'était nullement une reproduction des aveux de Cinnamon à McLean : il s'agissait d'une version originale d'une autre confession. En fouillant les archives, il trouva d'autres déclarations qu'elle avait faites au ou à la même K.H. Enfin, il put établir son identité : une certaine Kimberly Hicks.

Kimberly Hicks venait peut-être de sauver l'accusation. Newell partit à sa recherche, au centre médical de l'université de Californie, où il apprit qu'elle avait passé beaucoup de temps auprès de Cinnamon Brown quand celle-ci s'y trouvait en observation. Ladite Kim était une externe, de service le soir où l'adolescente avait été admise. L'une avait besoin de parler quand l'autre était là pour l'écouter. L'interne expliqua au procureur qu'elle tenait sur chacun de ses patients un cahier qu'elle soumettait ensuite au médecin-chef pour justifier sa propre notation. Or, parmi les détails sur l'évolution de l'état de Cinnamon qu'elle avait enregistrés, Kim avait consigné une seconde confession du crime. Tout en écoutant l'adolescente, elle avait donc pris bien garde à ne pas y mêler ses propres opinions, préservant du même coup l'objectivité de ce document.

Le procès pour meurtre avec préméditation allait pouvoir commencer.

La cour devait se réunir le 7 août 1985. Cinnamon avait eu quinze ans le 3 juillet précédent. Il y avait longtemps qu'elle n'était pas rentrée chez elle, depuis que Fred McLean l'avait tirée de sa niche, à l'aube du 19 mars, cinq mois plus tôt. Elle ne savait plus très bien où habitaient désormais son père, Patti et le bébé, et ignorait l'essentiel des changements intervenus dans sa famille. Krystal lui manquait et elle était déçue de ne pas avoir vu la petite fille faire ses premiers pas. La plage lui manquait, parce qu'elle aimait regarder les surfeurs. Elle regrettait de ne pas pouvoir écouter de *new wave*. Sa mère et son amie Krista Taber lui manquaient aussi. Elle ne pouvait se faire à l'idée que Linda était morte, comme tout le monde ne cessait de le lui répéter. Son père lui manquait plus encore et elle ne comprenait pas pourquoi il ne venait pas la voir plus souvent.

Elle ignorait que Patti vivait toujours avec David et le

bébé, et qu'elle avait même éliminé de la maison toutes les photos de Linda pour les remplacer par les siennes.

Jay Newell s'était rendu en toute hâte chez l'adjoint du DA, Mike Maguire, pour lui signaler qu'ils avaient désormais un nouvel atout juridique dans la manche.

En Californie, les procès de mineurs se déroulent sans jury, devant le juge seul. Me Forgette réclama d'entrée le huis clos, qui lui fut refusé. Ni lui ni Mike Maguire ne firent d'autre déclaration préliminaire.

Quand Maguire appela Patti Bailey – celle-là-même que Cinny considérait comme sa sœur – en tant que premier témoin à charge, Cinnamon parut abasourdie. Patti la présenta en qualité de « nièce », l'identifia comme étant l'adolescente en chemisier bleu pâle assise dans le box des accusés, puis rapporta les « chamailleries » entre la jeune fille et Linda à propos des besognes ménagères, qui dégénéraient en disputes :

– Quand elles éclataient, je quittais généralement la pièce, parce que je sentais que je n'avais pas à y assister, témoignait Patti d'une voix douce et timide, en réponse aux questions de Maguire, qu'elle peinait à comprendre.

Patti identifia l'écriture de Cinnamon en caractères d'imprimerie d'après des lettres et des poèmes présentés comme pièces à conviction. Lorsque Maguire en vint au 18 mars 1985, elle prétendit qu'elle ne se souvenait pas très bien de la journée. Il l'interrogea sur la nuit du crime et ses réponses restèrent en gros conformes à ce qu'elle avait initialement raconté aux policiers.

Patti ne se rappelait plus quand elle avait entendu le premier coup de feu, mais le rapport de police lui rafraîchit la mémoire. Oui, à présent, elle se souvenait qu'elle avait regardé le cadran lumineux de sa pendulette et qu'il marquait 2 h 23. En revanche, dans son récit de la suite des événements, apparurent de légères modifications. Ainsi, elle disait maintenant avoir vu David monter vers la chambre du crime et prétendait lui avoir crié :

– Non ! il est arrivé quelque chose ! Assieds-toi, je vais appeler la police...

Mike Maguire dut l'orienter pour qu'elle se remémore que David lui avait demandé de chercher Cinnamon. Elle protesta :

– J'étais trop bouleversée... J'ai regardé dans ma chambre et dans ma salle de bains, mais elle n'y était pas...

En larmes, elle ajouta que Cinnamon se montrait déprimée et maussade depuis plusieurs semaines. Mais elle affirma ne jamais l'avoir entendue dire qu'elle détestait Linda et les avoir au contraire vues souvent s'embrasser.

Maguire posa des questions sur les fréquents déménagements de la famille et Patti s'efforça de décrire l'ambiance familiale. Elle dit qu'elle-même et Cinnamon considéraient Linda comme leur mère, malgré ses vingt-trois ans.

– Est-ce qu'il arrivait à votre sœur d'être menaçante ? De se mettre très en colère contre Cinnamon ? interrogea Maguire.

– Quand Linda était mal lunée, elle en voulait à la terre entière ! Mais nous avions tous appris à nous y faire...

Patti se souvint qu'il avait été convenu entre Linda et Cinnamon que l'adolescente irait dans la caravane, mais elle ne savait plus si cela s'était décidé avant ou après leur dispute à propos des corvées domestiques.

Pour l'accusation, Patti Bailey n'était pas le témoin à charge idéal. Elle se montrait moins assurée des détails de la nuit du drame qu'elle ne l'avait été en mars. Elle qui se disait certaine d'avoir reconnu Cinnamon sur le seuil de sa chambre ne parlait plus dorénavant que d'une vague silhouette. Si elle avait fait sur le moment un rapprochement entre la silhouette et la détonation, elle ne prétendait plus du tout qu'il s'agissait de Cinnamon. Elle affirmait toujours qu'elle n'avait pas touché l'arme lorsqu'elle en avait expliqué le fonctionnement à l'accusée. L'avocat de la défense lui demanda alors si le fait de savoir que Cinnamon déambulait avec une arme à la main l'avait inquiétée. Elle rétorqua que cela ne l'avait pas alertée et qu'il ne lui avait pas semblé nécessaire de prévenir quiconque. Selon elle, Cinnamon était troublée et déprimée, comme si quelque chose la tourmentait, surtout depuis les mois de janvier et février.

Pressée de donner un exemple des sautes d'humeur en question, Patti se creusa la cervelle sans rien trouver de précis. Elle n'en rejeta que plus énergiquement l'idée que Cinnamon ait pu se droguer :

– Vous savez bien comment sont les toxicos tant qu'ils ont leur dose, ils ont l'air de ne pas avoir le moindre souci au monde, alors que Cinny était très déprimée, pas heureuse du tout.

Patti Bailey manquait trop de vocabulaire et se révélait dans l'incapacité d'exprimer ses propres émotions autrement qu'en répondant aux questions de l'avocat. Oui, elle était terrifiée. Oui, elle avait éprouvé une très grande angoisse. Oui, elle était bouleversée et avait beaucoup pleuré. Elle se contentait d'acquiescer aux formules que lui proposait Forgette.

Malgré tout, la nouvelle version de Patti faisait paraître plus courageuse l'attitude de David le soir du crime. Patti semblait avoir oublié la panique de celui-ci, tout comme le coup de téléphone affolé à M. Brown senior.

En revanche, l'accusation ne parvenait plus à lui faire répéter ses dépositions catégoriques sur l'identité de la personne qui avait tiré.

– Cherchez-vous à protéger Cinnamon en ce moment ? s'enquit Maguire.

– Non.

Assis dans le fond de la petite salle d'audience, Jay Newell observait tour à tour les réactions du public et celles de Patti Bailey. De son témoignage, David Brown ressortait presque courageux et le tireur n'était plus Cinnamon, mais une silhouette floue. Il ne cessait de tourner ses regards vers la petite adolescente tassée dans son box, avec une expression de douleur et d'incrédulité.

Quand Kimberly Hicks, le témoin à charge qu'il avait découvert lui-même, pénétra dans la salle, au lieu d'en être fier Jay Newell sentit son cœur se serrer. La jeune interne en médecine déclara qu'elle se rappelait bien l'appel qu'elle avait reçu à 3 heures du matin, la priant de se présenter au service de garde à vue à l'hôpital. Elle avait trouvé Cinnamon couchée, menottée, encore secouée de nausées. Elle lui avait demandé pourquoi elle avait ingéré tous ces médicaments.

– Elle m'a d'abord expliqué qu'elle avait tiré sur quelqu'un, à deux reprises, et qu'on disait que c'était sur sa belle-mère.

– Vous a-t-elle dit ce qu'elle avait fait ensuite ? demanda Maguire.

– Elle a seulement raconté qu'elle était allée chercher les médicaments dans le tiroir de son père. Elle disait qu'elle en avait avalé un plein flacon, puis un verre d'eau, et, après, les comprimés d'un autre tube...

Quand Maguire présenta à Kim Hicks son rapport initial, elle le parcourut en opinant de la tête.

– C'est bien ça... C'est mon écriture : elle a déclaré qu'elle avait avalé au moins quatre-vingts comprimés d'un flacon, et elle ignorait la quantité des deux autres.

Cinnamon avait dit à l'interne qu'elle avait tiré sur sa belle-mère vers 3 heures du matin. Elle aurait d'abord fait feu une première fois, puis l'aurait entendue crier : « Au secours ! J'ai mal ! » Alors, elle serait retournée dans la chambre de Linda, et aurait de nouveau pressé la détente. Cette fois, Linda n'aurait plus émis le moindre son. Cinnamon avait raconté à Kim Hicks qu'elle avait attendu une demi-heure avant de partir se cacher dans la niche.

En réponse à Maguire, Kim Hicks précisa :

– Elle aurait commencé à y avoir des nausées. Elle se souvenait d'avoir uriné et d'avoir été prise de frissons et de vomissements. Personne ne serait venu la chercher jusqu'à ce qu'elle ait entendu les sirènes s'éloigner, puis que la police soit revenue.

Pendant les jours suivants, Kim Hicks avait eu l'occasion de passer pas mal de temps avec Cinnamon. Et le procureur revint à la charge :

– Au cours de ces conversations à bâtons rompus,

l'accusée vous a-t-elle indiqué la raison pour laquelle elle avait tiré sur sa belle-mère ?

– Oui, elle nous a dit qu'elle ne savait pas quoi faire d'autre. Parce que sa belle-mère l'avait menacée, lui avait dit qu'elle devait s'en aller, qu'elle ne pouvait plus rester à la maison quand elles s'étaient disputées ce soir-là et que son père était parti en disant qu'il en avait assez.

Dans l'ensemble, cette histoire collait plutôt bien avec les autres récits. Kim Hicks répéta que Cinnamon aurait craint que Linda ne s'occupe pas assez bien de Krystal, qu'elle ne la consolait pas quand elle pleurait et la laissait brailler.

N'empêche que cette version était un peu différente de ce que Maguire avait entendu à propos de la nuit du drame. Par exemple, David avait prétendu qu'il n'était sorti qu'*après* que les filles et Linda furent allées se coucher, alors que Cinnamon avait dit à Hicks qu'il avait « claqué la porte parce qu'il en avait ras le bol de leurs bisbilles ». S'il savait à quel point leurs sentiments étaient explosifs, pourquoi était-il parti comme ça, en voiture, en pleine nuit ?

Au début de son contre-interrogatoire, Al Forgette demanda pourquoi le témoin avait perdu tant de temps à écouter Cinnamon parler du meurtre. Kim Hicks répondit qu'au début Cinnamon lui avait paru très effrayée et la questionnait en répétant : « Mon Dieu, qu'est-ce qui va m'arriver, à votre avis ? »

– J'ai fait de mon mieux pour la réconforter et, au cours de la journée, elle s'est calmée peu à peu. Je lui ai répété que tout finirait par s'arranger.

Pendant ce témoignage, Cinnamon resta impassible. Kim souligna qu'à ses yeux l'adolescente n'avait pas seulement été une patiente, mais aussi une personne humaine. Elle était retournée à son chevet tous les matins à 8 heures pour voir comment elle allait, prendre sa température, sa tension, et la réconforter.

– Elle paraissait terrorisée et délaissée, insista Kim Hicks. Ni sa maman ni son papa n'étaient là.

Kim Hicks représentait l'un des témoins les plus dangereux pour Cinnamon et Forgette la mania avec prudence. Il fit remarquer que Cinnamon avait été hospitalisée dans un service séparé du reste de l'hôpital, non seulement sous l'autorité du shérif, mais protégé par des verrous et des barreaux.

– Les patients ne peuvent en sortir, souligna l'avocat, mais vous, vous pouvez y accéder librement. Et il ne manque pas d'agents du shérif pour contrôler que les patients se conduisent bien et restent enchaînés à leur lit.

– C'est vrai, reconnut Kim Hicks.

Forgette essaya d'en tirer avantage en soumettant une motion :

– Je demande au tribunal de déclarer nulle la déposition du témoin, Kim Hicks, au moins pour ce qui concerne les déclarations faites par la mineure alors qu'elle était internée dans le quartier cellulaire du centre médical universitaire. Nous soutenons en effet que si ce témoin fait partie du personnel hospitalier et n'est pas officier de police judiciaire, ses actes ont été ceux d'un agent chargé d'une mission publique. Les documents confirmant que la mineure se trouvait alors détenue, enchaînée à son lit, nous concluons que les déclarations qui lui ont été soutirées dans de telles conditions constituent un interrogatoire illégal.

L'avocat, ce gros ours sympathique, se battait vaillamment pour sa cliente. Newell lui-même ne pouvait s'empêcher de l'admirer. Quant à la principale intéressée, elle avait l'air de ne rien comprendre à tout ce pathos. Mais Maguire rétorqua que Kim Hicks s'était contentée d'établir les antécédents de sa patiente sans rien révéler à la police. À toutes fins utiles, Jay Newell commença à feuilleter attentivement le dossier médical pour y chercher un troisième exemplaire des aveux.

Pendant un moment le silence plana dans la salle, jusqu'à ce que le juge statue :

– La requête de la défense est rejetée. Témoin suivant !

11

Pendant toute la durée de son procès, Cinnamon Brown jeta de temps à autre un regard furtif vers le public. Elle ne paraissait pas saisir que des témoins cités puissent se trouver récusés et comprenait encore moins où était son père. Elle ne pouvait croire qu'il ne soit pas venu la soutenir et espérait sans doute qu'il serait là, dehors, dans le hall. À sa place, dans le fond de la salle, ses yeux revenaient périodiquement se poser sur un homme athlétique, dont elle ignorait qu'il s'appelait Jay Newell et dont elle ne pouvait imaginer l'importance qu'il allait prendre dans sa vie.

Les témoins entraient par la porte à deux battants, s'approchaient de la barre, déposaient et repartaient. Certains avaient déjà joué un rôle dans sa brève existence, d'autres n'étaient apparus que depuis le drame. C'est ainsi qu'elle écouta notamment Krista Taber, sa plus vieille amie, paralysée par le trac, raconter que Cinnamon était souvent punie.

Quand Fred McLean vint identifier des photos de la chambre du crime, puis de la niche où il avait trouvé l'adolescente, celle-ci n'eut pas l'air de le reconnaître. McLean authentifia ensuite le mot qu'elle avait rédigé sur du carton rose et en lut le texte de sa voix grave, imprégnée d'accent du Kansas : « Mon Dieu, je vous en supplie, pardonnez-moi. Je ne voulais pas lui faire de mal. »

Cinnamon avait l'impression que tout cela lui échappait. Elle ne parvenait pas plus à suivre les procédures qu'à comprendre le jargon des policiers et des médecins. Le docteur Richard Fukomoto, médecin légiste, la laissa abasourdie : les détails d'une autopsie, les explications parfois macabres de l'anatomopathologiste chargé d'une affaire d'homicide, déjà difficilement compréhensibles pour tout profane, résonnent comme une langue étrangère aux oreilles d'une adolescente de quinze ans.

Il y eut de longues heures de dépositions d'experts en balistique, en dactyloscopie, en résidus de coups de feu, en groupes sanguins. Cinnamon n'avait pas vu de sang dans la maison obscure. On disait qu'elle appartenait au groupe O et que Linda était du groupe B. Mais qu'est-ce que ça pouvait faire ? Elle ferma les yeux.

Tout cela ne constituait que de banals témoignages de routine, alors que son avenir à elle avait vacillé à l'instant même où le juge avait décidé d'accepter la déposition de Kim Hicks.

Dans l'après-midi du vendredi 9 août, l'audience fut suspendue. Cinnamon ne savait toujours pas où était son père et comprenait encore moins son absence. Patti avait témoigné. Mais où était son papa ? Le nom de David Brown avait bien retenti dans la salle, mais il n'y était pas : il avait avisé le bureau du district attorney qu'il était trop malade pour assister au procès de sa fille et n'y témoignerait qu'indirectement et par écrit.

Mike Maguire ne manqua pas de souligner que, si David Brown avait comparu en personne, il aurait davantage éclairci les événements. Cinnamon comprenait-elle que son père aurait témoigné non pas en sa faveur, mais contre elle ?

À défaut, Maguire se trouva réduit à débiter une litanie de supputations :

– Si David Arnold Brown était présent, il nous dirait qu'il avait interdit la maison à Cinnamon trois semaines avant le drame et qu'elle avait dû vivre dans la caravane du jardin... Il aurait également convenu que Cinnamon et Linda Brown étaient en désaccord au cours des semaines précédentes.

– Il en est pris acte.

Mais que diable voulait dire « convenir » ? Cinnamon ne

comprenait toujours pas ce que l'accusation et la défense venaient de dire en « convenant » que son père la croyait coupable.

Le lundi 12 août, à 9 h 30, leur manège reprit. Bill Morrissey et John Woods vinrent témoigner des résultats de leurs tests sur les traces de poudre.

Cinnamon elle-même ne fut pas citée, son avocat ayant estimé qu'il valait mieux qu'elle ne témoigne pas, puisqu'elle affirmait ne rien se remémorer.

Dans son réquisitoire, Mike Maguire conclut que le geste de Cinnamon constituait un assassinat prémédité, commis de sang-froid « par une adolescente déprimée et furieuse ». Elle se tassa sur sa chaise et les traits de sa figure s'affaissèrent. Sa voix lui semblait venir de très loin et elle avait l'impression qu'il parlait de quelqu'un d'autre.

Ce fut ensuite au tour de Forgette qui, aux oreilles de Cinnamon, paraissait plaider de tout aussi loin, bien qu'elle sût qu'il la défendait. Il disait qu'elle avait été sous le coup d'une crise de folie, qu'elle était juridiquement irresponsable, sans quoi jamais elle n'aurait tiré sur Linda.

— Comment une jeune fille qui avait beaucoup d'affection pour sa belle-mère aurait-elle pu trouver une raison suffisante pour la tuer ?

Le lundi 12 août allait être une bien longue journée, entièrement passée au tribunal. Le juge Fitzgerald avait souhaité entendre les dernières réquisitions et plaidoiries avant de rendre son verdict sur la culpabilité et, le cas échéant, de passer immédiatement à une seconde phase du procès, portant cette fois sur l'état mental de la jeune accusée.

Elle avait l'impression qu'on la propulsait de plus en plus vite, mais... vers quoi ?

Après les dépositions de Morrissey et de Woods, le juge ordonna une suspension d'audience d'un quart d'heure. À son retour de la chambre du conseil, il annonça qu'il allait prononcer son verdict :

— Le tribunal a jugé qu'au-delà de tout doute raisonnable, la mineure dénommée Cinnamon Brown a bien tué la victime Linda Brown avec préméditation et délibérément. De plus, le tribunal a jugé que le caractère intentionnel de ce meurtre le qualifiait d'assassinat, spécifiquement dirigé contre la victime Linda Brown par l'accusée. Au moment des faits, cette dernière avait quatorze ans.

Tout s'était passé très vite. Al Forgette essaya d'expliquer à Cinnamon qu'elle venait d'être jugée coupable d'assassinat, mais elle hocha simplement la tête en baissant les yeux.

Forgette se croyait dès lors à même de prouver au juge que sa jeune cliente avait été totalement incapable de comprendre la nature criminelle de son acte. Il annonça donc qu'il allait démontrer son déséquilibre mental, seul moyen qui lui restait pour éviter la prison à sa cliente.

Il fit venir à la barre Brenda Sands, la mère de Cinnamon, pour qu'elle témoigne que David lui avait naguère fait part de son inquiétude, de son impression que Cinnamon n'avait pas toute sa tête et qu'elle était bizarre. C'était bien ce que David avait voulu que Brenda déclare aux policiers et l'avocat exigeait d'elle la même chose, alors qu'elle restait convaincue que sa fille était une bonne petite, parfaitement saine d'esprit. Mais Brenda était prête à faire ce qu'il fallait pour éviter la prison à son enfant et elle évoqua par conséquent leurs disputes, rappelant qu'elle avait envoyé Cinny vivre chez son père et sa belle-mère parce qu'elle avait dépassé les limites de l'insolence.

– Ce n'était qu'une petite querelle entre mère et fille, vous savez, voulut-elle minimiser. Juste une discussion à propos du respect des règles de la maison, mais elle m'a répondu de telle sorte que je l'ai giflée et qu'elle a levé la main sur moi.

– C'est après cela que vous l'avez expédiée chez son père ? demanda Forgette.

– Oui, acquiesça Brenda, non sans se hâter d'ajouter qu'elles en avaient ensuite calmement parlé toutes les deux, qu'elles se téléphonaient souvent et passaient même des week-ends ensemble.

Oui, elle se souvenait que Cinnamon l'avait appelée une

huitaine de jours avant la mort de Linda pour lui dire qu'elle avait mal à l'estomac. Elle racontait qu'elle avait l'impression de devenir folle parce que tout le monde, dans la maison, était contre elle.

— Je ne lui ai pas répondu grand-chose, je ne savais pas ce qu'il se passait au juste. J'ai admis que je ne savais pas quoi lui dire, car je ne pouvais pas résoudre les problèmes de son père...

Cinnamon n'avait pas réclamé pour autant de rentrer chez sa mère. Ce qui la tracassait réellement n'avait donc pas été élucidé.

Krista Taber vint ensuite déclarer que Cinnamon lui paraissait moins heureuse qu'avant. Elle se souvenait vaguement que Cinny lui avait raconté un jour qu'elle avait avalé d'un coup quatorze comprimés d'aspirine. Elle ne savait plus pourquoi ni quand, mais seulement que cela ne l'avait même pas rendue malade. Ce n'avait pas été une bien grosse affaire.

Patti Bailey revint à son tour à la barre. Elle évoqua de nouveau sa terreur alors qu'elle tentait de se protéger avec Krystal d'une Cinnamon devenue forcenée. Elle parla des sautes d'humeur de Cinny, qui conversait des heures durant avec ses amis imaginaires.

Manuela Brown lui succéda pour attester de l'attitude étrange de sa petite-fille. Elle s'était occupée de Cinny les jours de semaine depuis qu'elle avait quatre ou cinq ans.

— Décrivez-nous son comportement quand elle était avec vous, s'il vous plaît, demanda Forgette.

— Elle était très calme. Elle souriait rarement, vous savez, elle n'était plus aussi gaie qu'à l'époque où le ménage marchait bien et où tout le monde était heureux.

Forgette l'interrompit avant qu'elle ne se lance dans un récit du divorce de David et Brenda, dix ans auparavant. Quand il demanda à Manuela quel était l'état d'esprit de Cinnamon quand elle habitait Ocean Breeze Drive, la grand-mère secoua la tête et soupira :

— Elle semblait parfois heureuse et d'autres fois mélancolique, comme si elle était souvent déprimée.

Manuela parla aussi des amis fictifs :

– Elle m'appelait, me faisait monter pour me présenter son copain, me montrer ses hamsters ou ses cochons d'Inde ou quelque chose du même goût, et, quand je voulais m'asseoir sur le lit, elle s'écriait : « Attention ! Tu vas écraser Maynard ! »

En somme, Cinnamon Brown ne s'était pas tailladé les poignets, ne courait pas les rues toute nue, n'agissait pas autrement que n'importe quelle adolescente normale ayant un sens de l'humour développé. Al Forgette avait beau se donner du mal, il n'arrivait guère à suggérer que sa cliente était psychopathe.

– J'appelle le docteur Howell, dit-il enfin.

Thomas Patrick Howell, psychologue clinicien employé par le service de santé mentale du comté d'Orange, allait être le premier médecin à témoigner en faveur de la défense. Régulièrement cité comme expert depuis trois ans, il était spécialisé dans le diagnostic des adolescents perturbés. Il avait non seulement examiné Cinnamon, mais aussi parlé avec son père.

– Quel était le but de cette entrevue avec son père, M. David Brown ? questionna Forgette.

– Il s'agissait d'obtenir des renseignements sur le développement intellectuel de la jeune fille, sur l'histoire de sa famille, et de comprendre ce qui s'y passait sur le plan psychosocial, ainsi que les problèmes posés par la configuration familiale, qui...

– Vous comptiez essentiellement sur M. Brown pour connaître l'histoire de la famille ?

– En effet.

Ce que le docteur Howell avait trouvé chez David correspondait à une veine d'or pur pour psychologues en manque de cas d'école : une profusion de symptômes et de syndromes de pathologie mentale. Brown était arrivé à leur rendez-vous avec une heure de retard, harassé, nerveux, mal soigné, presque malpropre. Manifestement anxieux, il avait tout de suite parlé de ses nombreuses maladies, de son hypertension, de ses ulcères du côlon, de ses allergies, de sa bronchite chronique.

Brown couvrait son propre père de louanges et reprochait à sa mère d'être responsable de presque tous ses maux affectifs, sauf ceux qu'il imputait à Brenda, son ex-épouse. Sans pouvoir fournir aucune précision, il évoqua ses idées de suicide et ses trois hospitalisations.

– Quant à son union avec Linda, il la disait parfaite, un bon mariage sans véritables nuages.

Mais l'entretien était allé plus loin, raconta le psychologue :

– M. Brown a retracé une longue histoire de sévices physiques, de violences, d'abus sexuels et médicamenteux dans sa famille et tout spécialement dans son propre cas.

– Est-ce que tout cela a un rapport avec votre diagnostic au sujet de Cinnamon ?

– Sans doute, parce que ces événements ont eu un effet sur son développement émotionnel, sa réaction à l'agression, aux situations de crise...

– Selon vous, l'état mental de M. Brown a-t-il influé sur la réaction de Cinnamon face à telle ou telle situation ?

Passant outre à une demi-douzaine d'objections soulevées avec indignation par le procureur contre cet appel direct à la subjectivité du témoin, le juge l'autorisa à répondre.

– Fondamentalement, toute personnalité se modèle sur différents types de comportement. L'adolescente a dû observer son propre père : comment résolvait-il ses conflits ? Comment combattait-il son stress ?

Rares étaient ceux qui auraient osé prétendre que Cinnamon Brown avait eu une vie de famille normale. Néanmoins, personne ne savait quel effet ces désordres avaient eu sur elle.

Le docteur Howell lui avait fait passer des tests psychologiques, en premier lieu pour déterminer si un électroencéphalogramme ou un scanner auraient été utiles pour détecter une éventuelle cause organique d'une brusque éruption de violence. Le médecin n'avait décelé aucune psychose ni hallucination dans son comportement. Son quotient intellectuel se révélait plutôt supérieur à la moyenne.

Mais elle ne se rappelait absolument rien entre le moment où elle avait regardé la télévision dans la maison et celui où elle s'était réveillée nauséeuse et la vue brouillée. Elle niait même avoir avoué un crime à qui que ce soit.

– Au troisième test, elle a refusé de continuer en disant : « Qu'est-ce que vous allez me faire ? Me frapper ? » En fait, elle s'est ensuite montrée capable de se reprendre et de se contrôler assez bien pour réussir la fin du test.

Les résultats avaient convaincu Howell et le psychiatre chef, le professeur William Loomis, que Cinnamon ne souffrait d'aucune névrose. Ce n'est donc que par acquit de conscience qu'on l'avait soumise aux examens physiques de routine, qui se révélèrent parfaitement normaux.

Howell souligna qu'il n'avait jamais eu l'intention d'émettre un diagnostic établissant que Cinnamon Brown connaissait la différence entre le bien et le mal, ni même si elle pouvait être jugée coupable du meurtre de sa belle-mère « au cours d'une crise de désordre isolée » conforme aux descriptions scientifiques.

– Le facteur essentiel d'une telle crise est un acte de violence brusque et unique, expliqua-t-il, l'incapacité de résister à une impulsion pouvant produire un impact catastrophique. Les informations dont nous disposons permettent encore moins de justifier un diagnostic de schizophrénie, désordre asocial et plus général de la personnalité. C'est par exemple le cas d'individus qui tirent sans la moindre raison sur de parfaits inconnus lors d'une crise de rage subite et qui se suicident ensuite.

De son poste d'observation, au fond de la salle d'audience, Jay Newell avait l'impression que tous essayaient de remplir une grille de mots croisés sans se rendre compte que leurs solutions n'entraient pas dans les cases prévues. Et c'était aussi ce qu'il faisait lui-même.

Le défilé des psychologues et des psychiatres continua. Le docteur David Scheffner déclara qu'il avait essayé de sonder Cinnamon mais qu'elle lui avait opposé un vrai barrage. Scheffner se sentait confronté à un dilemme comparable à ceux qu'avaient rencontrés ses confrères. Mais il déclarait ne pouvoir se faire une conviction sur la santé mentale de l'accusée à l'instant du crime. Il se bornait à préconiser une psychothérapie.

Le docteur Kaushal Sharma, psychiatre lui aussi, avait examiné Cinnamon trois fois au cours du long printemps suivant le meurtre de Linda, et il avait remis plusieurs comptes rendus constatant qu'il n'avait quasiment rien pu en tirer.

Même quand le docteur Sharma lui avait montré les rapports de police, elle avait simplement répliqué :

– Et alors ? Qu'est-ce que ça prouve ?

Ou Cinnamon Brown souffrait effectivement d'amnésie, ou elle était assez habile pour désorienter un médecin expérimenté.

Quand le tribunal se prépara à délibérer sur la sentence à prononcer contre Cinnamon Brown, le mardi 13 août, une nouvelle réserve fut émise par Al Forgette à propos du témoignage potentiel de David Brown :

– J'avertis le tribunal que l'absence du père de Cinnamon s'explique par le fait qu'il est malade au point que son médecin a préféré le maintenir au lit et lui interdire de se déplacer. J'ai communiqué au district attorney une attestation de son médecin traitant, le docteur Goldstein, qui lui a ordonné de rester alité depuis le 6 août.

Jay Newell n'ignorait pas que David Brown se plaignait constamment de nombre d'affections, mais il trouvait curieux que la maladie l'ait frappé précisément le jour de l'ouverture du procès de sa fille. L'avocat poursuivit :

– J'ai été tenu informé jour après jour de ses espoirs quotidiens de pouvoir se présenter devant le tribunal pour témoigner que, durant les deux à trois semaines précédant la mort de sa femme Linda, la mineure Cinnamon Brown était d'humeur très changeante et parlait de suicide.

– Témoignage accepté, murmura Maguire.

– Dont acte, conclut le juge Fitzgerald.

– Un complément de plus, Votre Honneur, reprit Forgette, cette fois émanant de Patti Bailey : durant cette période de deux à trois semaines, elle a entendu ladite mineure Cinnamon Brown parler de se suicider avec une arme à feu.

– Pas d'objection.

– Dont acte, répéta le juge.

Newell en eut le souffle coupé. Si Patti Bailey avait appris quinze jours avant le drame que Cinnamon songeait à se suicider, pourquoi lui avait-elle montré comment tirer avec un revolver et était-elle ensuite partie sereinement se coucher ? Il en prit note sans trop savoir pourquoi, puisqu'ils avaient pratiquement déjà gagné ce procès.

Forgette appela en dernier lieu son ultime témoin, son artillerie lourde, en quelque sorte : le psychiatre Seawright Anderson, qui attesta qu'il avait examiné Cinnamon Brown dès le 20 mars, le premier jour qu'elle avait passé au quartier de détention de l'hôpital. Pendant ses consultations, Cinnamon avait parlé franchement à ce spécialiste, lui avouant ses résultats médiocres au collège, lui disant qu'elle prenait des leçons avec son père, qu'elle présentait comme un « savant informaticien ». Elle avait nié toute expérience sexuelle et tout usage de drogue, et affirmé n'avoir jamais abusé de l'alcool, dont elle n'avait bu qu'une fois ou deux, à l'occasion du Nouvel An.

Cinnamon racontait avoir été blessée à la tête dans un accident de voiture, deux ou trois ans plus tôt, mais n'être pas tombée dans le coma. Sa maladie la plus grave avait été une angine suivie d'une réaction allergique à la pénicilline. Elle avait été élevée dans la religion catholique et ses principaux passe-temps se résumaient à aller à la plage et à collectionner les timbres. Elle disait que sa mère, qui travaillait dans une fabrique de vitamines, était « gentille » mais avait « mauvais caractère ». Son père aussi était « gentil ».

Quand Anderson lui avait demandé si elle souffrait d'hallucinations ou d'un sentiment de persécution, elle s'était spontanément mise à évoquer la mort de Linda. Elle avait

121

déclaré que Linda avait « soudain piqué une crise et menaçait de la tuer si elle ne quittait pas la maison ».

– La mineure m'a dit que son père était étendu sur une chaise longue et qu'elle était assise à ses pieds jusqu'à ce qu'il ait décidé de sortir... Elle aurait alors couru chercher l'arme et tiré deux fois sur la victime avant de jeter le revolver et d'être saisie de nausées. Elle serait alors allée au tiroir de son père et y aurait pris trois flacons de comprimés. Elle aurait encore entendu sa belle-mère crier au secours pendant qu'elle avalait les comprimés et se mettait à trembler. Elle aurait écrit un mot suppliant Dieu de lui pardonner et couru à la niche...

Quand Anderson lui avait demandé à quoi elle pensait avant de se servir de l'arme, elle lui avait répondu qu'elle ne s'en souvenait pas, que tout cela lui faisait l'effet d'un mauvais rêve. Il ajouta qu'elle lui avait dit qu'elle avait tenté plusieurs fois de se suicider et qu'elle était souvent déprimée. Elle pensait que sa belle-mère voulait la tuer et se disait hantée par des rêves où elle volait comme un oiseau sans plumes.

– Après avoir lu les rapports de police et l'évaluation psychologique du docteur Howell, pouvez-vous proposer un diagnostic et rendre compte de vos impressions ?

– Certainement. Mon sentiment reste qu'elle a souffert d'une grave crise de dépression récidivante.

Anderson précisait que ce type de dépression limitait la faculté de contrôler ses actions comme de distinguer le bien du mal. Il ajouta qu'il avait tenté un nouvel interrogatoire le 28 juillet suivant :

– Elle se souvenait de m'avoir parlé de son tir sur sa belle-mère... Elle a passé en revue avec moi ses précédentes tentatives de suicide.

Mike Maguire passa au contre-interrogatoire :

– Est-il exact, docteur, que la dépression, en soi, seule, n'entraîne pas forcément la perte de la faculté de distinguer le bien du mal ?

– Sur la base de ce qu'elle m'a dit et des symptômes de la gravité de sa dépression, je dirais que, dans son état, cette dépression devait empêcher la jeune fille de faire la différence entre le bien et le mal.

On tourna encore un moment autour de la question, sans que le témoin ni l'accusation changent de position. Cinnamon, pour sa part, ne savait pas trop ce que tout cela voulait dire : si le juge était d'accord avec Forgette, il la considérerait comme une malade mentale et elle serait soignée ; s'il était d'accord avec Mike Maguire, elle irait en prison.

Fitzgerald se prononça contre Forgette. Dans ses attendus, il déclara que Cinnamon Brown avait toute sa raison et il annonça qu'il rendrait son verdict le 13 septembre.

Cinnamon Brown comparut pour entendre le juge prononcer la sentence le vendredi 13 septembre. Elle était pâle, tremblante et paraissait terriblement triste durant les dernières phases du procès. Son avocat lui avait bien expliqué ce qui se passait, mais elle n'avait jamais pensé que les choses pourraient en arriver là.

Jay Newell jeta un coup d'œil autour de la salle pour voir qui pouvait avoir une raison d'assister à cette lugubre dernière audience, qui ressemblait de plus en plus à un mauvais feuilleton de l'*Orange County Register* et de moins en moins à un reportage sérieux du *Los Angeles Times.* Brenda Sands était là, l'air aussi douloureux que Cinnamon, devant la tante paternelle, Susan Salcido, le grand-père Arthur, et même l'éphémère David Brown en personne. Newell se demanda pourquoi il s'était prétendu trop malade pour assister au procès de sa fille : avait-il eu peur de témoigner ? Détenait-il des renseignements susceptibles d'aggraver le cas de son enfant ?

Observant à la dérobée ce petit homme brun et trapu, Newell fut effaré de le voir tirer les cheveux de son ex-femme. Il était comme un gamin dissipé tirant les nattes d'une petite fille dont il est amoureux, donnant un petit coup de pied dans la chaise de Brenda et souriant avec espièglerie pendant que leur propre fille attendait sa condamnation. Il se remit à taquiner Brenda pendant que le juge décrivait l'assassinat de Linda comme un acte monstrueux qu'il ne pouvait que déplorer. Tandis que Cinnamon regardait le magistrat, il lui demanda si elle comprenait la procédure, mais elle secoua la tête et sa voix se brisa pour répondre :

– Non. Je ne comprends pas.

Pourquoi allait-elle être condamnée ? Pourquoi ne rentrait-elle pas à la maison ? Des larmes brillèrent dans ses yeux et coulèrent le long de ses joues. Les traits figés, le regard fixe, elle attendit la sentence qui tomba comme un couperet :

– Je vous condamne à vingt-sept ans de réclusion criminelle...

Cinnamon vacilla. Brenda étouffa une exclamation. Ni l'une ni l'autre n'entendirent la fin des propos du juge. C'était comme si elles venaient seulement de saisir que Cinnamon allait devoir passer sa vie en prison jusqu'à sa quarantième année au moins, et peut-être plus.

– J'espère que votre conduite vous dispensera de purger le maximum de la peine, reprit le juge.

Il ordonna que Cinnamon soit incarcérée sous la tutelle de la California Youth Authority Facility à l'école Ventura, où elle pourrait recevoir un traitement psychiatrique tout en étant entourée de filles de son âge.

Maguire expliqua plus tard à la presse que la durée habituelle d'enfermement des délinquants juvéniles en Californie n'excédait pas six ans et que, par conséquent, Cinnamon pourrait être libérée pour ses vingt ans.

Elle n'avait pas plus entendu cette explication qu'elle n'avait compris qu'elle n'aurait probablement pas à passer le reste de sa vie derrière des barreaux. Elle regarda de tous côtés, quêtant son père des yeux, mais il était parti.

Au bureau du DA du comté d'Orange, le dossier de l'affaire occupait un grand carton et la moitié d'un autre qui ne tarderaient pas à descendre aux archives. Il avait trop d'affaires à instruire pour s'appesantir sur la singulière histoire de Cinnamon Darlene Brown et de sa belle-mère. Après la condamnation, l'affaire 85-11 342 de Garden Grove se trouvait classée. Le fait que la tueuse était une jolie petite jeune fille de quatorze ans était tragique, mais les rouages de la justice devaient continuer à tourner.

Le 17 octobre 1985, Cinnamon Brown avait été transférée du Juvenile Hall d'Orange et conduite à l'école Ventura de Camarillo. Elle qui aimait tant la plage pourrait y sentir l'odeur des embruns du Pacifique, mais sans avoir plus jamais droit aux bains de soleil sur le sable. La maison serait loin, aussi loin que si elle avait été située à des années-lumière. Mais Cinnamon n'avait jamais vécu assez longtemps au même endroit pour avoir un véritable foyer. Elle s'était toujours fait l'effet d'être un membre surnuméraire qui suivait sa famille partout où elle allait, mais qui demeurait une intruse, qu'elle ait vécu avec Brenda ou avec David.

Au début, elle s'étonna simplement de se retrouver en prison. Son père lui avait toujours promis qu'il prendrait soin d'elle et elle avait toute confiance en sa parole. Une fois installée, elle n'eut droit aux visites qu'un samedi sur deux. Elle espérait que David serait autorisé à venir avec Krystal, que Brenda pourrait se faire prêter une voiture et venir la voir avec Penelope, son autre demi-sœur. Elle avait une peur panique que tout le monde l'oublie.

DEUXIÈME PARTIE

L'ENQUÊTE

12

Il y avait au moins un homme qui n'avait pas oublié Cinnamon Brown. Sans trop savoir pourquoi, Jay Newell n'arrivait pas à la chasser de son esprit. Il ignorait moins que personne que ce dossier était en train de s'enliser mais ne pouvait s'en séparer. À portée de main dans les tiroirs de son bureau, il rangea les classeurs contenant ses notes, les transcriptions, les enregistrements de bandes vidéo. Après les avoir réexaminés, il n'était toujours pas convaincu que toute la vérité avait été mise au jour.

Fred McLean gardait la même impression. Et le sentiment d'une enquête inachevée que partageaient les deux hommes se trouva renforcé juste après la condamnation de Cinnamon. Sur le parking du tribunal, Brenda Sands, l'ex-épouse de David Brown, avait en effet présenté à McLean Susan Salcido, la sœur cadette de David, âgée de trente-quatre ans.

– J'ai bien failli ne pas venir aujourd'hui, lui déclara Susan. Je n'en ai fait l'effort que pour ma nièce, parce qu'il y a longtemps que je n'ai plus beaucoup de contacts avec David. Il a été vraiment dur avec un autre de nos frères, et c'est moi qui ai dû le prier de pardonner...

– David peut se montrer vraiment méchant, renchérit Brenda, mais il ne fait jamais d'excuses à personne.

– La dernière fois que j'ai vu Linda, reprit Susan, c'était le lendemain de la Saint-Valentin, dans leur maison d'Ocean Breeze. Alan Bailey était là aussi et il s'est vexé à propos de je ne sais quoi, mais il faut dire qu'Alan se vexe facilement. Il s'agissait de quelque chose que David avait fait, ou qu'il croyait que David lui avait fait.

« Je me souviens de ce que Linda a dit, sans doute parce que c'est la dernière fois que je l'ai vue. Elle se plaignait que ça n'allait plus avec David depuis belle lurette : leur ménage battait de l'aile et ils se disputaient de plus en plus souvent, même si, pendant un temps, ça avait eu l'air de s'arranger après la naissance de Krystal. Selon elle, leur principale source de discorde était Cinnamon, depuis qu'elle était venue vivre avec eux, même si Linda soutenait qu'elle s'entendait plutôt bien avec sa belle-fille.

« La seule raison pour laquelle Cinnamon couchait dans la caravane, c'était que Patti tenait à avoir sa propre chambre dans la maison et n'avait pas envie de la partager. Et Patti a toujours fait ce qu'elle voulait de David.

Susan raconta encore à McLean que Linda craignait que Patti devienne dangereuse. Pressée de s'expliquer, Linda avait hésité, à en croire Susan, qui poursuivait :

— Elle m'a dit qu'elle avait peur que Patti ne fasse du mal à Krystal, parce qu'elle avait déjà tué un chiot qui appartenait à Cinnamon. Je ne sais pas comment cette histoire est arrivée, mais Linda se faisait beaucoup de souci au sujet de sa sœur. Elle disait que le comportement de Patti devenait anormal et elle pensait que Patti était peut-être anorexique, ou même qu'elle risquait de se suicider.

— Tout cela vous a surprise ? demanda McLean.

Susan secoua la tête :

— Patti a toujours été un peu bizarre.

Susan avait notamment remarqué que Patti prenait un petit air satisfait dès que Cinnamon se faisait gronder. Elle en était aussi jalouse que de sa sœur aînée.

Les deux femmes et l'enquêteur parlaient debout sous le soleil brûlant du mois d'août, au beau milieu du parking. Brenda paraissait incapable de réaliser que sa fille venait d'être condamnée à une peine de prison et semblait d'accord avec ce que son ex-belle-sœur rapportait de Patti Bailey.

— Depuis la mort de Linda, Patti et David sont devenus

inséparables, ajouta Susan Salcido. Ils laissent le bébé à mes parents et s'en vont tous les deux, toute la journée...

Elle raconta aussi que David était accouru chez elle – exactement comme il l'avait fait chez Brenda – à peine quelques heures après le drame. À elle aussi, il avait expliqué qu'il ne fallait pas qu'elle décrive Cinnamon comme normale, mais plutôt comme une fille perturbée et peut-être même suicidaire. En réponse à McLean, Susan affirma ne pas avoir compris si c'était dans l'espoir qu'un diagnostic de dérangement mental épargnerait la prison à Cinnamon ou pour toute autre raison connue de lui seul.

– David a toujours aimé orchestrer les événements, souligna Susan, et les interpréter à sa convenance. Tout ce que je sais, c'est que notre famille trouve singulier que Patti vive comme ça avec David, en laissant ma mère s'occuper de Krystal pendant qu'ils vont se balader tous les deux. Patti a dix-sept ans et devrait maintenant rentrer au sein de sa propre famille.

McLean et Newell ne disposaient d'aucune justification officielle pour donner suite à leur malaise au sujet de l'affaire Cinnamon Brown, puisqu'ils n'avaient que des doutes, des impressions, la désagréable idée que justice n'avait pas été faite, ou, au mieux, avait été mal faite. Au cours de l'enquête et du procès, tous deux avaient fini par bien connaître Cinnamon, mais la personnalité de son père continuait à leur échapper : qui était au juste David Arnold Brown ?

Il n'avait livré aux enquêteurs que les détails les plus superficiels de sa vie privée. Il s'était présenté comme assez fortuné pour avoir monté sa propre entreprise, Data Recovery, se prétendait un informaticien de génie, se disait de santé fragile et ne semblait fréquenter personne en dehors de sa famille.

Rien ne permettait de le relier au meurtre de Linda. On pouvait trouver singulier qu'un homme tellement bouleversé par un petit désaccord avec sa femme se rappelle ce qu'il avait fait dans la soirée aussi précisément que s'il avait cherché à se forger un alibi ; mais, jusqu'à preuve du contraire, il restait un honnête citoyen. Son casier judiciaire était vierge, ainsi que les enquêteurs locaux l'avaient contrôlé auprès du sommier californien comme du FBI.

McLean était donc bien obligé de laisser tomber, ne serait-ce que pour le moment, puisqu'il avait à s'occuper d'autres affaires. Newell, en revanche, ne se résignait pas à la facilité. Il tournait et retournait chaque affaire comme un chien ronge un os, ne la lâchant que pour mieux y revenir jusqu'à ce qu'il soit sûr de tenir la solution.

Jay Newell, l'enquêteur du DA, n'avait pas été élevé dans une famille de flics. Son père était gardien d'école à La Habra, et lui-même et ses deux sœurs avaient suivi leurs parents de l'Oklahoma jusqu'à Norwalk, en Californie. Il éprouvait une grande admiration pour le shérif adjoint du comté de Los Angeles, qui vivait dans leur rue, parlait aux enfants du quartier et écoutait leurs problèmes.

Quand Newell avait quitté l'armée, en 1971, c'est tout naturellement qu'il s'était engagé au bureau du shérif qui l'avait jadis enthousiasmé. La première mission des élèves frais émoulus de l'école de police les affectait à l'administration pénitentiaire, ce qui n'était jamais leur service préféré.

– Si on voulait en avoir plus vite fini avec ce passage obligé, expliquait Newell, il fallait choisir la taule la plus dure qu'on pouvait trouver. Je me suis donc porté volontaire pour la vieille centrale des faubourgs de Los Angeles.

Cette maison centrale tristement célèbre était pleine de prisonniers dangereux, comme le sinistre mage Charles Manson et ses disciples, assassins de l'actrice Sharon Tate, détenus dans l'attente de leur procès. Newell fut très étonné de découvrir que ce pseudo-gourou était un petit homme qui exerçait un pouvoir quasiment hypnotique sur ses jeunes codétenus. Lui qui avait toutes les raisons d'être méprisé et vilipendé suscitait la vénération. Son observation avait appris énormément de choses à Newell, qui l'évoquait encore avec effarement des années plus tard :

– Il disposait pour lui tout seul de tout un bloc cellulaire,

132

où il devait théoriquement demeurer maintenu en isolement complet ; mais d'autres taulards circulaient à proximité quand on les transférait d'un quartier à un autre. Eh bien, ils lui ciraient ses godasses et lui repassaient sa tenue en soignant le pli du pantalon. Il avait une espèce de pouvoir surnaturel qui vous donnait la chair de poule.

Par bien des côtés, le travail en prison centrale était plus risqué pour les jeunes recrues que la surveillance des rues. Le simple fait de verrouiller une cellule pouvait se révéler périlleux.

– Par chance, je ne suis pas resté là longtemps, notait Newell, mais j'y ai quand même beaucoup appris.

Il avait ensuite été muté aux patrouilles et n'y avait pas passé plus de trois jours avant d'essuyer une fusillade. Son partenaire et lui s'en étaient tirés indemnes, contrairement à deux des agresseurs, blessés. Il aimait bien ces missions de proximité et de sécurité publique, mais se sentait davantage attiré par les enquêtes criminelles. En patrouille, il ne voyait jamais que le début des affaires et devait les abandonner à contrecœur aux inspecteurs chargés de poursuivre.

Dans la hiérarchie du bureau du shérif du comté de Los Angeles, il fallait du temps pour gravir les échelons. Aussi l'adjoint Newell y avait-il rongé son frein. Au bout de huit ans de patience, il avait démissionné pour s'engager en qualité d'enquêteur au bureau du district attorney d'Orange.

Ses premières affaires n'avaient rien du roman policier : pendant un an, il avait dû enquêter sur des histoires de fraude contre la Sécurité sociale. Mais, à partir de 1981, il avait été affecté à la brigade des mineurs. Confronté à de graves affaires d'homicide mettant en cause des adolescents, il s'attaqua au problème croissant des gangs de jeunes. Ces bandes, en passe de devenir le pire fléau de la côte ouest, l'obligèrent à enquêter sur une cinquantaine de morts violentes parmi des enfants et des adolescents.

Cinnamon Brown ne faisait partie d'aucune bande de ce genre, mais n'en avait pas moins été condamnée pour homicide. Et Newell ne parvenait plus à se désintéresser de son

133

cas, animé par son instinct d'ancien policier et par une ardente curiosité qui le poussait à aller voir de plus près.

Après l'assassinat de Linda, David Arnold Brown racontait à qui voulait l'entendre qu'il était brisé par la perte de sa femme, par la situation d'orpheline qu'elle laissait à leur bébé et par la responsabilité de sa propre fille aînée. Il déclarait qu'il ne pourrait jamais se remettre du crime. La simple vue de Cinnamon lui rappelait trop le drame, disait-il, mais il ne pouvait l'abandonner au moment où elle avait plus que jamais besoin de lui. Il jurait d'aller la voir aussi souvent que sa santé le lui permettrait.

Il avait toujours appelé sa fille « Cinny » et souligné devant la police la force du lien qui les unissait, même quand elle demeurait auprès de sa mère. Il déplorait qu'elle lui ait toujours résisté quand il voulait la faire traiter par un psychologue et se reprochait de ne pas avoir accompli davantage d'efforts en ce sens. En dépit de quoi il semblait accepter le fait que sa fille de quatorze ans avait assassiné sa bien-aimée épouse.

Quand il en trouvait le temps, Jay Newell cherchait à mieux cerner le personnage de David Brown, à l'aide d'un certain nombre de témoins susceptibles de combler une lacune par-ci par là. Il découvrit ainsi que David était plutôt un homme à femmes. Linda était venue s'ajouter à une bonne douzaine de liaisons moins officielles. Il n'était ni grand ni beau, mais cela ne l'avait apparemment pas empêché de séduire, à en croire une parente de Linda qui constatait :

– Aucune des femmes avec lesquelles David est sorti n'était laide...

À travers une existence chaotique, alternant pics et abîmes, il se targuait d'adjoindre une exceptionnelle capacité de surnager à une intelligence innée et aux talents qu'il avait acquis. Les nombreux croquis et statuettes ornant la maison d'Ocean Breeze étaient de sa main et ce n'était pas par hasard qu'ils représentaient des oiseaux renaissant de leurs cendres. Des proches confirmèrent que lui-même s'identifiait au phénix mythique, arborant en particulier un pendentif où un oiseau s'envolait d'un brasier, commandé avec minutie à un joaillier et qui ne lui avait pas coûté moins de 500 dollars.

Personne ne pouvait dire que David Brown n'était pas un « gagneur ». Comme beaucoup d'enfants d'origine modeste élevés dans une famille aux revenus limités, il avait dû se battre pour sortir du troupeau. Peut-être était-ce pour cela qu'il exécrait toute autorité. Sans doute à cause de la poigne qu'avait jadis sa mère, il ne supportait pas que quiconque lui dicte ce qu'il avait à faire.

En tout cas, il venait de surmonter une tempête de plus. Cinny était en sécurité derrière des barreaux où elle ne pouvait faire de mal à personne. Il avait l'intention d'aller la voir, mais il avait aussi ses affaires à traiter, ses clients, ses collaborateurs, ainsi que l'entière responsabilité du sort de Krystal.

Alors que ses parents étaient bouleversés et que la famille de Linda demeurait accablée, tout le monde comptait sur David pour prendre les décisions. Il avait réussi dans les affaires bien mieux que tous ses proches. Il aimait à se présenter comme le genre de type apte à affronter une situation et à savoir tout de suite ce qu'il fallait faire. Il aimait se donner de l'importance, au point de se montrer souvent pénible en rappelant à tout propos que c'était lui qui commandait, relevaient les frères de Linda et de Patti.

Mais David Arnold Brown était le premier à admettre qu'il avait chèrement payé sa réussite. À trente-deux ans, il paraissait beaucoup plus que son âge, ce qui n'était pas forcément mauvais pour son travail.

Au fil de ses découvertes, Jay Newell reconstitua petit à petit la biographie de David Brown, sans prévoir ce qu'elle lui permettrait de prouver.

13

David Brown était né à Phoenix, en Arizona, le 16 novembre 1952, peu de temps avant la fin de la guerre de Corée. Il était le sixième d'une famille de huit enfants.

Son père, Arthur Quentin Brown, était lui-même originaire du Kansas. Mécanicien automobile obligé d'assumer parallèlement deux emplois pour faire vivre sa nombreuse progéniture, Arthur avait trente-deux ans lors de la naissance de David.

La mère de celui-ci, Manuela Estrada Brown, était née à El Paso, au Texas, et n'avait alors que vingt-sept ans. Avant David, elle avait eu Arthur junior, Bob, Shirley, Linda Sue et Susan ; après lui suivaient Tom et Steve, le petit dernier.

Les Brown perdirent leur aîné, Arthur junior, âgé de dix-huit ans, dans un accident de voiture. David avait alors huit ans et c'était un petit garçon charmant. Il ressemblait à sa mère et allait lui ressembler de plus en plus. Si elle donnait à ses cheveux des reflets roux en les teignant au henné, elle était en réalité aussi brune que lui. Elle avait un type hispanique que David rejeta en grandissant, au point d'exprimer souvent du mépris pour cette minorité comme envers toutes les autres. Il faut dire que ses parents par alliance prétendaient méchamment que Manuela était assez grosse pour briser au moins quatre chaises sous son poids. Malgré leur ressemblance physique, David s'était donc précocement éloigné d'elle.

Il se sentait beaucoup plus d'affinités avec son père, qu'il trouvait positif et prévenant. De fait, Arthur était un petit homme hésitant, mais qui cherchait toujours à bien faire et à réconcilier tout le monde. Newell s'étonnait que David ait appelé un tel père avant la police, quand il avait découvert qu'on avait assassiné Linda : Arthur faisait l'effet d'être la dernière personne à qui demander conseil dans un moment de crise.

D'autre part, Manuela était une femme volubile aux idées arrêtées, que David qualifiait d'égoïste, d'autoritaire, de cupide et de violente. Il la taquinait, la tourmentait avec des blagues un tant soit peu sadiques qui la mettaient en rage ou la faisaient fondre en larmes. Cela n'empêchait pas Manuela d'aller souvent chez son fils, ni même de vivre parfois dans l'un des multiples foyers de celui-ci. Dans les moments difficiles, elle gardait une voix prépondérante, alors que son mari marmonnait son impuissance.

David racontait des histoires contradictoires au sujet de son passé. Devant certains psychologues, il prétendait avoir eu des rapports merveilleux avec ses parents ; devant d'autres, il décrivait une enfance malheureuse et jalonnée d'incidents bizarres ou violents. Au-delà de la haine de sa mère, il racontait avoir été sauvagement rossé par une bande de jeunes, sexuellement agressé par un vieillard dans un jardin public, témoin du suicide d'une proche parente quand il n'avait que dix ans ; il était alors resté paralysé de terreur en regardant le couteau trancher les artères des poignets d'où jaillissait une cascade de sang.

Bien qu'Arthur ait jadis trimé dur, ses deux salaires ne suffisaient pas à couvrir les dépenses quotidiennes de sa famille. David évoquait fièrement sa propre débrouillardise :

– Si nous voulions quelque chose pour l'école, cahiers ou classeurs, nous devions nous le payer nous-mêmes ; moi, je désherbais, je taillais des haies, je tondais des pelouses et je faisais même déjà la vaisselle pour des voisines après la classe quand j'avais onze ans. À douze ans, je travaillais comme pompiste et je dirigeais tout seul une station-service avec bar à Metter, un carrefour situé à une quarantaine de kilomètres au sud de Bakersfield. J'étais fatigué au moment de retourner à l'école, mais c'était le seul moyen pour être convenablement habillé.

La famille avait déménagé pour s'installer dans une maison crépie de jaune à Wilmington, près de Long Beach. À partir de là, il devenait quasiment impossible de relier entre elles les bribes de souvenirs que David acceptait de livrer sur son adolescence. Selon le récit qui revenait le plus souvent, il avait subi de tels châtiments corporels dans son foyer que son seul recours avait été de s'enfuir de la maison à quatorze ans.

Sa survie au hasard des grands chemins n'aurait donc été imputable qu'à ses propres ressources. Dès l'âge de quinze ans, parmi les camarades de ses sœurs, il s'était trouvé une première petite amie, nommée Brenda Kruges.

– C'est elle qui m'a appris l'amour, soulignait-il.

Elle avait son âge et était ravissante, avec des traits finement ciselés, une peau mate, de beaux yeux bruns, une longue et lisse chevelure presque noire.

Elle était la fille du premier mari de sa mère, lequel les avait quittées quand elle était au berceau. Brenda allait le rechercher pendant une grande partie de sa vie avant de rencontrer l'inconnu qui était son père et qui ne pourrait naturellement rivaliser avec l'image idéalisée qu'elle s'en était faite. Sa vie d'adolescente avait été triste, peuplée de demi-frères et de demi-sœurs dont elle avait un peu honte qu'ils soient tous de pères différents. Elle n'avait pratiquement rien à se mettre sur le dos et avait trop de responsabilités pour son âge.

Elle était atrocement malheureuse chez elle et expliquait :

– J'étais l'aînée de onze enfants, dont je m'occupais comme une mère. J'ai fait deux fugues. La première fois, avec Susan, la sœur de David, nous sommes allées à Lawndale et nous nous sommes fait attraper. La seconde fois aussi, nous nous sommes fait pincer.

David comprenait mieux que quiconque la situation de Brenda dans son foyer et son envie désespérée de le quitter, constatant :

– Sa mère était pire que la mienne.

Brenda se sentait très seule et il avait enfin trouvé en elle quelqu'un qui dépendait de lui, quelqu'un de docile et d'influençable.

Elle avait alors un autre copain, Andy, qui était aussi un ami de David, un garçonnet pas trop exigeant avec lequel il n'était pas question de sexe. Elle se souvenait avec émotion :

– Il m'a emmenée pour la première fois au cinéma, voir le premier film de ma vie, *The Yellow Submarine,* avec les Beatles. Ensuite, David lui a demandé s'il pouvait sortir avec moi, rien qu'une fois, et Andy a donné son accord. Mais à partir de là, David m'a dit : « Tu vas rester avec moi. » Alors, j'ai obéi...

L'aspect physique de David séduisait moins Brenda que le fait qu'il se révélait la première personne paraissant vouloir la protéger. Elle qui avait appris à ne jamais rien espérer trouvait tout à coup quelqu'un pour prendre soin d'elle. Elle était vulnérable, innocente et sans malice.

– Il était un peu trop gros, un peu bouffi à cette époque-là, se rappelait-elle, l'air étonnée de l'avoir épousé. Il avait de l'acné qu'il grattait jusqu'au sang.

En la fréquentant assidûment, il avait perdu du poids, au point que sa mâchoire était devenue anguleuse et dure, lui conférant un faux air d'Elvis Presley. Beaucoup de filles auraient pu tomber amoureuses du David de ce temps-là et elle-même, sans vraiment pouvoir l'expliquer, se sentait fortement attirée par ce garçon dont la voix et les paroles étaient si persuasives. Il lui envoyait des poèmes qu'il écrivait pour elle, de la poésie un peu sirupeuse et fleur bleue qu'elle trouvait émouvante.

Brenda découvrait qu'il était sujet à de profondes dépressions. Un jour, elle l'avait trouvé sur la terrasse de ses parents, contemplant ses pieds d'un air accablé avant de gémir :

– Personne ne m'aime ! Je n'ai pas d'amis et tout le monde s'en fout...

– Mais si ! Moi, je t'aime ! avait-elle protesté.

Dès le début, David s'était révélé jaloux et possessif à

l'égard de Brenda. Il la forçait à l'attendre jusque devant la porte des toilettes pour hommes, « comme si quelqu'un risquait de m'enlever pendant qu'il était occupé, s'indignait-elle. En fait, je me suis fait arrêter par la police à Redondo, une fois, parce que les flics n'ont jamais voulu croire une chose pareille ».

Brenda elle aussi se montrait jalouse. Pendant les premières années de leur liaison, elle avait adoré sans restriction le David qui lui répétait :

— Je sais bien que tu vas encore fuguer et que tu ne seras pas capable de te débrouiller toute seule... Alors, je vais partir avec toi pour prendre soin de toi...

Et c'est ce qu'ils finirent par faire. Ils avaient à peine seize ans quand ils s'enfuirent ensemble. D'abord chez le grand-père de Brenda, qui vivait dans un hôtel à Wilmington :

— Il a essayé de nous raisonner, rappelait-elle, il m'a dit que je devais retourner à l'école, mais j'étais bien décidée à rester avec David.

Le vieux monsieur s'était arrangé pour qu'ils payent leur chambre d'hôtel en repeignant l'escalier, mais ensuite ils avaient dû vivre d'expédients, de petits boulots que David obtenait pour quelques jours ou quelques semaines. Du moins n'avait-il pas les deux pieds dans le même sabot :

— On dégotait des coups de main dans des stations-service ou des fast-foods, racontait Brenda.

Finalement, ils furent engagés ensemble à Lawndale, dans un lotissement de petits cottages pour personnes âgées. Brenda préparait et servait le petit déjeuner, et faisait le repassage pendant que David s'occupait de l'entretien.

C'était le paradis : ils avaient leur propre chambre, ils étaient chez eux, bien au chaud et à l'abri du monde. Le travail était moins pénible que les corvées à domicile. Elle était follement amoureuse, éperdue de reconnaissance. Sexuellement, ils s'entendaient à merveille, d'autant que leur fuite leur ménageait de longues journées rêveuses où le temps semblait suspendu, une perpétuelle lune de miel dans un monde où eux seuls semblaient compter.

— Le type qui dirigeait l'endroit était vraiment chic, se souvenait Brenda. Comme il avait besoin de personnel, il n'a rien vérifié à notre sujet. Nous n'avions pas de loyer à payer, les repas étaient beaucoup plus copieux que chez nous, nous avions tout ce que nous voulions : crème glacée, fringues, argent pour payer le cinéma. Nous étions simplement deux enfants qui s'amusaient comme des fous.

Vingt ans plus tard, la voix de Brenda reflétait encore une espèce de respect admiratif pour cette période idyllique. David y entonnait des tubes de crooners et, comme elle l'aimait, Brenda trouvait ça romantique, bien qu'il chantât comme une casserole. Il était aussi très rigolo. Dès qu'elle voulait parler de quelque chose de sérieux, il la taquinait en disant :

— On va demander à Maynard ce qu'il en pense...

Ledit Maynard n'existait pas réellement, c'était un personnage imaginaire que David avait inventé pour s'amuser.

Mais il y eut un réveil brutal. Au fond de la cuisine, caché derrière la huche à pain, David avait en effet déniché un singulier petit standard téléphonique qui permettait d'écouter tout ce qui se passait dans chacun des cottages. Ce système devait avoir été installé pour veiller sur l'état de santé des pensionnaires âgés, mais il le présenta à Brenda comme s'il ne servait qu'à les espionner, eux. Quand ils croyaient être seuls, quelqu'un écoutait leurs conversations, idée qui lui faisait assez peur pour que sa crainte se communique à Brenda et lui laisse un souvenir terrifié :

— Nous avions la trouille, admettait-elle avec un frémissement dans la voix. Nous avons pensé que cet endroit était hostile, que des gens nous avaient écoutés et nous observaient peut-être aussi quand nous étions en tête à tête. Un soir, nous sommes sortis en nous tenant par la main pour aller acheter du vin et nous avons eu la sensation que des yeux cachés nous guettaient de partout.

David avait toujours cru aux forces du mal et aux fantômes.

— Finalement, il a conclu : « Ce lieu est maléfique ! » Et

nous avons téléphoné à ses parents, qui sont venus nous chercher pour nous ramener chez eux.

Brenda enviait la maison de David autant que sa famille.

– Il prétendait que sa mère le frappait avec le tuyau de l'aspirateur, mais je ne le croyais pas. Je m'entendais bien avec ses parents, qui m'avaient donné une chambre et me nourrissaient gentiment. Mais David taquinait toujours Manuela en rabâchant qu'elle était stupide.

Dès cette époque, David s'inquiétait beaucoup de sa propre santé. Il racontait que la colite le rongeait et Brenda, ignorant ce que c'était, croyait qu'il s'agissait d'une maladie grave. Il se plaignait souvent de maux de ventre, transpirait énormément et avait parfois des coups de chaleur. Quand il avait dû subir l'ablation des amygdales dans une clinique, Brenda était restée à son chevet, terrifiée à l'idée de le voir mourir dans son sommeil. Soudain, elle l'avait vu vomir du sang. Complètement affolée, Brenda avait couru chercher les infirmières. En fait, David avait simplement toussé et fait sauter ses points de suture. Les dégâts avaient été promptement réparés, mais l'incident avait suffi à persuader Brenda que la vie de David ne tenait qu'à un fil.

Ses problèmes de santé ne freinaient pourtant pas la sexualité de David :

– Il voulait faire l'amour trois fois par jour, se souvenait-elle. Et, en même temps, il exigeait que je reste réservée, presque pudibonde, il ne voulait même pas que je me maquille.

Sans le moindre diplôme, les possibilités d'emploi de David restaient limitées aux stations-service et aux fast-foods. À l'automne de 1969, quand il était parti avec Brenda à Salt Lake City, chez la grand-mère de celle-ci, il avait travaillé pour un de leurs parents qui construisait une maison. Ils avaient passé les fêtes de Thanksgiving et de Noël dans l'Utah, où ils profitaient de la neige, mais ils avaient vite compris que leur situation financière avait moins de chances de s'améliorer dans l'univers mormon qu'en Californie.

– Nous sommes revenus en car et nous nous sommes

inscrits à l'aide sociale, racontait Brenda. J'avais détesté que ma mère vive d'assistance et je n'aurais jamais voulu en arriver là. Et David non plus n'aimait pas ça, mais nous n'avions plus le choix.

Brenda se trouvait en effet enceinte ; cet imprévu achevait de déséquilibrer un budget déjà peu stable. Ils s'étaient installés dans un minuscule appartement de Wilmington. Brenda, lourde et maladroite comme peuvent l'être de petites femmes dans les derniers mois de leur grossesse, aidait à repeindre la maison voisine pour gagner un peu d'argent.

David se plaignait d'avoir dû supplier sa propre famille comme celle de Brenda pour obtenir l'autorisation de l'épouser. Ils s'étaient mariés à Los Angeles le 13 mai 1970, et avaient loué un appartement à Long Beach. Ils s'y était installés le 1er juillet et Brenda avait passé deux longues journées de dures contractions à l'hôpital local. Elle y était seule, parce que David ne supportait pas la vue du sang ni les cris de douleur. Le bébé, une fille, était né quatre mois avant leur dix-huitième anniversaire.

Ils l'avaient appelée Cinnamon Darlene.

Ils trouvaient ce prénom joli et original, et ils y tenaient « au cas où elle deviendrait célèbre... ».

14

David était très fier de la petite Cinnamon Darlene Brown, et Brenda avait pris d'innombrables photos de lui avec le bébé dans ses bras. Le rituel cliché du retour de la maternité montrait le père et la fille devant la maison des grands-parents inondée de soleil. D'autres vues les réunissaient devant un sapin de Noël ou à Disneyland. Sur ces dernières, il apparaissait avec les cheveux gominés en arrière et une coque au-dessus du front, comme Elvis.

Cinnamon s'y révélait un bébé joufflu et souriant, avec d'immenses yeux foncés et des cheveux bruns. Son père s'était vite imposé comme le centre de son univers. Il semblait avoir délibérément concentré ses efforts pour obtenir puis retenir sa dévotion absolue. Il voulait s'affirmer comme son amuseur, celui qui l'emmenait au parc d'attractions, lui faisait faire le tour du pâté de maisons sur sa moto jusqu'à lui arracher des glapissements de joie, la taquinait et la chatouillait pour la faire rire.

Il réservait à Brenda tout le « sale boulot », les aspects pénibles et fastidieux du métier de parent. Elle veillait à la discipline comme sur les maladies de son bébé.

David était le parent marrant, celui dont la petite allait hériter le sens de l'humour. Dès les premiers jours de la vie de sa fille, il lui inculqua que son papa était l'homme le plus merveilleux, le plus amusant, le plus puissant du monde.

Elle l'adorait.

L'ambition de David Arnold Brown augmentait. Brenda et lui vivaient encore de tickets d'alimentation et d'une allocation familiale limitée à 235 dollars par mois, que leur versaient les services sociaux de Los Angeles.

Il voulait plus. Beaucoup plus.

Il s'était inscrit à une formation destinée à éduquer, à préparer ou à réadapter les assistés pour le marché du travail. Il y suivait des cours du soir et n'avait pas tardé à décrocher une attestation avec d'honnêtes appréciations. À défaut de se révéler un génie, il se défendait convenablement. Comme il souhaitait devenir informaticien, l'organisme avait accepté de le recommander auprès du service municipal de contrôle des données informatiques de Los Angeles. Il lui avait fallu patienter un an avant d'y entamer un stage réel et, jusque-là, il avait postulé pour divers emplois, mais la réponse à ses candidatures était invariablement : « Nous n'avons rien qui vous convienne. »

En dépit de son insistance au sujet de sa santé délicate, il avait été déclaré « bon pour le service militaire » en juillet 1971. Il avait sollicité un nouvel examen et fini par obtenir d'être réformé. Il avait aussitôt trouvé un nouvel emploi de pompiste à temps partiel dans une lointaine station-service, où il se rendait à moto. Brenda et lui avaient ensuite trouvé un appartement plus grand, et racheté à Arthur Brown une vieille Ford Galaxy jaune, moyennant 75 maigres dollars. Sur les formulaires administratifs, David avait énuméré comme suit la liste de ses trois derniers emplois : manutentionnaire dans une fabrique de caoutchouc mousse ; maçon et charpentier chez un entrepreneur de Lawndale ; analyste-programmeur en stage non rémunéré dans une société d'informatique.

Brenda avait gardé plutôt bon souvenir de cette période :
– Nous avions acheté des meubles pour notre nouvel appartement et je l'aimais bien, raconta-t-elle plus tard. Ultérieurement, la mère de David nous a emprunté l'ensemble de la chambre à coucher et je n'en ai plus rien revu, excepté un coffret dont j'avais besoin et que j'ai pu récupérer.

Le ménage semblait relativement harmonieux, même si David tenait un peu trop à garder Brenda sous sa coupe. Ils étaient d'autant plus heureux qu'elle consentait davantage à s'en remettre à lui pour toute chose. Il ne voulait même pas qu'elle passe son permis de conduire.

— Il me prenait pour une gourde totale, se plaignit-elle. J'ai demandé à un voisin de m'apprendre à conduire en cachette et David a été furieux quand je lui ai montré mon permis.

Pendant longtemps, David n'avait manifesté aucune violence physique à l'encontre de Brenda, puis ne l'avait frappée qu'une fois, du temps où ils vivaient à Long Beach.

— Cette fois-là, j'ai téléphoné à mon beau-père, et il est venu prévenir son fils : « Si jamais tu lèves encore la main sur elle, je te casse la gueule ! »

La colère d'Arthur Brown avait produit un effet considérable sur David. Le jeune couple avait à nouveau déménagé pour occuper un deux pièces à Anaheim. Cette union était condamnée à brève échéance, même si sa durée exacte se révélait sensiblement variable selon celui des deux qui l'évoquait : Brenda prétendait qu'ils étaient restés mariés environ trois ans, alors que David soutenait avoir compté cinq années, tout en reconnaissant qu'il n'avait aucune mémoire des dates, du temps passé ni des anniversaires. Comme David s'était remarié dès 1974, la version de Brenda semblait plus proche de la réalité.

Elle définissait son ex-époux comme un homme obnubilé par les femmes :

— Il se penchait hors de la voiture ou se retournait dans la rue pour regarder les passantes. Il était vraiment obsédé, c'est le seul mot que je trouve... J'en avais par-dessus la tête !

De son côté, il accusait Brenda d'être violente, infidèle et abusive.

Bien qu'ils aient continué à faire l'amour trois fois par jour, elle disait qu'il n'était jamais satisfait :

— Il lui en fallait toujours plus ! Il est venu me raconter qu'il s'était marié trop jeune pour avoir eu assez d'expériences. Il m'a demandé la permission de sortir avec une autre, une femme mûre et mère de deux enfants, qu'il avait rencontrée au travail. J'essayais tellement de le comprendre que j'ai commencé par accepter.

Après cela, les expéditions nocturnes s'étaient multipliées. David racontait qu'il partait « chasser les biches » avec un copain, mais Brenda n'était pas dupe et savait qu'il s'agissait de draguer.

Dans le même temps, il ne se montrait pas moins jaloux ni possessif. Il lui interdisait de déjeuner avec des amies et, en cas de résistance, l'accusait de le tromper. Elle n'était donc pas près d'oublier le choc qu'elle avait ressenti en 1974 quand, à travers la vitrine d'un café, elle l'avait aperçu en train de caresser une inconnue. Elle avait été blessée profondément de le voir de ses propres yeux avec une autre.

L'autre s'appelait Lori.

– Elle n'était pas spécialement jolie, estimait Brenda. Quand j'ai questionné David à son sujet, il a prétendu qu'ils avaient un rendez-vous de travail, mais son mensonge crevait les yeux.

Peu après, un samedi où Brenda assurait un remplacement au bureau pendant que David s'occupait de Cinnamon, il était venu déposer la petite auprès d'elle en annonçant :

– Finalement, il faut que tu la gardes, j'ai à faire...

Quand Brenda avait interrogé l'enfant sur ce qu'ils avaient fait jusque-là, elle lui avait répondu qu'ils s'étaient baladés à moto « avec papa et une fille ».

– Je lui ai demandé s'il s'agissait d'une de ses petites copines, mais elle a protesté : « Non, c'est une grande, pour papa ». C'était encore la fameuse Lori.

Quelque temps après, David avait amené Lori à l'appartement en brandissant des papiers de divorce. Il les avait donnés à Brenda en lui annonçant qu'il se réservait la garde de leur enfant.

– Il m'a présenté Lori en disant : « Voici la personne que je veux épouser. »

Brenda avait d'abord refusé de divorcer, pensant que David se lasserait de sa maîtresse.

Naturellement, David rapportait un scénario tout différent. Il affirmait qu'il avait rencontré Lori Carpenter à son travail :

— Ce n'était qu'une amie qui me réconfortait quand Brenda m'était infidèle. Ma propre sœur l'a surprise en train de me casser du sucre derrière mon dos. Alors, j'ai simplement fait ma valise, j'ai pris la voiture et je lui ai laissé tout le reste. Ce divorce m'a brisé.

Quelle que soit la version conforme aux faits, cette brève union était parvenue à son terme et les rapports du couple s'étaient détériorés. Brenda avait commencé à avoir peur de David :

— Je ne sais pas pourquoi, j'étais terrorisée à l'idée qu'il essaierait de m'étouffer avec un coussin pendant mon sommeil. Il ne l'a jamais tenté, mais j'imaginais quand même que je me réveillais, incapable de respirer, qu'il avait couvert mon visage avec un oreiller, et ensuite je ne pouvais plus me rendormir.

Elle avait l'impression que David l'épiait en guettant le moment où elle fermerait les yeux.

Finalement, Brenda trouva le courage de quitter David. Elle pria son employeur de l'aider à déménager ses meubles. Quand David était rentré, l'appartement était vide. Il avait cru un instant s'être trompé de porte, mais sa logeuse lui avait assuré que sa femme et sa fille étaient parties en emportant tout. David en avait été fou de rage.

— Il est venu à mon travail et m'a collé un pistolet contre la tête en clamant que, s'il ne pouvait plus m'avoir, personne d'autre ne m'aurait. Je lui ai répondu de ne pas hésiter, je l'ai mis au défi : « Tire donc ! Je m'en fiche, parce que tu n'échapperas pas à la police et que tu resteras bouclé pour toujours. » Finalement, il a laissé tomber le pistolet et il est reparti.

Brenda avait emménagé dans un appartement plus petit. Pendant une brève semaine de tentative de réconciliation, David s'était installé avec elle. Mais un soir, en rentrant de son travail, elle le trouva en train de téléphoner à Lori :

– Je l'ai entendu dire à cette fille qu'il l'aimait et je l'ai chassé sur-le-champ !

Le lendemain ou le surlendemain, il revint chercher son fusil, ainsi qu'elle l'avait déjà raconté aux enquêteurs. Avec le recul, elle soutint plus tard qu'elle ne détestait pas Lori et qu'elle avait été plus soulagée qu'autre chose, une fois débarrassée de David :

– Finis ses sempiternels bobards de cancer et ses perpétuelles histoires de femmes !

Brenda avait cependant peur que David obtienne la garde de Cinnamon, car le père de Lori se trouvait être un juriste professionnel.

– J'ai cherché un nom d'avocat dans l'annuaire. Je suis allée lui dire que j'avais besoin d'aide, mais que je n'avais pas d'argent. S'il voulait bien me faire crédit, je ne réclamerais rien pour moi, mais seulement une pension alimentaire pour la gamine.

David en était resté abasourdi : la petite adolescente qu'il avait naguère prise sous sa protection était désormais devenue une femme majeure et capable de se défendre !

Brenda, la jeune Brenda, n'en demeurait pas moins l'archétype, l'idéal érotique de David et le demeurerait toujours. Son image de la partenaire rêvée n'avait pas mûri au fil du temps. Son goût pour les minettes avait simplement tourné à la fixation. Au lendemain de son divorce, il n'était encore qu'un tout jeune homme, à peine plus âgé que les adolescentes qu'il affectionnait. Mais, à mesure que les années passaient, la différence d'âge grandissait.

Les Lolita manifestaient désormais davantage de respect à David, l'écoutaient plus volontiers vanter ses réussites et appréciaient de mieux en mieux les cadeaux dont il les comblait. En retour, elles gardaient leur peau satinée, leurs petits seins fermes, leur ventre dépourvu de vergetures et leurs longues jambes de pouliches. Elles avaient rarement un mouvement de recul quand il les approchait, malléables à plaisir comme elles l'étaient – contrairement aux femmes faites.

La séparation de Brenda et de David n'avait rien eu d'amiable. La mère avait obtenu la garde de sa fille et l'avait élevée avec l'aide de baby-sitters. Le père pouvait l'avoir pendant le week-end, mais Cinnamon était devenue renfermée, repliée sur elle-même, nerveuse, agitée et instable, sans s'habituer à passer de l'un à l'autre.

David non plus ne s'était pas trop bien tiré du divorce. Tout jeune quand sa liaison avec Brenda avait commencé, il avait facilement pris le moule du comportement qui allait ensuite régir ses relations avec toutes : il devait être le maître. Comme Brenda lui avait naguère appartenu corps et âme, se reposant sur lui et le vénérant, sa défection le privait d'une partie de sa propre confiance en lui. Il se rappelait qu'au premier incident grave avec Brenda il avait eu l'intention de la tuer et de se suicider ensuite. Elle n'en avait manifesté nulle crainte, mais plutôt du mépris, même quand le canon de l'arme l'avait touchée.

Dès lors, David avait traversé des périodes de dépression plus profondes et plus fréquentes. Son appétit sexuel s'en était ressenti, ce qui n'avait rien arrangé. Par moments, il se sentait saisi d'irrépressibles pulsions, alors qu'à d'autres périodes il se désintéressait totalement de l'amour. Comme sa libido confinait à l'obsession, cette érosion du désir lui donnait l'impression d'être réduit à l'état de sous-homme. Et c'est sans doute pourquoi il fut hospitalisé trois fois en dix ans pour neurasthénie suicidaire.

Tel le phénix auquel il s'identifiait, il avait néanmoins fini par se ressaisir. Il faut préciser que, dans l'intervalle, il avait reçu la formation informatique à laquelle il aspirait et que, même s'il était porté à l'exagération, voire à l'affabulation au sujet de ses succès, il s'était révélé exceptionnellement doué dans sa partie.

Après avoir travaillé pour Century Data à Anaheim, il avait été employé par une demi-douzaine d'autres sociétés sans cesser de progresser.

– J'ai vite doublé mon salaire, fanfaronnait-il. Parce que, dans ce métier, tout le monde réclame ceux qui sont bons. Et moi, je le suis...

Il voyait alors le moyen de devenir riche et respecté.

15

Plus que la plupart des gens, David Brown vivait son existence par phases distinctes, entre des lignes de démarcation signalées par les débuts et les fins de ses mariages. À trente-deux ans, il ne comptait déjà pas moins de cinq unions. Chacune de ses épouses avait changé sa vie, mais il n'en avait pas moins oublié depuis longtemps les dates de ses noces comme de ses divorces.

Les archives révélèrent qu'il avait épousé Lori Carpenter le 4 octobre 1974 à Yorba Linda et qu'ils avaient loué une maison minable dans une rue sinistre de Riverside. Quand il en parlait, il ne se rappelait pas son âge ni celui de Lori, « seulement qu'elle devait avoir deux ans de moins » que lui. En fait, il avait alors vingt-deux ans et elle dix-neuf. Sa deuxième épouse aimait tendrement la petite Cinnamon, qui n'avait encore que quatre ans, mais qui venait régulièrement passer le week-end avec eux.

– Papa était très rigolo, se souvenait cette dernière. Il venait me border le soir et il faisait le pitre. Il avait pour moi des attentions que n'avait pas ma propre mère, peut-être à cause du travail qui la monopolisait.

En l'absence de leur fille, Brenda s'inquiétait. Un week-end, elle téléphona à David parce qu'elle avait fait un cauchemar au cours duquel elle voyait la petite se noyer dans une piscine proche de chez Lori. Cinny, elle, se souvenait d'avoir vraiment failli se noyer un jour :

– Papa jouait au requin avec moi et je me rappelle avoir

eu très peur... Quelquefois, il continuait de jouer même quand j'avais peur.

Ce deuxième mariage de David battit de l'aile en moins de quatre ans. Il se sépara de Lori dès le 13 octobre 1978, en plaidant une incompatibilité d'humeur d'autant plus vraisemblable qu'il avait de longue date rencontré quelqu'un d'autre. En réalité, il avait fait la connaissance de Linda Bailey alors qu'il vivait encore avec Lori.

Linda Bailey n'avait alors que treize ans, elle était blonde et délicate, ce qui lui procurait l'illusion de retrouver la Brenda des premiers âges. Comme la famille de Brenda, celle de Linda était élevée par une mère célibataire qui vivait d'allocations, nourrissant essentiellement de pâtes, de riz et de sodas ses onze enfants : Sheri, Rick, Jeff, Tom, Pam, Linda, Alan, Randy, Larry, Ralph et Patti. Écrasée sous le poids de ses responsabilités, Ethel Bailey, née Anderson, dans le Nebraska, était maintenant coincée à Riverside, en Californie.

– Il y avait sept tout petits, devait retenir David, mais ils ne mangeaient jamais de viande. Ethel consacrait ses allocations à l'achat de bière et de cigarettes, alors je leur ai offert une dinde et un gros jambon pour Noël.

Personne ne se souvenait exactement du moment où David Brown avait commencé à rendre visite aux Bailey, mais il était vite devenu une figure familière parmi eux. Ethel racontait que David était un jour venu lui dire que les médecins ne lui donnaient pas plus de six mois à vivre, en raison de son cancer du côlon ; il lui avait demandé si ses filles pourraient venir faire le ménage chez lui, moyennant finance. Selon lui, sa maison partait à vau-l'eau en même temps que son mariage et il avait désespérément besoin d'aide.

– Comment dire non à un mourant ? À l'époque, je n'avais aucune raison de ne pas le croire et j'admirais sa façon d'affronter un pronostic aussi sombre. Il gardait un tel sens de l'humour que c'était un plaisir de le fréquenter et je trouvais qu'il avait beaucoup de courage.

Ethel Bailey ne savait pas que David jouait les chefs de

bande avec plusieurs de ses filles. Il les enchantait en les mettant au défi de voler des outils que leurs propriétaires laissaient traîner à l'arrière de leurs camionnettes. Il en avait fait un jeu auquel elles étaient devenues très habiles. Il était capable de faire paraître n'importe quoi comme réalisable et raisonnable.

Des mois avaient passé sans qu'il meure, ni même que son état ait l'air de s'aggraver. Il n'expliquait pas ce miracle et se plaignait encore de souffrir. À ce moment, il faisait pour ainsi dire partie des meubles et tenait lieu de chevalier servant à Pam Bailey, qui avait alors une quinzaine d'années – soit près de dix ans de moins que lui. Mais c'était surtout Linda, âgée de treize ans, qui lui tapait dans l'œil.

Quand il débarquait à l'improviste et trouvait les petites en train de grignoter des flocons d'avoine en guise de repas, il courait dans une pizzeria chercher de quoi les faire manger ou les entassait dans sa voiture pour les emmener dîner... Ces enfants étaient si pauvres que leurs camarades de classe se moquaient de leurs vêtements rapiécés. Dans une maison sans père, où leur mère noyait sa misère dans l'alcool, tous avaient vite appris à dépendre de David.

Gagnant largement sa vie dans l'informatique, il dépensait une bonne part de cet argent pour eux :

– Je leur apportais des habits, des jouets et j'emmenais toute cette tribu à Disneyland, devait-il raconter plus tard.

Linda commençait à peine à prendre des formes quand il devint littéralement fou d'elle. Svelte, avec un visage plein de fraîcheur, elle était impressionnée par tout ce que disait et faisait David, qu'elle ne quittait guère des yeux. On ne pouvait douter qu'elle l'aimait et l'aimerait jusqu'à la mort.

Elle était la septième des onze enfants et l'une des dernières d'une demi-douzaine de ceux dont le père était un dénommé Clyde Dalrymple, originaire de Pennsylvanie, disparu depuis longtemps de leur vie. Elle avait avoué à David qu'elle était terriblement malheureuse chez elle et il lui avait prêté une oreille compatissante, comme il savait si bien le faire. Linda lui était reconnaissante d'avoir enfin trouvé quelqu'un à qui parler, un premier espoir d'échapper à sa misère.

Encore officiellement marié, mais oubliant toute prudence, David s'était mis à sortir avec elle. À quinze ans, elle avait déjà l'aspect d'une adulte, tout en gardant l'âme d'une enfant. Lui en avait vingt-quatre quand il proclama qu'il avait vaincu son cancer et allait vivre plus longtemps que ne le prévoyaient ses médecins.

Vers la même époque, Linda alla consulter la femme de son frère aîné Rick, lui confia qu'elle voulait commencer sa vie sentimentale et l'interrogea sur la contraception. Sa belle-sœur tenta de la faire changer d'avis, mais, comprenant que l'adolescente était résolue à sauter le pas, lui conseilla de réclamer la pilule gratuitement au dispensaire. Quand Ethel Bailey l'apprit, elle se mit dans tous ses états, et mère et fille se disputèrent vivement.

Enfin, Linda quitta la maison et se réfugia chez Rick et Mary, laquelle se rappelait :

– Elle était pratiquement folle à lier quand elle est arrivée chez nous. Elle n'y est restée que deux ans environ avant de se décider à épouser David.

Six mois plus tard, David et Linda, escortés par Ethel et par Alan, le frère jumeau de Linda, partirent pour Las Vegas. Et c'est une fiancée de dix-sept ans que David Brown épousa en troisièmes noces, le 21 juin 1979.

David était alors le plus jeune directeur du service des relations avec la clientèle à la compagnie internationale Memorex et gagnait confortablement sa vie. Linda Brown, née Bailey, avait trouvé le foyer auquel elle aspirait, ayant officiellement convolé avec l'homme qui lui plaisait et disposant de tout l'argent qu'il lui fallait. Et pourtant, ce troisième mariage de David dura encore moins longtemps que les précédents.

Peut-être Linda n'était-elle pas encore mûre pour la vie conjugale. En tout cas, après tout juste un mois et vingt-quatre jours de vie commune, le couple se sépara le 14 août 1979. Dès le 18 septembre, David entama la procédure de divorce.

– Quand il l'a flanquée dehors, elle est revenue chez nous, devait témoigner sa belle-sœur. Elle s'est mise à sortir avec d'autres types, que j'aurais tous préférés à David.

Mary Bailey, une jolie femme robuste et dotée du sens des responsabilités, avait été soulagée de cette rupture. Elle n'appréciait guère David, le trouvait « bizarre » et pensait que Linda aurait été mieux inspirée de fréquenter des garçons de son âge plutôt qu'un homme de neuf ans son aîné, déjà divorcé deux fois et qui lorgnait toujours d'autres femmes. Mary n'était pas tendre à son égard :

– Ce n'était pas comme s'il avait été le seul à vouloir d'elle ! Mais il avait sur elle une espèce d'emprise qui faisait qu'elle n'a jamais réellement voulu personne d'autre que lui. Ne me demandez pas pourquoi...

David affirmait pour sa part que cette union s'était rompue à cause de l'immaturité de Linda :

– Nous sommes restés mariés pendant quelques mois, je crois. Jusqu'à ce que je découvre... je ne sais même pas s'il s'agissait d'alcool ou de drogue, mais j'étais violemment hostile aux deux et... euh... comme je ne pouvais y mettre fin, nous avons divorcé et j'ai immédiatement rebondi vers Cindy, une fille qui travaillait pour moi à la direction de Memorex.

David s'était presque immédiatement remarié pour la quatrième fois. Il avait vingt-sept ans et, comme de coutume, ne devait pas se rappeler l'âge de Cindy, ni la date de leur mariage, inscrit dans les registres de l'état civil en date du 24 mai 1980. À la veille du Noël de la même année, nouvelle séparation et quatrième demande de divorce, déposée le 28 janvier 1981.

David décrivait Cindy comme une « fille magnifique » et manifestait de légers regrets de l'avoir quittée :

– Je trompais Cindy en continuant de voir Linda. Cindy était d'une beauté absolue, mais avait une capacité intellectuelle limitée.

S'ils avaient des rapports sexuels torrides, ils n'avaient rien d'autre en commun et David ne se sentait guère d'affinités avec les deux enfants qu'elle avait eus d'un autre.

Malgré ses nombreuses aventures conjugales, David n'hésitait pas à solliciter sa première ex-femme pour garder les enfants de Cindy et, en général, Brenda acceptait. Elle était également restée en bons termes avec la deuxième ex-femme de David, Lori.

– Lori avait toujours été gentille avec ma fille, expliquait-elle. Même après avoir divorcé d'avec David, elle continuait à venir chercher Cinnamon et à lui payer des vêtements.

Cindy, l'épouse numéro quatre, avait été impressionnée par la situation de David, mais s'était révélée un peu trop encline aux emplettes pour son goût :

– Financièrement, elle voulait tout et je n'étais pas en mesure de faire face à ses exigences.

David percevait pourtant un bon salaire chez Memorex, plus de 36 000 dollars par an, mais il avait eu la faiblesse de laisser croire à Cindy qu'il gagnait davantage pour se donner de l'importance.

La véritable raison de son quatrième divorce importe peu. David revint vers sa précédente épouse, son amour naguère à peine pubère. Il couvrit Linda de cadeaux, promit que tout serait désormais différent, qu'il l'avait toujours aimée et qu'il l'aimerait toujours. Leur vie sexuelle, passionnée et imaginative, jouait un rôle crucial dans leur union et David se vantait devant qui voulait l'entendre de faire l'amour au moins une fois par jour, et jamais deux fois de la même façon.

Vers la Noël de 1980, Linda était repartie de chez Rick et Mary, et retournée chez David avant même que la porte n'ait claqué derrière Cindy. Désormais, elle était plus mûre et croyait que leur union repartirait d'un bon pied. Cela aurait pu être la « happy end » de l'histoire de deux jeunes gens trop amoureux pour demeurer l'un sans l'autre. Mais le « revenez-y » de Linda vers David allait lui aliéner sa famille :

– Nous le considérions comme un profiteur, déclara sans ambages Mary Bailey. Nous ne voulions pas qu'elle renoue avec lui, mais elle n'écoutait personne... David savait y faire

156

avec les femmes, il leur faisait croire qu'elles comptaient beaucoup pour lui...

Ce froid familial ne pouvait durer, car Linda était trop aimée de ses proches. Mary la citait comme l'une des personnes les plus gentilles qu'elle eût jamais rencontrées, au point qu'elle n'acceptait pas de voir quiconque souffrir.

— Une fois, en plein hiver, elle a vu un type sans manteau et elle est allée lui acheter un blouson de cuir pour le lui donner. Je n'ai pas eu le cœur de lui dire qu'il allait probablement faire demi-tour et le revendre. Voilà comment elle était : elle avait l'impression de ne jamais en faire assez pour aider les autres. Elle était comme ça. Elle ne supportait pas que quelqu'un ait froid ou faim, ou soit malheureux.

De toutes les sœurs Bailey, Linda était la plus chaleureuse, la plus affectueuse. Ce qu'elle éprouvait pour David, tellement imbu de sa propre personne, tellement infatué, demeurait un mystère pour sa famille. Mais tous l'aimaient et voulaient rester proches d'elle. Ils éprouvaient donc des sentiments mitigés à l'égard de ses projets de remariage. Mary Bailey avait notamment tout fait pour dissuader Linda de réépouser David, mais en vain, parce que la jeune femme restait folle de lui.

— J'ai fini par renoncer en constatant que tout ce que je pourrais dire ne servirait à rien et risquait de provoquer une fêlure entre nous. De toute façon, nous ne la voyions plus très souvent, David n'aimait pas qu'elle passe trop de temps avec sa famille. Il la voulait pour lui tout seul.

Cependant, d'autres membres de la famille Bailey étaient contents que David soit de retour parmi eux. Ils parlaient de toutes les bonnes affaires qu'il faisait, de toutes les entreprises qu'il allait créer. Tout Tartarin égocentrique qu'il fût, il pouvait constituer pour eux une source de profits.

Manuela et Arthur Brown ne s'étonnaient guère des multiples mariages de leur fils avant l'âge de trente ans et, s'ils n'avaient pas d'affection particulière pour Linda, ils étaient soulagés qu'il parût enfin se ranger et conclurent que c'était mieux pour sa santé. La tension émotionnelle de ses mariages à répétition avait sûrement contribué à aggraver ses ulcères, son asthme, sa colite chronique, ainsi que toutes ses autres petites misères.

De propos délibéré ou par quelque sens inné, David s'entourait de gens qui le jugeaient supérieur, plus intelligent, plus habile, mieux élevé que les autres. Beaucoup lui attribuaient un goût parfait mais, paradoxalement, il n'avait pas d'autres amis que ses multiples femmes. Il les couvrait de bijoux, de cadeaux, leur faisait mille promesses, les rendait dépendantes de lui. De manière significative, toutes employaient la même formule pour l'évoquer : il était leur « planche de salut ».

16

Si romantique qu'ait paru David Brown, il ne perdait pas de vue ses ambitions. Le procédé informatique qu'il avait mis au point constituait sa chance, l'opportunité de vérifier enfin qu'il allait tenir ce qu'il promettait de longue date. Sa réussite financière allait dépasser tout ce qu'il avait escompté et lui apporter le prestige et le respect auxquels il avait tant aspiré. Personne ne devrait se souvenir du jeune homme qui n'avait survécu que grâce à la solidarité publique, car il comptait bien devenir milliardaire.

L'informatique, sa discipline naissante, apportait avec elle ses propres fantasmes. Quiconque disposait d'un ordinateur redoutait de perdre ses informations, alors principalement stockées sur des disques durs et des disquettes. Les dossiers d'une entreprise, le fichier de sa clientèle, le travail de création, les comptes bancaires, tout risquait de disparaître en un clin d'œil, égaré quelque part au fond des mystérieuses entrailles de la précieuse machine.

Au début des années 1980, les données informatiques demeuraient aussi vulnérables aux orages, tremblements de terre, inondations et sautes de courant électrique qu'aux maladresses humaines. « Erreur sur le disque » était un message dont l'apparition sur l'écran glaçait tout utilisateur. Comme un pillage ou un parasitage, toute destruction d'information pouvait ruiner la plus prospère des entreprises.

David Brown n'était pas un universitaire, un mathématicien, ni même un programmateur de génie. Il était l'un de ces spécialistes d'une nouvelle forme d'assistance que l'on qualifiait de « gourous ». Ses connaissances rudimentaires étaient l'objet de telles demandes qu'il pouvait s'offrir le luxe de parler de sa méthode à mots couverts, donnant l'impression qu'il avait inventé quelque chose de gigantesque.

En fait, il n'avait créé sa propre société qu'après avoir commencé à travailler en 1981 comme sous-traitant pour une grande compagnie californienne nommée Randomex. Les spécialistes de celle-ci avaient notamment mis au point un système pour restaurer les supports de mémoire endommagés, de sorte que ce qui y avait été inscrit redevienne lisible. Ils parvenaient ainsi à récupérer environ la moitié des données perdues par d'imprudents clients, qui n'avaient pas conservé de copies de sauvegarde et n'évitaient la faillite que grâce à eux.

David avait étudié leurs méthodes et appris à traiter comme à nettoyer les disques durs, à renvoyer les têtes de lecture survoler les zones endommagées, à en accélérer les cadences pour copier les données pertinentes sur un autre disque ou sur bande magnétique. Il s'était dit que, s'il parvenait à améliorer le rendement de ces opérations, ce serait pour lui une mine d'or.

Et c'est ce qui se produisit.

Au départ, Linda ou d'autres membres de la famille recueillaient sans comprendre les données des mémoires confiées en traitement. David assurait les relations avec les gens de Randomex, qui n'appréciaient ni ne détestaient spécialement l'obscur sous-traitant qu'il était à leurs yeux.

David avait pourtant conçu quelques perfectionnements de son cru afin d'élever le taux de récupération jusqu'aux trois quarts des données, spécialement sur les disquettes qui commençaient alors à se répandre. C'est ce qu'il appelait pompeusement « mon procédé », sans le moindre hommage envers ceux qui lui avaient tout appris et lui avaient fait confiance.

– Pour les profanes, ça ressemble à de la magie, se rengorgeait-il. En tout cas, nul ne s'est montré capable d'en faire autant...

À ceux qui voulaient en savoir davantage, il ne prodiguait que des explications délibérément vagues et confuses. Linda fut la première initiée en détail, parce qu'elle l'adorait.

– J'ai conçu des ordinateurs, des logiciels et des tas de trucs comme ça, se vantait David. J'ai fait suivre des stages aux ingénieurs du plus haut niveau des plus grandes compagnies avant de former Linda.

La jeune femme n'avait suivi aucune étude secondaire, mais l'application du fameux « procédé » n'exigeait pas davantage de bagage scolaire que d'intelligence ou de talent particulier. En dépit du mystère dont l'entourait David, sa technique ne réclamait que de la patience et de la concentration : de banals Coton-tige imbibés d'alcool étaient utilisés pour nettoyer délicatement et à plusieurs reprises chaque disquette. Mais cela rendait le service qu'espéraient les clients, et Randomex le récompensait par des travaux supplémentaires.

Les déclarations de revenus de David reflétaient la croissance de sa maîtrise : en 1981, il avait gagné 11 255 dollars chez Randomex ; en 1982, 14 365 ; en 1983, 124 905 ; en 1984, 171 141. La recette de 1985 était retombée à 114 081 dollars – ce qui se comprenait après la perte de son épouse et fidèle collaboratrice.

Sur ces rentrées, David avait à payer les salaires d'employés qui appartenaient presque tous à la famille. C'était principalement le cas d'Alan, le frère jumeau de Linda, et, moins régulièrement, de leur autre frère Larry, auquel David ne faisait guère confiance. Arthur, son propre père, venait de temps en temps donner un coup de main et finit par avoir l'honneur d'être initié à une partie du « procédé ».

Au fur et à mesure que s'écoulaient les années quatre-vingt, les deuxième et quatrième femmes de David avaient été progressivement reléguées aux oubliettes. Il ne gardait le contact avec Brenda qu'à cause de Cinnamon, se réjouissant qu'elle en reste réduite à vivre de la vente de leurs anciens meubles et aimant à répéter :

– Elle est furieuse que je sois devenu milliardaire !

Linda et lui comptaient désormais davantage et occupaient une place bien établie au sein des Bailey : celle des parents riches. Même ceux qu'agaçaient l'autoritarisme et l'arrogance de David le reconnaissaient comme un membre de la famille à part entière, jouissant de son aptitude à faciliter leur existence. Parmi eux, une personne le couvait déjà du regard avant que lui-même ne la remarque.

Patti n'avait encore que sept ou huit ans quand elle s'asseyait timidement dans un coin pour écouter l'homme qui apportait des hamburgers. Elle adorait entendre sa belle voix grave, le trouvait merveilleux et le vénérait depuis le premier jour. Mais ils étaient séparés par un gouffre de plus de seize ans, et c'était sa sœur aînée Linda qu'il avait épousée et emmenée vivre dans sa belle maison.

Quand les premières noces de Linda et de David avaient capoté, Patti n'avait pas trop su ce qu'elle en ressentait. À sa tristesse se mêlait la curieuse satisfaction de constater que Linda n'était pas aussi maligne qu'elle le croyait.

Lorsque le couple avait repris la vie commune, Patti avait éprouvé des sentiments non moins ambigus. Contente d'avoir bientôt douze ans et d'aborder la puberté, elle comprenait mal pourquoi David n'avait pas attendu qu'elle grandisse encore un peu pour l'enlever et l'épouser comme elle en rêvait depuis sa plus tendre enfance.

Linda invitait Patti à passer de nombreux week-ends chez David et elle à Victorville, où il était en train d'acheter une petite maison et un terrain sur une colline, à quelque 75 kilomètres de Riverside, au bord du désert Mohave. Autant Patti adorait monter vers ce nouveau monde, autant elle redoutait au retour de redescendre chez elle. Finalement, Linda lui avait proposé de demeurer avec eux.

C'était l'extase. Cette année-là, aux vacances de Noël, elle quitta le reste de la famille pour s'installer chez son beau-frère. Elle allait se trouver enfin délivrée du désespoir, aurait tout ce qu'elle voudrait à manger, irait en classe avec des vêtements neufs et à la mode. Elle vivrait dans une maison bien meublée et bien entretenue, où elle ferait partie de la famille de David Brown. Avec, parfois, Cinnamon, que ses parents se renvoyaient comme une balle de ping-pong. Elle avait notamment vécu avec son père et Linda dans leur maison d'Anaheim, jusqu'en juillet 1983.

Séparées par deux ans seulement et s'étant connues toutes petites, les deux fillettes semblaient plutôt bien s'entendre. Elles se disputaient de temps en temps, comme cela arrive entre sœurs. Même quand Cinnamon était renvoyée chez sa mère, elle ne se montrait pas jalouse que son père ait gardé chez lui une autre fille, alors qu'elle ne pouvait venir que pour le week-end et les vacances.

La vie à quatre ne s'en était pas moins révélée difficile. Cinnamon était extravertie, alors que Patti restait réservée, voire taciturne. Cinnamon avait beaucoup d'humour et voyait tout de suite le côté comique des choses, tandis que Patti prenait tout au sérieux et ne comprenait pas les calembours et autres jeux de mots. Cinnamon était désordonnée et avait horreur des besognes ménagères, contrairement à Patti, qui rangeait soigneusement toutes les jolies choses qu'elle n'avait jamais eues auparavant.

En dépit de ces différences, Cinny s'intégra bien dans la nouvelle famille et parut longtemps en excellents termes avec sa belle-mère. Mais elle connut l'humiliation quand David la força à se présenter publiquement en sous-vêtements pour la fesser avec une ceinture de cuir. Malgré la violence de coups qui strièrent sa chair de boursouflures rouges, elle refusa de pleurer, regardant simplement son père comme pour le défier et lui criant :

– Je te déteste ! Je ne peux plus vivre avec toi ! Je te hais !

Cinny retourna chez Brenda le cœur brisé ; elle n'exécrait nullement son père et l'adorait plutôt plus que de raison. Si elle était incorrigible, cela n'apparaissait à personne d'autre que David. Tous ceux qui les connaissaient s'étaient toujours étonnés de la bonne entente entre Linda et Cinnamon.

L'adolescente fut ballottée pendant des années. À des

âges où elle avait besoin de savoir où était sa place et quelle valeur elle avait, elle flottait comme un ballon sans ficelle. C'était pourtant une enfant qui ne manquait pas de perspicacité, qui assumait les conséquences de ses propres actes et qui reconnaissait franchement ses défauts :

– Je haïssais tout le monde tout le temps, devait-elle rappeler plus tard. Je ne décolérais pas, j'étais une sale gosse qui faisait tourner sa mère en bourrique.

« Ma vie avec maman était différente de celle avec papa, poursuivait-elle. Quand j'habitais chez ma mère, je me sentais indépendante, je pouvais sortir avec mes copines, j'apprenais à apprécier les choses. Mais je ne recevais pas toute l'attention que je désirais. Je comprenais que maman travaillait très dur et faisait de son mieux, je cherchais à lui plaire, je souhaitais une meilleure communication entre nous, mais elle criait beaucoup. Quand je voulais une explication, je recevais une volée. Je tenais à savoir ce que j'avais fait de mal, pour ne pas recommencer, mais elle était si nerveuse qu'elle ne prenait jamais le temps de me répondre.

La treizième année de Cinnamon s'avéra relativement sa meilleure, voire sa seule bonne année :

– Mon amie Krista et moi étions des adolescentes heureuses et actives. Nous nous trimballions à tour de rôle sur le guidon de mon VTT pour aller à la plage.

Quand elle séjournait chez son père, elle se pliait comme tout le monde aux règles de la maison. David commandait. Il voulait que l'on rentre à l'heure. Les gens qui ne lui obéissaient pas ne restaient pas longtemps.

– Finalement, papa ne m'accordait plus tellement d'attention, observa-t-elle. Je devais le partager avec Patti et j'étais moins impliquée qu'avant dans les affaires de famille. Je n'avais plus droit à autant de temps avec lui. Nous avions encore de bons souvenirs et passions tous les deux des moments épatants, mais je m'apercevais de plus en plus qu'il était égocentrique. Il voulait toujours rester le pôle d'attraction, le centre de l'attention. Ce sont des choses que je remarquais à mesure que je grandissais.

David se montrait épisodiquement généreux et invitait

volontiers des membres de la famille de Linda et de Patti, pourvu qu'ils respectent ses diktats. Ethel venait souvent passer un week-end, ainsi qu'Alan, le frère jumeau de Linda, voire Larry, mais David n'encourageait guère les relations avec d'autres.

Depuis l'âge de douze ans, Patti Bailey croyait à la famille que David avait créée. Les idées de David s'étaient enracinées dans l'esprit de la fillette et elle le suivait aussi dévotement qu'une adepte son gourou. Tous ceux qui observaient ce comportement la taquinaient à ce sujet. Linda en avait même parlé à Mary Bailey et elles en avaient souri en hochant la tête, prévoyant que cela passerait quand Patti commencerait à sortir avec des garçons de son âge.

Du travail de David, Patti savait simplement qu'il avait un rapport avec les ordinateurs et qu'il était très important parce que Linda et lui voulaient une belle maison. Comme ils ne s'éloignaient jamais beaucoup du comté d'Orange, cela ne la dérangeait pas qu'ils déménagent si souvent. Ils avaient d'abord vécu à Victorville, puis il y avait eu Anaheim, Yorba Linda, Brea, et finalement Garden Grove – le tout en moins de trois ans.

La famille s'offrait du bon temps. Les parents de David participaient souvent à de petites excursions dans le désert ou à la montagne. Tous regardaient la télévision, louaient des cassettes vidéo ou s'amusaient avec des jeux de société. David n'était pas très sportif et attendait les visiteurs pour s'exercer au tir sur des boîtes de bière, même s'il gardait chez lui plusieurs fusils et armes de poing.

Ils s'enfonçaient souvent dans le désert Mohave jusqu'à la ville fantôme de Calico. Dans leur camping-car, ils emportaient un pique-nique, et des boissons gazeuses dans une glacière. Ils passaient des heures à faire des tours avec les véhicules tout terrain que David leur avait achetés. Quand il se sentait d'attaque, il était le premier à faire joujou comme un gosse.

Patti et Linda avaient vite appris que David se lassait rapidement de tout et voulait toujours du neuf, toujours le dernier modèle. La chose fut confirmée quand Larry Bailey, pilotant l'un des ULM de David, s'écrasa sans trop de dégâts. David considéra aussitôt cet accident non comme perte, mais comme une occasion de changer d'appareil.

– Je ne sais pas en quoi l'engin était abîmé, se souviendrait Patti, mais ce n'était pas bien méchant. N'empêche que David a mobilisé Linda et Larry pour l'aider à le pousser dans un précipice près de Calico, de façon à s'en faire payer un autre par les assurances...

David avait beau doubler chaque année les revenus de son entreprise, il se faisait rembourser toutes sortes d'accidents de voiture. Il avait en particulier intenté un procès à un supermarché sous prétexte qu'il s'y était blessé en se prenant les pieds dans une rallonge électrique. Comme il possédait une cabane en bois pleine de vieux meubles et de matériaux de construction, il avait loué un bulldozer et tenté de persuader Alan de raser la baraque pour toucher l'assurance.

À peine installé à Garden Grove, en 1984, il avait profité de l'accident qu'avait eu une voisine âgée. Perdant le contrôle de sa voiture dans l'entrée de son propre jardin, la vieille dame avait appuyé sur l'accélérateur au lieu du frein et percuté la façade de la maison des Brown. Les dégâts étaient minimes, mais David y avait tout de même vu le moyen de faire financer le renouvellement de son matériel professionnel.

– Il a placé son vieil ordinateur et son ancien bureau dans la chambre dont le mur avait été touché, se rappelait Patti. Pour le reste, je n'étais pas là ; mais il s'est débrouillé de façon que l'assurance de la vieille dame lui paye des équipements neufs.

David faisait aussi toutes sortes de collections : de monnaies rares, d'or et de diamants. Il avait fait ciseler par un joaillier son phénix sur pendentif et fait figurer le même symbole sur ses cartes commerciales. Il se considérait lui-même comme un phénix, un drôle d'oiseau magique...

David n'employait pas seulement sa belle-famille dans son entreprise, mais aussi sa propre famille. L'essentiel du travail pouvant se réaliser à domicile, la récupération de données informatiques favorisait l'idée qu'il se faisait de la vie de famille.

Il prétendait recevoir chez lui des coups de téléphone extraordinairement importants. Il se targuait d'avoir sauvegardé d'inestimables données au cœur du dramatique incendie de la First Interstate Bank, à Los Angeles. Il se plaisait à raconter que plusieurs dizaines de personnes lui devaient la vie, parce que, cernées par les flammes dans le grand hôtel de la Metro-Goldwyn-Mayer, qui allait déplorer quatre-vingts morts à Las Vegas, ces gens avaient été évacués après que lui seul s'était révélé capable de reconstituer les enregistrements précisant quelles chambres se trouvaient occupées :

– Grâce à moi, les sauveteurs ont pu aller directement les dégager, au lieu de perdre du temps avec les chambres vides...

De même, quand la banque du sang de San Diego avait pris feu, il en aurait restauré le réseau d'ordinateurs afin que les employés retrouvent les unités sanguines dont les hôpitaux de Californie du Sud ne pouvaient se passer. Selon lui, tous ces hauts faits auraient été spécialement appréciés par la compagnie Coca-Cola :

– Ils nous priaient, Linda et moi, de ne jamais prendre d'avion ensemble, parce que, si nous étions tués tous les deux, la compagnie risquait de trop gros ennuis. Mais nous ne pensions pas pouvoir vivre l'un sans l'autre et préférions courir le risque de nous écraser en même temps !

À l'entendre, ce gamin qui n'avait jamais suivi d'études secondaires était devenu aussi célèbre que le plus illustre des « pompiers volants » de l'industrie pétrolière, surnommé « le Red Adair de l'informatique », dans *People* comme dans *Time*. C'était lui qui aurait résolu la tragique énigme de l'explosion à bord de la navette spatiale Challenger, le 28 janvier 1986, en découvrant la cause :

– J'ai travaillé deux jours pour la NASA et le ministère de la Défense, se gargarisait-il. J'ai pu prouver que les membres de l'équipage avaient été tués sur le coup et n'avaient pas souffert.

Cette assertion pouvait facilement être confondue comme un mensonge flagrant. Mais peu de gens mettaient en doute la parole de David Brown, qui jouissait d'autant de pouvoir de persuasion que de bonne réputation dans sa partie. Qui pouvait discerner lesquelles des multiples histoires qu'il enjolivait avaient une base de vérité et lesquelles se bornaient aux plus grossières affabulations ?

De toute manière, en 1984, ses affaires étaient prospères. Patti et Linda s'occupaient du courrier et tapaient les réponses à tour de rôle. Grâce aux amplificateurs dont tous les téléphones de la maison étaient dotés, David pouvait répondre de n'importe quelle pièce sans avoir à décrocher. Du même coup, la famille entière restait avisée de toutes les commandes, sans le moindre secret entre eux trois.

Tout au moins en apparence.

Si Cinnamon Darlene Brown avait été une enfant jalouse, elle aurait eu des raisons de se sentir exclue de la vie de ses parents. Pendant que son père se partageait entre son travail, Linda et Patti, sa mère s'était remariée avec un certain Tracy Sands, un homme un peu plus jeune qu'elle, et avait eu une seconde fille : Penelope. Cinnamon adorait cette demi-sœur, tout comme elle accueillait avec joie la nouvelle d'un heureux événement chez son père : Linda était également enceinte et devait accoucher de la petite Krystal en juillet 1984.

Il devait y avoir quatorze ans d'écart entre les deux enfants de David. Mais Cinny était née d'adolescents pauvres, alors que le bébé de son père bénéficierait de sa belle situation financière. De fait, les préparatifs de sa naissance auraient pu rivaliser avec ceux d'un prince du sang. La famille s'était installée dans la maison louée à Ocean Breeze, qui ménageait assez de place : une grande chambre conjugale pour David et Linda, une belle chambre de jeune fille pour Patti et une confortable nursery pour Krystal. Une pièce pour chacun, donc, sauf pour Cinnamon.

Quand elle ne travaillait pas pour Data Recovery, ne faisait pas la cuisine ou le ménage, Linda décorait la chambre du bébé. David la laissa acheter tout ce qu'elle voulait, à commencer par un berceau transformable en lit d'enfant, un coffre à jouets et un petit fauteuil qui se balançait mécaniquement en faisant de la musique. Linda était heureuse de prévoir que son nourrisson aurait toutes les choses dont elle-même avait été privée.

Demeurait tout de même une ombre au tableau. Même si sa grossesse enchantait Linda, quelques mois difficiles l'attendaient. Elle se sentait lourde et maladroite, souffrait de devoir porter des marinières et des pantalons élastiques tandis que ses pieds enflaient. Ce même été, sa petite sœur Patti se promenait en mini-short et bain de soleil, dans l'éclatante grâce de ses seize ans.

Pour la première fois, l'ostensible béguin de Patti pour David commençait à irriter Linda. De plus, David, qui ne se déplaçait jamais sans elle, non seulement ne l'emmenait plus nulle part, mais se faisait partout escorter par Patti. Puisque le bébé allait accaparer l'essentiel du temps de Linda, il formait Alan Bailey pour la remplacer au travail. Le tout aboutissait au fait qu'elle se sentait beaucoup moins proche de son mari.

Linda mit au monde Krystal Marie le 20 juillet 1984. Tout le monde adora aussitôt ce bébé et s'en occupa à tour de rôle. Après l'accouchement, il y eut une charmante fête de relevailles, où le bébé reçut un maximum de cadeaux.

David était fou de Krystal et ne regrettait pas de ne pas avoir de fils :

— Cette petite m'adore, répétait-il avec orgueil.

Il jouait avec elle, la berçait, la balançait, la chatouillait, la faisait rire et prenait d'innombrables photos d'elle, qu'il accrochait aux murs de son bureau.

Linda attribua sa crise de jalousie contre Patti à la classique dépression postnatale. Quand elle était allée voir Rick et Mary en compagnie de Patti et de Cinnamon, même sa très critique belle-sœur avait jugé que l'harmonie régnait entre elles.

Brenda, en revanche, remarquait des choses troublantes :

– Pour faire baptiser Cinny, j'avais besoin de son extrait de naissance qui était rangé dans le coffre de David. Linda m'avait promis de le chercher, mais seulement quand il serait parti, car elle craignait sa réaction. Au moment où elle a ouvert le coffre, je l'ai entendue pousser une exclamation étouffée : « Mon Dieu ! Le voilà qui rentre ! » Elle avait peur de lui...

Quelque temps plus tard, lors d'une rencontre à l'extérieur, Brenda fut frappée par l'air triste et la mauvaise mine de Linda.

À la rentrée de septembre 1984, Cinnamon était à nouveau revenue chez son père. Linda expliqua alors à Mary Bailey :

– Je l'ai prise à part pour l'avertir : « Si tu veux vivre avec nous, il faut que tu obéisses aux règles de notre famille. Sans ça, je n'accepterai plus tes sempiternelles allées et venues... » Il me semble que Cinny l'a compris.

De fait, Cinnamon s'était installée chez David et Linda à temps pour rejoindre Patti à son collège. Patti voulait bien l'héberger dans sa chambre si elle dormait dans un lit pliant qui se glissait sous son propre sommier dans la journée.

Les deux filles n'avaient pas beaucoup d'amies de leur âge. Patti aimait bien Betsy Stubbs, dont le père était l'agent d'assurance de David. Betsy n'était ni très jolie, ni très futée, mais elle avait le don de faire rire Cinny par ses bons mots et ses phrases à l'emporte-pièce. Comme David traitait beaucoup d'affaires d'assurances, les filles l'accompagnaient souvent chez leur amie. Lui-même n'aimait pas la plupart de leurs autres camarades, mais Betsy l'amusait.

Toutefois, le monde de David se limitait à lui et à ses « quatre femmes » : Linda, Patti, Cinnamon et Krystal. Tous vivaient ensemble, partageaient repas, soirées devant la télé, excursions et même travail ; mais il subsistait quand même des secrets dans la maison. Cinnamon allait en découvrir un par hasard, fin janvier 1985.

170

Ils s'étaient arrêtés à un supermarché pour y faire des courses. Comme Krystal avait besoin d'être changée, Linda disposa une couverture sur le hayon du break pour en faire une table à langer, et conseilla aux autres d'entrer dans le magasin sans l'attendre. Cinnamon fila droit vers le rayon de la stéréo, vaguement consciente que son père et Patti se dirigeaient plutôt vers la mode. Elle tourna la tête pour les chercher du regard le long d'un alignement de robes. Et elle reçut un choc – en surprenant David en train d'embrasser Patti.

Ce n'était nullement un petit bisou amical ou paternel, mais un vrai baiser, intime et fougueux. Cinnamon en était restée pétrifiée, les pieds rivés au sol, incapable de croire à ce qu'elle voyait :

– En état de choc, j'ouvrais d'énormes yeux, raconterait-elle plus tard. Quelque chose s'était détraqué... Ils s'enlaçaient... J'ai cru que j'allais en devenir folle... Ils étaient serrés l'un contre l'autre, et, quand mon père s'est retourné et a vu que je les regardais, je suis partie en courant. Il m'a poursuivie en m'appelant : « Cinny ! Cinny, qu'est-ce qui te prend ? Qu'est-ce que tu as ? » J'ai répliqué : « Je t'ai vu... – Qu'est-ce que tu as vu ? » J'ai répondu : « Je t'ai vu embrasser Patti ! » Il a fait : « Ah ? je regrette que tu aies vu ça : c'était un accident... »

Cinnamon en était restée sidérée. Comment son père aurait-il pu embrasser Patti par accident ? Ahurie, déroutée, elle retourna vers le parking et fut soulagée d'y retrouver Linda. David la suivait de peu et, dans son égarement, Cinnamon se mit à pleurer :

– Tu veux me rendre dingue ? jeta-t-elle. Je ne comprends pas...

Son père lui demanda pardon, mais elle ne voulait plus lui parler et elle partit en courant se blottir dans un coin, hors de sa vue.

Linda la retrouva et s'inquiéta de sa mine bouleversée. Elle insista pour savoir ce qui lui arrivait.

– À ce moment-là, j'avais surtout peur de mon père,

rapporta Cinnamon. Autrement, je me serais ressaisie et j'aurais tout dit à Linda.

Elle était d'autant plus choquée que sa belle-mère montrait combien elle se faisait du souci pour elle. Linda était montée dans le break pour s'asseoir à côté d'elle et tenter d'apprendre ce qui l'avait émue à ce point.

— Quand nous sommes arrivés à la maison, mon père m'a retenue dans l'entrée et m'a dit : « Ne raconte à personne ce que tu as vu dans le magasin. C'est important pour moi. »

Elle promit de se taire. Mais elle y pensa sans arrêt. Tout le reste de la journée et toute la nuit, elle eut mal au cœur et refusa de dîner, même quand Linda frappa à la porte de la caravane.

Ce soir-là, Cinnamon finit par s'endormir dans son refuge, mais elle fit d'interminables cauchemars où elle voyait son père et Patti s'embrasser à n'en plus finir.

17

Ayant provisoirement épuisé sa liste de parents, d'ex-parents, d'ex-femmes et de connaissances de David Arnold Brown, Jay Newell changea de tactique. Comme n'importe quel particulier aurait pu le faire, il chercha les indices qui l'intéressaient dans les registres officiels. Ce ne fut pas chose aisée, car l'habituelle piste des informations laissées chaque fois que les gens déménagent – l'adresse où faire suivre le courrier, les abonnements au gaz et à l'électricité – ne menait nulle part.

Après le départ de Brown de la maison louée à Ocean Breeze Drive, Newell perdait en effet sa trace. Toutes les indications « faire suivre » le ramenaient chez le grand-père Arthur Brown, à Carson. Mais le domicile de celui-ci apparaissait désert et fermé, comme si les parents de David étaient partis eux aussi. Pourtant, Newell demeurait convaincu que Brown se trouvait toujours dans le comté d'Orange. Mais où ?

Comme il avait un cousin dans l'immobilier, Newell chercha du côté des transferts de titres de propriété. Il en découvrit un qui le fascina : David avait acheté une nouvelle maison le 30 août 1985. Il avait alors réglé, rubis sur l'ongle, 330 000 dollars : une luxueuse villa dans un nouveau quartier d'Anaheim, Summitridge Lane, dominant le magnifique panorama du Santiago Canyon.

En 1985, la rue était encore si neuve que les arbres y restaient malingres et soutenus par des tuteurs, mais les bégonias et les pétunias y fleurissaient déjà ; des pruniers sauvages aux minuscules et odorantes fleurs blanches avaient pris racine dans la plupart des jardins. Toutes les canalisations et les transports de courant étaient discrètement enterrés, à l'exception de quatre énormes pylônes à haute tension, perchés sur la crête de façon quasiment malveillante.

Chaque maison du quartier était plus imposante que sa voisine. Chaque pelouse possédait un grand parterre de fleurs bordé de briques ou de pierres. On sentait que la commission de l'Environnement avait eu son mot à dire, car toutes les boîtes aux lettres étaient encastrées dans les piliers. Naturellement, toutes ces résidences disposaient d'un garage pour au moins trois voitures.

La maison du 3 823, Summitridge Lane était manifestement celle d'un homme riche et, avec ses colombages et ses fenêtres aux petits carreaux plombés, ressemblait à un manoir anglais transplanté. Vers l'arrière, ses balcons donnaient sur l'azur d'une piscine contiguë à un jacuzzi et sur une terrasse dallée où s'ouvrait la porte de la cuisine. Le choix d'une pareille demeure paraissait insolite pour un veuf avec un bébé.

En revenant le plus souvent possible dans le secteur, Jay Newell ne tarda pas à comprendre pourquoi la maison de Carson semblait abandonnée : David Brown avait installé ses parents chez lui et Patti Bailey avait apparemment fait partie du déménagement.

Newell ne savait pas alors et ne pouvait découvrir de l'extérieur qu'il ne s'agissait pas d'une maison heureuse. Manuela Brown, la grand-mère, se plaignait sans cesse à son mari de la perpétuelle présence de Patti. Arthur en était bien d'accord et estimait que la jeune belle-sœur avait une mauvaise influence sur son fils. Mais il n'était pas homme à dire à celui-ci ce qu'il avait à faire.

La maison d'Ocean Breeze avait été un bungalow douillet mais simple. David venait brusquement de passer d'une location modeste à cette espèce de château qui respirait la quiétude, l'élégance et la discrète prospérité. C'était le genre

174

d'endroit où il s'était toujours imaginé depuis les premiers temps où Brenda et lui vivaient au jour le jour avec un salaire minimum et des aides de l'État.

En dépit de la tension qui ne l'avait jamais quitté, il estimait que, dans l'ensemble, les choses allaient pour le mieux. Krystal réclamait rarement sa mère : elle avait Manuela pour la bercer et Patti pour la promener. Le spectacle de Patti revêtue des atours de Linda n'avait de quoi choquer que ceux qui les avaient connues, tant elles se ressemblaient, à l'âge près.

Assis sur sa terrasse au bord de sa piscine, sirotant une boisson gazeuse en tirant sur sa cinquième cigarette de la journée, David consacrait des soirées à philosopher sur sa propre existence. Il était de nouveau le maître du monde, de son petit monde à lui, et s'arrangeait pour préserver sa vie privée, même si c'était quelque peu délicat avec ses parents habitant sous son toit. La vie était faite pour les vivants et il voulait en tirer toute la saveur possible.

Les affaires de David continuaient à se développer avec la multiplication des ordinateurs. Il n'avait plus Linda pour le seconder, mais, après l'initiation de son père, il avait enseigné certains aspects de « son procédé » à Patti, à Alan, et même à Larry Bailey, chose d'autant plus curieuse que David avait un jour suggéré à Fred McLean que Larry aurait pu tuer Linda pour se venger : elle avait refusé de le tirer d'une sale affaire en payant sa caution. La police avait vérifié cette dernière affirmation et l'avait trouvée sans intérêt : tout au plus une tentative supplémentaire pour éloigner les soupçons de Cinnamon.

Arthur Brown ne comprenait pas vraiment comment on récupérait les données d'ordinateur et s'en moquait. Il descendait souvent chez Randomex, à Long Beach, pour rapporter les disques endommagés à son fils. Si David lui indiquait minutieusement ce qu'il avait ensuite à faire, il était capable de l'exécuter. Il ne touchait jamais aux importantes commandes du gouvernement dont lui parlait son fils.

L'une des fanfaronnades préférées de David à propos de son entreprise en plein essor, c'était qu'il devait rester constamment à la disposition de ses clients pour les rassurer. Il devait leur en dire juste assez pour leur expliquer ce qui leur était arrivé et comment il allait intervenir. Il aimait leur représenter la chance qu'ils avaient de trouver le seul homme d'Amérique possédant à la fois la grande technicité et le talent unique nécessaires pour les tirer d'affaire.

Ce n'était pas totalement du bluff, car il connaissait sa partie. Il faisait peut-être un peu trop passer son expertise pour un don miraculeux, mais, que diable, il était un businessman lancé au milieu d'une compétition où un peu de poudre aux yeux ne faisait jamais de mal.

À la direction de Randomex, les responsables contestaient les prétentions de David en rappelant que les techniques de récupération qu'il utilisait avaient été mises au point chez eux et qu'il n'avait fait que les copier en les améliorant à peine. Au début, d'ailleurs, David parlait très rarement aux clients de manière directe, mais, avec le temps, il avait fini par considérer ceux de Randomex comme les siens.

Il excellait tellement à diagnostiquer les problèmes techniques qu'il était capable d'annoncer d'emblée ce que coûterait la récupération des données. Il exigeait en général des arrhes avant de commencer le travail, sauf pour d'importantes compagnies.

Il impressionnait Alan, le jumeau de Linda, qui était bon public. David lui prophétisait qu'un jour il aurait lui-même sa firme géante, sa tour de bureaux et son avion privé. En voyant leurs revenus croître d'année en année, Alan ne doutait pas un instant que son beau-frère accomplirait ce qu'il avait toujours prédit.

Entre ses nouveaux succès professionnels et la jouissance de sa nouvelle résidence luxueuse, David paraissait traverser dans les meilleures conditions la période du deuil de son épouse assassinée. Il avait su s'entourer de gens qui veillaient sur lui, certains par pure adulation, d'autres par crainte.

Ce n'était pas que David ait jamais paru particulièrement menaçant. Il avouait lui-même sa lâcheté et sa terreur devant toute bagarre. Mais il semblait toujours informé et faisait allusion à de mystérieux dangers qui guettaient tous ceux qu'il rencontrait, comme s'il connaissait des secrets compromettants pour autrui. Pour ses collaborateurs triés sur le volet et sa dévouée famille, David incarnait le pouvoir.

Il commandait tout et entendait bien continuer.

David Arnold Brown, cependant, avait des problèmes dont il n'était pas encore conscient. Partout où il se rendait, à pied ou à bord de l'une de ses limousines de fonction, il était suivi. Jay Newell marchait sur ses talons, carnet de notes et magnétophone prêts à enregistrer le moindre mouvement, le moindre achat, le moindre changement dans sa vie. L'enquêteur du DA lui-même ne savait pas où pourraient le mener ces renseignements, ni même s'ils lui serviraient.

Newell prospecta les réseaux informatiques de tous les comtés de Californie pour savoir quelles propriétés avait achetées David. Si celui-ci faisait l'acquisition d'un terrain, d'une maison ou d'un bateau, Newell en était aussitôt informé. Il en allait de même pour les voitures. Quand Linda avait été assassinée, David ne possédait encore qu'une Bronco et une Chevrolet Monte Carlo. Presque immédiatement après le drame, il se procura une luxueuse Nissan 300 ZX Turbo 85l de sport. Entre le mois d'août 1985 et le printemps 1988, il changea de voiture presque à chaque saison, en totalisant non moins de quinze coûteux modèles en trois ans...

David ne possédait pas ses Nissan de sport depuis longtemps, au soir du mardi 22 novembre 1985, quand il promena Patti dans les rues d'Orange. Sa nouvelle 300 ZX était arrêtée par un feu rouge dans une file de gauche, lorsqu'une petite Renault Alliance lui emboutit l'arrière. Patti se mit aussitôt à pousser des glapissements en se tenant le cou avant de piquer une crise de nerfs. Comme elle criait et sanglotait de plus en plus bruyamment, David expliqua à un agent de la police d'Orange :

– Sa sœur a été récemment assassinée. C'était aussi ma femme. Qu'est-ce que cet accident va encore provoquer ? Qu'est-ce qu'il va nous falloir encore encaisser ?

Pas grand-chose, apparemment. Ce n'était qu'un petit coup de rien du tout, constata l'agent de la police routière arrivé sur les lieux. L'autre conducteur reconnut qu'il était fautif :

– Je roulais à moins de trente à l'heure quand mon pied a glissé sur l'accélérateur, admit-il.

La collision avait projeté en avant la belle voiture noire lustrée de David, mais elle n'avait même pas de tôle froissée, à peine quelques égratignures sur le pare-chocs, qui pouvaient même s'y être trouvées auparavant.

Mais le traumatisme à la nuque – familièrement surnommé le « coup du lapin » – est pratiquement impossible à diagnostiquer. Comme Patti se plaignait de douleurs croissantes dans le cou et d'une migraine épouvantable, elle fut transportée d'urgence à l'hôpital Saint-Joseph.

David était assuré à la compagnie Allstate. Il affirma plus tard qu'il avait signalé le sinistre immédiatement, mais l'agence de Garden Grove n'en trouva nulle trace quand David présenta une demande de remboursement de frais médicaux le 3 avril 1986, plus de quatre mois après l'accident. Allstate lui accorda le bénéfice du doute et admit qu'il paraissait couvert par une clause médicale spéciale de sa police jusqu'à concurrence de 100 000 dollars. Le sinistré produisant des notes d'honoraires et autres frais pour la somme de 25 000 dollars, Allstate transigea en réglant 12 500 dollars à David et 10 500 à Patti, alors que l'assurance du véhicule adverse avait déjà payé 38 500 dollars.

Soupçonneux par nature, les enquêteurs d'assurance se mirent au travail sur le compte de David Brown. Ils découvrirent tout d'abord que la collision n'avait pour ainsi dire pas fait de dégâts matériels et que le choc cérébro-spinal n'avait laissé aucune séquelle médicale observable. D'autre part, le dossier de David Brown au service de la sécurité routière d'Orange signalait qu'il avait commis plusieurs infractions à la limitation de vitesse depuis 1970, dont deux en 1980 et 1982. Enfin et surtout, la fameuse « clause de garantie médicale à concurrence de 100 000 dollars » qui avait justifié les règlements versés n'apparaissait plus sur écran ni à l'imprimante, pas plus qu'elle ne figurait sur le document initial de la police.

Et pour cause : les propositions d'Allstate n'offraient jamais aucune assurance médicale sur le genre de police automobile qu'avait souscrite David Brown. De façon mystérieuse, un ordinateur complaisant lui avait donc provisoirement ajouté une couverture interdite, puis l'avait tout aussi discrètement effacée. Plus grave, un enquêteur voulant vérifier la liste intégrale des réclamations de David à la compagnie et à celle des parties adverses n'en trouva plus mention. Elle aussi avait disparu.

Pareil tour de passe-passe informatique ne pouvait être exécuté que par quelqu'un possédant de bonnes connaissances des techniques de programmation des données et de leur récupération. Faute de preuve et par crainte d'une mauvaise publicité, aucune plainte officielle ne fut déposée. Mais la sécurité informatique d'Allstate fut promptement renforcée, après qu'elle eut constaté qu'elle avait versé 23 000 dollars sur la base d'une couverture médicale qui n'avait jamais existé.

18

Avec l'armada de nouvelles voitures que se payait David, Jay Newell avait du mal à le prendre en filature. Il ne lui servait guère de repérer quel véhicule David conduisait, puisqu'il pouvait en prendre un autre la semaine d'après, voire le jour suivant. David s'était ainsi très vite lassé de ses deux Mercedes quatre portes et les avait revendues pour acheter des Ford.

En suivant une autre piste, Newell combla non sans peine les lacunes du profil financier de David Brown. Le policier découvrit que, en 1983, le fisc avait pris une hypothèque sur les biens de David, mais que la dette de celui-ci avait été réglée peu après. Il vérifia de même que David était à jour du remboursement de toutes ses cartes de crédit. Cependant, il releva une situation débitrice et des problèmes d'argent juste avant l'assassinat de Linda, aussitôt suivis d'une nouvelle prospérité et d'un luxe croissant.

– C'était intéressant de connaître ces antécédents, de savoir tout ce que je pouvais apprendre sur lui, expliqua plus tard Newell. Mais ce à quoi je tenais le plus, c'était à me retrouver face à lui.

Il était agaçant de prévoir qu'il en resterait réduit à le regarder en échangeant des paroles anodines. Mais, passé maître dans l'art de juger les gens d'après leurs gestes et leurs attitudes, il attendait avec impatience l'occasion de scruter le père de Cinnamon pour trouver des réponses aux questions qu'il se posait. D'où venait tout son argent ? Ses affaires étaient-elles vraiment aussi lucratives qu'il le prétendait ?

Les enquêteurs avaient connaissance d'au moins un règlement de l'assurance vie de Linda, mais, au rythme où couraient les dépenses, son montant devait s'être évaporé depuis longtemps. À moins qu'il n'y ait eu plus d'une police d'assurance ou que la société de David ait accumulé les contrats les plus juteux, ces deux suppositions n'étant d'ailleurs pas incompatibles.

Cela n'aurait pas dû être difficile d'en parler simplement avec lui. Mais il n'existait aucun moyen d'y contraindre David, qui se révélait insaisissable : Newell avait beau aller sonner chez lui à n'importe quelle heure du jour ou de la nuit, il ne parvenait jamais à entamer le mur qui protégeait sa vie privée. Derrière la porte, Patti, Manuela ou parfois Arthur répondaient généralement sans même ouvrir que David était en voyage d'affaires, ou sous la douche et incapable de recevoir. D'autres fois, ils prétendaient que le système d'alarme était branché et qu'ils ne savaient comment le déconnecter.

Si Brown irritait Newell, la réciproque n'était pas moins vraie. Newell avait choqué David en s'arrangeant pour le retrouver en dépit de ses nombreux déménagements, puis en venant frapper à sa porte. L'avantage de Newell restait que David ne savait même pas à quoi ressemblait l'homme qui lui avait laissé assez de cartes de visite pour tapisser son vestibule.

Jay Newell avait la nette impression que David Brown ne souhaitait pas du tout le rencontrer et attribuait cette réticence à une méfiance instinctive. David se savait à même de charmer les clients et les femmes par sa voix et ses reparties. Mais un enquêteur du DA, c'était une autre paire de manches.

Newell, cependant, poursuivait sa traque au ralenti. Le temps qu'il consacrait à Brown et à son histoire officiellement classée était détourné de ses myriades d'enquêtes sur les activités du crime organisé.

– Cette situation peut paraître assommante, devait

181

raconter Newell. Je me contentais de le surveiller, de le suivre quand il quittait la maison, souvent avec Patti Bailey. Je voulais savoir qui il était, où il allait et ce qu'il faisait. Je n'étais jamais très loin derrière lui, mais je doute qu'il l'ait soupçonné pendant de longs mois.

19

Jay Newell était beaucoup mieux informé des allées et venues ainsi que du mode de vie de David Brown que la propre fille de celui-ci. Cinnamon ne connaissait même pas l'adresse de son père, ne savait pas son numéro de téléphone et ignorait qui vivait avec lui. Pourtant, il venait la voir de temps en temps, lui racontait que sa santé chancelait, qu'il lui était impossible de faire plus souvent cette longue route, parce qu'il risquait d'être victime d'une hémorragie ou d'un malaise et de perdre connaissance au volant.

Elle avalait tout ce qu'il disait. Chaque fois qu'il repartait après une visite, elle avait peur qu'il se trouve mal. Elle éprouvait pour son père des sentiments confus : c'était le personnage magique de sa vie, qui ne pensait qu'à rire et à la faire rire depuis qu'elle était toute petite. Tous les deux, ils s'étaient toujours beaucoup amusés, il avait pris soin d'elle quand lui-même était malade. Il était spirituel, malin, riche, et les gens le respectaient.

Quand il venait la voir, il se montrait gai et drôle, mais ses visites se terminaient toujours avant qu'elle ait pu aborder ce qui la tracassait. Face à certains sujets de conversation mal venus, il faisait la sourde oreille ou se contentait de répéter qu'il s'occupait d'elle, qu'il consultait des avocats, des policiers, et il promettait :

– Tu seras bientôt sortie d'ici.

Elle le croyait. Même s'il ne venait pas la voir souvent, il ne la laissait manquer de rien. Il lui avait laissé de l'argent et accordé la permission de commander ce qu'elle voulait par correspondance en le faisant facturer sur ses comptes commerciaux.

Les premiers examens psychologiques de Cinnamon après sa condamnation eurent lieu en novembre 1985. Le diagnostic qui en ressortit fut aussi vague que possible : il y était question d'un « désordre mental non spécifié, mais non psychotique ». En langage profane, cela voulait dire qu'elle avait probablement quelque chose qui ne tournait pas rond, mais qu'elle n'était pas folle. Son examinateur souligna qu'elle refusait catégoriquement tout traitement, comme si elle tenait à conserver son trou de mémoire.

Cinnamon faisait partie des quelque mille filles et garçons retenus au Centre de protection de la jeunesse de Ventura. Le campus en était vert et planté d'arbres. Elle devait raconter :

– Il y avait cinquante filles dans le cottage où j'étais. Au fond du hall d'entrée, dans ma chambre personnelle, j'avais mon ancienne serviette de bain comme dessus-de-lit... J'avais aussi une étagère, un bureau-secrétaire, un placard minuscule, un lavabo et des toilettes.

« Comme j'ai toujours été ordonnée, tout était bien propre. J'avais une télé couleur, un baladeur, des posters sur les murs et beaucoup de photos de famille. J'aimais bien ma chambre et, comme j'en prenais soin, toutes mes affaires avaient l'air neuves. Normalement, je n'aurais pas dû en avoir autant, mais comme je me conduisais bien, on m'autorisait des suppléments et je ne manquais de rien.

« J'avais des rideaux roses à la fenêtre pour cacher les barreaux. Je pouvais même ouvrir le bas des vitres. Pour des raisons de sécurité, les portes étaient verrouillées la nuit et le courrier glissé dessous dans la soirée.

Cinnamon suivait assez bien ses études, travaillant non seulement en classe, mais aussi dans son pavillon. Pendant ses deux premières années, elle y fut responsable de la cuisine, c'est-à-dire qu'elle préparait et servait elle-même les repas de ses codétenues : petit déjeuner à 7 heures, déjeuner à midi, dîner à 17 heures. Elle avait le droit de faire des emplettes à la cantine et de recevoir des visites deux fois par mois. Des gardiennes l'accompagnaient chaque fois qu'elle se déplaçait.

Le personnel d'encadrement nota que Cinnamon ne faisait partie d'aucune bande. Les filles à la peau claire la pressaient de les rejoindre dans leur « compartiment blanc », comme elles appelaient leur groupe, mais elle s'y refusait. Elle demeurait une solitaire qui purgeait simplement sa peine, l'air d'attendre, comme si elle croyait qu'on allait venir la chercher d'un instant à l'autre.

Cinnamon demeurait gentille et un peu naïve. Elle ne posait aucun problème aux autorités, leur facilitait plutôt la tâche, mais ne pouvait ou ne voulait toujours rien se rappeler de la nuit du meurtre. Or, tant que la mémoire ne lui reviendrait pas, il était jugé préférable de la garder.

En un sens, Cinnamon s'y sentait davantage à l'abri. Au moins, elle n'était plus ballottée d'un foyer à l'autre, entre sa mère et son père. Elle y avait son espace privé et sa tranquillité, même si c'était derrière une porte verrouillée et avec des barreaux à la fenêtre : huit verticaux et trois horizontaux.

20

Le 19 avril 1986, à titre d'investissement, David Brown acheta une seconde propriété, dans un secteur commercial d'Anaheim. Il y installa Alan Bailey avec un sac de couchage en guise de mobilier, juste pour protéger la maison des vandales et des cambrioleurs. Au bout de quelques mois, il la revendit avec un honorable bénéfice.

Au cours de l'été suivant, à son insu, Cinnamon Brown eut une nouvelle belle-mère :

– David m'avait priée de l'épouser parce qu'il se disait mourant, témoignerait Patti. Il craignait que Krystal reste seule au monde quand il ne serait plus là, tandis que, si elle avait une belle-mère, il pourrait mourir tranquille, sans se faire du souci : étant légalement sa femme, je n'aurais pas de mal à obtenir la garde de l'enfant.

Ce n'était pas la plus romantique des demandes en mariage, mais Patti aurait agréé presque n'importe quelle autre proposition du même genre. Car elle se montra enchantée de devenir la nouvelle Mme David Arnold Brown. Interrogé plus tard, David se moqua d'elle en prétendant que cette union n'avait jamais été licite, ni destinée à le devenir :

– Vous n'avez qu'à aller vérifier vous-même à l'état civil, ironisait-il. Notre certificat de mariage n'est pas valable, parce que nous avions fait de fausses déclarations en demandant notre licence. Nous ne nous étions mariés que pour rendre service à une amie de Patti qui était enceinte et qui avait raconté à son copain, qui était aussi de mes amis, que nous irions tous les quatre à Vegas pour nous marier...

Si David n'avait jamais eu sérieusement l'intention d'épouser Patti Bailey, il n'en avait pas moins pris grand soin de préparer leur acte de séparation de biens. Leur contrat de mariage stipulait en effet qu'en cas de divorce il conserverait l'essentiel des avoirs et propriétés du ménage, alors qu'elle n'aurait droit qu'à de vagues espérances.

Elle s'en moquait et avait donc signé le document avec empressement.

Cela ne devait pas être la classique et romanesque fugue d'amoureux venus chercher une bénédiction rapide et clandestine. L'une des fiancées était enceinte et nauséeuse, l'autre obéissait comme un robot à son promis. Mais tous quatre étaient partis pour le Nevada le 1er juillet 1986, où le vieux rêve de Patti allait enfin se réaliser.

– Patti et moi, nous avions falsifié nos déclarations, soutint David, ce qui fait que nous n'étions pas vraiment unis, même par un mariage de fait, puisque Patti était sous ma dépendance...

Les deux couples patientèrent longuement à la porte d'une chapelle neuve spécialisée dans les mariages éclairs et furent bénis par le révérend George M. Stover, pasteur ordonné de l'Abundant Life Christian Center. Il ne devait pas y avoir de réception et aucun faire-part aux amis ou à la famille proche. Les deux couples déjeunèrent ensuite au Caesar Palace, à moins que ce ne fût au MGM, et David devait rapporter narquoisement que Patti fut malade comme un chien.

À trente-trois ans, David Brown s'était donc marié le plus discrètement du monde en sixièmes noces. Personne ne pouvait savoir si Patti avait droit ou non à une alliance et à une lune de miel. Même les familles de David et de Patti, qui n'approuvaient pas leur intimité, furent tenues à l'écart. D'autres personnes risquaient en outre de regarder de travers un homme qui épousait sa jeune belle-sœur quinze mois après l'assassinat de sa femme.

Au retour, le secret n'était pas levé. Patti supplia David

de lui permettre d'annoncer l'événement à Arthur et Manuela, mais il resta inflexible à ce sujet. Et il insistait encore plus sur le fait qu'il ne fallait surtout rien en laisser savoir à Cinnamon.

Pendant les rares visites qu'il rendait à sa fille, David emmenait souvent ses parents, mais ne mentionnait jamais Patti. De fait, le grand-père était le seul à donner quelques nouvelles à l'adolescente, même si ce n'était que par quelques mots marmonnés ici ou là au sujet de leur vie quotidienne. Arthur Brown, en tout cas, chérissait sa petite-fille et souffrait de la voir enfermée pour si longtemps.

En septembre 1986, un nouveau traitement psychologique fut prescrit à Cinnamon. Elle se montrait désorientée et irritante. Tout en sachant que la commission des mises en liberté ne pourrait envisager sa levée d'écrou « tant qu'elle n'aurait pas assumé son crime », elle se sentait incapable d'assumer une chose dont elle ne se souvenait même pas.

Elle n'avait plus envie de se soumettre à des tests idiots. Autant elle acceptait les examens scolaires normaux, autant elle répugnait aux épreuves prétendues mentales auxquelles elle ne trouvait aucune justification.

On lui infligea d'abord une batterie de près de 600 affirmations à apprécier exclusivement par les mentions « vrai » ou « faux ». À des remarques du genre de « Il m'arrive d'avoir envie de dire des gros mots », ou « Je me mets parfois en colère », n'importe qui doué d'un minimum d'honnêteté n'aurait pu répondre que « vrai ». Elle préféra noter systématiquement « faux ».

Au test projectif, elle resta tellement sur ses gardes que le psychologue de service en conclut : « Le sujet considère le monde comme un lieu de méfiance et d'indifférence, froid et peu accueillant. » Le dessin par lequel elle consentit à représenter la famille fut jugé intéressant par la création de figures hostiles envers la caricature de Linda, ainsi que l'esquisse de deux jeunes filles cherchant à attirer l'attention sur elles.

Dans l'ensemble, ces tests furent interprétés comme révélant une adolescente qui se sentait à la fois rejetée et dominée, qui souffrait d'une forme mineure de dépression et de vagues accès d'humeur, comme la plupart des jeunes de son âge. En novembre, le diagnostic officiel confirma un « désordre mental non spécifié », revenant à reconnaître l'absence de psychose clinique.

Au-delà des réticences exprimées, le thérapeute sentait que la patiente ne pourrait progresser tant qu'elle refuserait de réduire la distance entre elle et la nuit du crime. Or elle ne consentait pas à en affronter les souvenirs et en repoussait l'horreur. C'était une charmante enfant, mais qui restait obstinément fermée.

Encore une fois, une psychothérapie fut recommandée. Encore une fois, Cinnamon refusa tout traitement.

Elle fut entendue par la commission de mise en liberté sur parole le 18 décembre 1986. Elle y obtint une réduction de peine de six mois en reconnaissance de son « adaptation positive au programme ». Ses examinateurs apprirent d'elle qu'elle avait reçu quatre semaines plus tôt une visite au cours de laquelle son grand-père lui avait affirmé qu'il savait, lui, qui avait tué Linda et que, le moment venu, « il révélerait qui avait réellement commis le crime ».

En raison de cette dernière information, le 5 janvier 1987, un responsable de la libération sur parole de la Protection de la jeunesse californienne demanda au bureau du district attorney de réinterroger Arthur Brown. Sa requête ne faisant que valider les doutes que nourrissaient depuis deux ans McLean et Newell, le DA adjoint Dick Fredrikson offrit toute l'aide qu'il pouvait fournir.

– Il est clair que l'adolescente a agi soit sous sa seule responsabilité, soit dans le cadre d'un complot, dit-il. En l'état actuel du dossier, ses souvenirs restent la seule clef pour confondre d'éventuelles complicités. Nous ne considérons donc nullement cette affaire comme classée. Nous continuons d'enquêter à son sujet autant qu'il est possible.

Jay Newell relut la longue déposition faite par Cinnamon quelques jours après le meurtre. Il remarqua que le langage en était répétitif et quelque peu ampoulé, comme si elle

189

l'avait apprise par cœur. Et puis, tout à coup, elle ne se rappelait plus rien. Que s'était-il passé pour effacer complètement l'ardoise aux souvenirs ?

La commission de mise en liberté sur parole renvoya l'audition suivante de Cinnamon à quatre-vingt-dix jours, dans l'espoir que Jay Newell serait capable entre-temps d'en apprendre davantage d'Arthur Brown. Le 28 janvier 1987, Newell repartit donc à l'assaut. Il gravit en voiture la longue côte sinueuse jusqu'à la maison des Brown. Il se gara de l'autre côté de la rue, un peu plus bas, et partit à pied comme un banal promeneur admirant les somptueuses villas.

La plus récente des voitures de David n'était pas dans l'allée. En revanche, Newell eut le soulagement d'apercevoir Arthur Brown dans le jardin. Méfiant, le vieil homme n'accepta de parler qu'un instant, refusa de s'asseoir dans la voiture de son interlocuteur et ne cessa de s'agiter nerveusement.

Newell commença par lui annoncer que Cinnamon avait été très troublée par une déclaration de lui, son grand-père, et que les psychologues s'en inquiétaient. Puis il l'interrogea sur ce qu'il avait pu dire à sa petite-fille. Arthur Brown commença par bafouiller, mais se calma en apprenant que leur conversation resterait confidentielle. Tout effrayé qu'il fût, il était évident qu'il aimait beaucoup Cinnamon.

– C'est un amour d'enfant, dit-il.

– Avez-vous trouvé le temps de lui parler vraiment ? Compte tenu de vos bons rapports, tous les deux, vous a-t-elle fait des confidences ?

– Non, je suis toujours avec... David... son papa.

Arthur Brown raconta que sa femme et lui n'avaient pu aller voir Cinnamon pendant quelque temps parce que Manuela avait égaré sa carte d'identité, indispensable pour obtenir le droit de visite. Mais Cinnamon avait téléphoné en insistant sur le fait qu'elle tenait à parler à son grand-père :

– Elle m'a dit qu'elle m'aimait et qu'elle avait eu droit à une réduction de six mois de sa peine.

– Vous ne lui avez rien raconté qui risquait de lui donner de faux espoirs ?

– Non, j'y fais attention. Mais là-bas, ce n'est pas un endroit pour elle. Je ne la crois pas du tout coupable. Je ne l'ai jamais cru et je ne le croirai jamais.

– Alors, que lui avez-vous dit ?

Pour l'encourager, Newell suggéra que Cinnamon n'était peut-être pas seule responsable, même si elle avait été la seule condamnée. Observant le visage de son interlocuteur, l'enquêteur du DA y lut une approbation accordée à contre-cœur. Visiblement, Arthur Brown mourait de peur de commettre une bévue.

– J'ai dit à Cinny que je croyais savoir qui avait tout manigancé parce que j'avais entendu cette personne annoncer qu'elle allait faire quelque chose pour sauver David...

– Qui disait cela ?

– L'autre...

Arthur Brown jeta un coup d'œil craintif par-dessus son épaule avant de reprendre :

– La petite dont il s'occupe, Patti... J'étais avec eux le soir où elle a déclaré qu'elle avait entendu Linda téléphoner à son jumeau, Alan, quand elle a affirmé qu'ils avaient eu l'intention de se débarrasser de David et de s'emparer de son entreprise. Patti a dit que David devait plutôt se débarrasser d'eux.

Tout en s'attachant à demeurer impassible, Jay Newell éprouva un frémissement de triomphe. Patti Bailey pouvait avoir été complice d'une machination destinée à assassiner Linda. D'un regard, il encouragea Brown senior à continuer.

– Quand ma bru a été tuée, j'ai failli en devenir cinglé, murmura celui-ci.

– Combien de temps avant le meurtre avez-vous surpris cette conversation ?

– Une quinzaine de jours, peut-être. J'étais avec eux tous, quand Linda est descendue de voiture et qu'aussitôt Patti s'est mise à raconter ça au milieu de ses sottises habituelles. J'étais à l'arrière de la fourgonnette, mais j'ai bien entendu.

— Où alliez-vous avec cette fourgonnette ?

— Chercher un bon coin pour pique-niquer.

Ce jour-là, Manuela avait dû rester à la maison avec Krystal. Patti avait une fois de plus gémi sur son insuffisance rénale et proclamé qu'il lui fallait descendre de voiture « pour faire pipi ». Elle s'exprimait toujours de manière grossière :

— Elle a l'air d'une vraie poupée, mais en réalité c'est une sacrée salope... Excusez le mot !

À ce que prétendait Arthur Brown, c'était juste après que Patti avait dit qu'elle voulait se débarrasser de Linda pour sauver David.

— Et vous avez l'impression que c'est ce qui s'est passé ? suggéra Newell.

— C'est-à-dire qu'en fait il m'a bien fallu cinq ou six mois pour me rappeler tout cela. Par moments, j'oublie jusqu'à mon propre nom... Mais je n'apprécie pas Patti, et elle ne me plaira jamais. Je suis obligé de vivre ici avec elle parce que... eh bien, David, on dirait qu'il lui doit la vie !

Pourtant, Arthur Brown restait persuadé qu'un tel témoignage n'aurait aucune valeur devant un tribunal. Newell lui expliqua que de telles précisions étaient précieuses, même s'il se révélait impossible d'en tirer de quoi poursuivre quelqu'un. Cela pouvait quand même s'avérer utile à Cinnamon. Il s'inquiéta pourtant :

— J'espère que vous n'iriez quand même pas inventer tout ça, rien que pour causer du tort à Patti ?

— Sûrement pas ! Si ce n'était pas vrai, je ne l'aurais pas dit... Ce qui est arrivé est déjà assez grave sans aller en rajouter... Je voulais juste aider Cinny, qui est un amour de fille.

Newell se disait que l'affaire venait de prendre un tournant spectaculaire quand il entendit une voiture grimper la côte. Du coin des lèvres, il glissa au vieux monsieur :

– Disons que je suis un agent immobilier, si vous voulez bien...

– D'accord, je me suis trop mouillé. Je ne veux pas créer de drame, en plus de ce qui est arrivé à ma petite-fille.

– Nous non plus. Tout ce qui nous intéresse, c'est de savoir si c'est Patti Bailey et non Cinnamon qui a tué. Nous voulons faire éclater la vérité. Nous en reparlerons plus tard.

Voyant David approcher, il reprit d'une voix forte :

– Oui, j'ai bien vendu deux ou trois de ces maisons, par ici...

Il fit une moue et tendit la main à David en se présentant :

– Jerry Walker, agent immobilier...

– Enchanté... Comment vont vos affaires ?

Newell eut un léger vertige. Son regard était fasciné par l'espèce de volatile en or massif, serti de pierreries, qui flamboyait au soleil sur le médaillon que David portait en pendentif. Ayant personnellement interrogé le joaillier qui avait ciselé ce bijou sur commande, il savait mieux que quiconque ce que c'était, mais il tenait à l'entendre de la bouche même de son propriétaire :

– C'est original, ce truc, admira-t-il. Qu'est-ce que ça représente ? Un aigle ?

– Non, un phénix...

Newell détourna aussitôt la conversation par des lamentations déplorant l'état de vétusté d'une maison voisine.

– J'ai honte de faire visiter des propriétés dans le coin, à cause de cette baraque, se plaignit Newell.

David Brown s'animait à la manière des faibles qui cherchent à se faire passer pour importants. Il aurait aussi aimé gagner de l'argent dans l'immobilier, admettait-il, mais en concédant qu'il n'avait pas trop bien réussi jusque-là.

– Les prix du quartier ne cessent de grimper, reprit Newell, comme s'il cherchait réellement à placer des propriétés. Au-dessus de 350 000 dollars, on vend n'importe quoi.

Le visage de David s'éclaira, sans doute séduit par l'idée d'un nouveau changement d'adresse, et il entra dans le jeu :

– Les nouvelles déductions fiscales poussent les gens à

193

acheter plus cher. Je ne sais pas si je vais pouvoir garder les quatre appartements en copropriété que j'ai achetés pour moi, mais les maisons individuelles se vendent encore mieux. J'ai de bons amis qui cherchent à venir s'installer par ici.

Le grand-père Brown, derrière David, commençait à manifester des signes d'inquiétude. Newell claqua sur sa poche d'un air désolé en marmonnant qu'il ne lui restait plus de cartes de visite. Il retourna ensuite vers sa voiture en lançant aux Brown :

– Allez, salut et à la prochaine ! Passez une bonne journée !

Au cours de sa carrière, Newell s'était trouvé dans bon nombre de situations délicates où il avait prétendu être autre chose que ce qu'il était réellement. Il s'était même infiltré incognito à l'intérieur de dangereux gangs, au milieu des pires trafiquants de drogue. Mais il n'avait jamais éprouvé le même malaise que face à David Arnold Brown. De loin, cet homme bedonnant avait l'air d'un personnage de dessin animé. Mais, de près, il avait quelque chose de maléfique.

Newell se demanda si le vieux Brown saurait garder leur secret. Nul doute que ce père hypocondriaque d'un fils hypocondriaque souhaitait sincèrement sauver Cinnamon, mais en serait-il capable ?

Newell avait de bonnes raisons de douter de la force de caractère d'Arthur Brown. Avant la fin de cette soirée-là, celui-ci avait déjà avoué à son fils que l'homme auquel ils avaient parlé n'était nullement agent immobilier, mais bien le principal enquêteur du district attorney d'Orange. À la fois furieux et inquiet, David traita son père de tous les noms avant de le laisser se réfugier, penaud, dans sa chambre.

Ensuite, David s'occupa de Patti. Elle ne savait rien de ce qui s'était passé, mais elle obtempéra quand il lui ordonna d'aller chercher leur certificat et leur contrat de mariage. Dès qu'elle les lui tendit, il les déchira en menus morceaux puis lui désigna le barbecue en brique du jardin.

– Va me brûler ça.

– Pourquoi ?

– Ne me pose pas de question. Mets-y le feu et reste à surveiller jusqu'à ce qu'il n'y ait plus que des cendres.

Comme toujours, Patti obéit aveuglément à son mari. Elle crut voir leur union disparaître dans les flammes, sans penser plus que David qu'il subsisterait les originaux des documents dont ils n'avaient détruit que les duplicatas. Elle comprenait simplement que quelque chose devait avoir mal tourné. Plusieurs jours allaient ensuite s'écouler avant que David cesse de faire la tête et que grand-papa Brown perde la manie de circuler sur la pointe des pieds, comme s'il était terrifié.

Tout en étant légalement mariés, David et Patti devaient employer des ruses pour se retrouver seuls. Il leur fallait attendre qu'Arthur et Manuela soient endormis pour partager une fugitive intimité. Ils ne demeuraient réellement en tête à tête que quand le couple âgé retournait en week-end entretenir la maison de Carson.

David vivait désormais sur les nerfs. Lui qui n'avait jamais voulu que les Bailey soient au courant de ses affaires ne laissait même plus Patti parler de quoi que ce soit à sa propre famille et devenait encore plus méfiant.

Patti avait l'impression qu'il sombrait dans la paranoïa, qu'il ne se fiait plus à personne. Il voulait savoir à tout instant où elle était et ne lui permettait pas de quitter la maison sans lui, ou l'équipait d'un bipeur afin de la joindre en permanence.

Durant cet hiver-là et au printemps de 1987, tous menèrent une existence pénible dans leur somptueuse villa des collines d'Anaheim.

Le vœu le plus ardent d'Arthur, voir Patti déguerpir, ne se réalisa pas. Au contraire : il la voyait s'installer de jour en jour davantage. Il rêvait de regagner Carson, mais Manuela n'avait pas confiance en Patti pour s'occuper de Krystal et David refusait de laisser ses parents emmener le bébé.

195

– Patti est si horriblement jalouse qu'elle tient même Krystal à l'écart de sa grand-mère, se plaignait Arthur à qui voulait l'entendre.

Pourtant, les parents ne partaient pas. Ils ne voulaient pas non plus abandonner leur fils, soi-disant constamment malade ; on ne pouvait prévoir à quel moment il risquait d'avoir une attaque.

La situation devint plus délicate en février 1987, quand Patti annonça à David qu'elle pensait être enceinte. Furieux de tant de légèreté, ce dernier insista pour qu'elle se fasse avorter. Mais, pour une fois, Patti lui résista. Sur ce sujet, elle n'avait jamais cessé de lui mentir : elle lui avait d'abord raconté que son médecin lui avait assuré qu'elle ne pourrait jamais avoir d'enfant, ce que David avait cru. Dorénavant, elle soutenait que sa grossesse n'était qu'une imprévisible aberration du sort.

David répéta que, leur mariage devant demeurer secret, cette grossesse leur était préjudiciable. Patti s'entêta pourtant à refuser l'avortement. Jusque-là, elle n'avait jamais rien eu à elle, et cela lui avait douloureusement manqué. Elle estimait avoir supplanté Linda dans l'existence de David et lui avoir autant donné que sa sœur – à l'exception d'un enfant. Elle était pénétrée de la certitude que David changerait d'attitude dès que le bébé viendrait au monde.

Le temps passant, le ventre de Patti s'arrondissait et nul ne pouvait plus ignorer son état. Manuela la regardait de travers et rappelait à Arthur qu'eux deux n'avaient jamais apprécié aucun membre du clan Bailey, à l'exception – forcée – de Linda. Le comportement de Patti ne pouvait que leur confirmer que ces gens-là ne valaient rien.

Quand la grossesse devint trop évidente pour rester un secret de famille et que des gens demandèrent de qui était l'enfant qu'elle attendait, on leur répondit que le père était un certain Doug qui vivait près de chez Betsy Stubbs et possédait une Ford. Présentation généralement abrégée par la définition :

– C'est un Grec.

De toute évidence, Doug n'était qu'un personnage

mythique, inventé pour les besoins de la cause et que personne n'avait jamais vu. Mais la famille connaissait trop bien David pour oser lui poser des questions. Afin d'étayer cette fable, David commanda un magnifique bouquet qu'il accompagna d'une carte signée Doug et qu'il fit livrer à la maison au nom de Patti.

Jay Newell découvrit l'état de Patti alors qu'il continuait à les surveiller, elle et David, chaque fois qu'il en avait l'occasion.

Le 29 septembre 1987, Patti Bailey mit au monde une petite fille qu'elle prénomma Heather Nicole. David insista pour qu'elle paye ses frais de maternité de ses propres deniers, c'est-à-dire sur sa part des dommages-intérêts qu'avait rapportés l'accident de septembre 1985.

Ainsi, l'homme aux cinq femmes avait-il à présent trois filles : Cinnamon, dix-sept ans ; Krystal, trois ans ; et Heather, quelques jours à peine. S'il continuait à combler Krystal de caresses et de cadeaux, Heather ne devait pas avoir autant de chance. Cette dernière ne constituait qu'une source d'embarras à ses yeux, et il n'allait jamais en revendiquer la paternité.

L'attitude de David à l'égard du bébé blessait Patti, mais elle restait trop fruste et naïve pour comprendre que son compagnon n'avait jamais été intéressé que par son extrême jeunesse. Dans ses efforts maladroits pour s'attacher David, elle venait de faire le contraire de ce qu'il fallait. Car les jeunes mamans ne l'attiraient décidément pas.

Dorénavant, Patti s'occupait tout le temps de Heather. Aux yeux de David, tout comme Linda après la naissance de Krystal, elle était devenue vieille : elle avait grossi, ses seins s'étaient développés, même si ses traits avaient conservé quelque chose d'enfantin. Maintenant, David n'avait pas seulement pour compagne une Linda trop mûre à son gré, mais une femme qui se disputait avec Manuela, sa mère à lui, comme Linda ne l'avait jamais fait. Patti figurait exactement l'antithèse de tout ce qu'il aimait.

D'une certaine façon, la jeune femme devait le ressentir, puisqu'elle essayait souvent de se détruire par de pitoyables

197

tentatives de suicide d'où elle sortait amaigrie et couturée de cicatrices. David ne s'intéressa à sa nouvelle enfant qu'en prenant contact avec plusieurs compagnies, qui refusèrent toutes de consentir une assurance de 700 000 dollars sur la vie d'un bébé.

21

En novembre 1987, une nouvelle audience devant la commission de mise en liberté surveillée fut accordée à Cinnamon pour que l'on tente de déterminer son problème psychologique et de trouver un moyen d'y porter remède. La commission préconisa de procéder à une double expertise.

Le mois suivant, elle subit un nouvel examen psychiatrique. Elle avait commencé par arriver en retard au rendez-vous et s'était excusée en prétextant ne pas s'être réveillée à l'heure. Elle ne manqua pas de protester qu'elle avait déjà participé à une séance identique moins d'un mois plus tôt. S'entendant répondre que la commission avait recommandé une double expertise, elle parut agacée que tant de médecins essaient de forcer la porte de son subconscient.

Une année auparavant, elle avait nourri un espoir : son grand-père lui avait laissé penser qu'il serait capable de lui venir en aide. Mais il n'en était rien sorti. Elle demeurait enfermée et les visites de son père s'espaçaient davantage. S'il avait chargé un détective privé ou un nouvel avocat de s'occuper de son affaire, elle n'en avait pas été avisée. Elle n'en éprouvait pas d'amertume, sachant qu'elle devait devenir plus philosophe.

Comme toujours, Cinnamon se déroba devant les questions du psychiatre dès qu'il aborda le meurtre. Elle ne se montrait pas impolie, simplement évasive. Elle disait qu'elle avait été très occupée par la préparation de ses études et des vacances de Noël :

– Je reconnais qu'il y avait des tas de choses qui me rendaient triste, mais je ne tiens pas à m'appesantir là-dessus. J'avais alors des tonnes de devoirs et ça avait la priorité.

Pressée de questions, Cinnamon répéta qu'elle n'avait pas commis le crime pour lequel elle était enfermée et qu'elle n'avait toujours aucun souvenir du meurtre de Linda. Elle ne varia que quand on lui demanda :

– Quel effet ça vous fait, alors, de savoir que l'assassin de votre belle-mère est probablement encore en liberté ?

Elle réfléchit un moment avant de répondre de manière sibylline :

– J'en suis fâchée, mais pas en colère contre cette personne-là ; je n'en ai pas le droit. Ce n'était pas sa faute, elle ne maîtrisait pas la situation.

L'examinateur de Cinnamon la considéra avec perplexité et elle ajouta qu'elle ne pouvait expliquer ses sentiments et ne pensait pas que quelqu'un d'autre les comprendrait, parce que « personne d'autre n'a eu à affronter une chose pareille ». À dix-sept ans, elle acceptait sa situation et ce qui en résultait avec une triste résignation. Selon elle, la commission de mise en liberté surveillée la savait innocente, mais était incapable de faire quoi que ce soit en sa faveur, à défaut de faits nouveaux.

– Je ne m'attends d'ailleurs pas à ce qu'un fait nouveau surgisse, dit-elle sereinement, et ça m'est bien égal.

– Mais si vous deviez rester enfermée au-delà de la date normale de votre libération ?

– Ce serait bien, déclara-t-elle. Je n'ai rien de mieux à faire au-dehors. Je pourrais peut-être suivre des cours, faire des études plus poussées ; tout ce que je vois du monde extérieur, à la télé, c'est de la haine...

Sous son fragile vernis d'indifférence, de la peur transparaissait. Cinnamon faisait des allusions voilées à la possibilité qu'à l'extérieur quelqu'un lui veuille du mal, alors qu'ici elle était à l'abri.

– Partir serait ridicule, murmura-t-elle. Là-bas, tout le monde parle de mes torts et de leurs conséquences, alors que moi, j'affirme que je suis innocente.

200

Elle se demandait à voix haute pourquoi elle avait été enfermée si longtemps. Son arrestation remontait à près de trois ans déjà. Pourtant, elle semblait résignée à rester incarcérée, son plus gros souci étant de trouver assez de cours pour l'occuper.

En contemplant l'adolescente, il était difficile même pour le plus aguerri des psychiatres de l'imaginer en train de tuer de sang-froid. Inversement, en lisant les détails sur le meurtre de Linda Brown, il n'apparaissait aucun autre moyen de décrire le crime, ni la criminelle.

Mais quelque chose ne collait pas. Les examens de Cinnamon avaient toujours révélé un niveau d'agressivité très bas dans une personnalité fonctionnant bien et sans perturbation. Ses capacités de raisonnement et son vocabulaire s'inscrivaient dans une bonne moyenne. Pendant sa réclusion, elle s'était même épanouie. Désormais, elle n'était plus la petite fille de quatorze ans un peu boulotte que Fred McLean avait découverte en train de vomir dans une niche. Elle avait minci en faisant de la culture physique. C'était une jolie fille aux longs cheveux châtain clair et aux yeux bruns ourlés de longs cils. Le service de réservation informatisé d'une grande compagnie aérienne l'employait à temps partiel. Elle faisait du point de croix et de la broderie, suivait des formations. Ses journées étaient bien remplies. Elle était obéissante et faisait honneur à l'école.

Mais elle déconcertait son psychiatre. Quand il l'interrogeait sur le but de son incarcération, elle répondait vivement :

— Pour être réhabilitée.

— Réhabilitée pour quoi faire ?

— Eh bien, pour avoir une vie meilleure...

Quand on l'y poussait, elle reconnaissait que le juge l'avait condamnée pour assassinat. Elle regrettait de n'avoir pas eu droit au verdict d'un jury. Elle niait avoir commis le crime, d'autres mauvaises actions à d'autres moments...

Il était impossible de détester Cinnamon Brown et presque autant de la croire coupable de meurtre. Avait-elle une personnalité multiple ? Était-ce une fille qui ignorait ce que faisait une autre partie d'elle-même ? Cachait-elle la vérité parce que quelque chose – ou quelqu'un – à l'extérieur des murs de sa prison la terrifiait ?

La seule certitude, c'était qu'elle restait dans le vague. Elle hésitait, cherchait à gagner du temps, répétait chaque question ou presque, tournait plutôt sept fois qu'une sa langue dans sa bouche et, quand elle trouvait une interrogation trop indiscrète, il lui arrivait de pouffer de rire. C'était manifestement un truc, une ruse bien étudiée, un rire léger et joyeux, mais destiné à éluder la question. Accusée de manœuvres dilatoires, elle répliquait que c'était pour être sûre d'avoir bien compris qu'elle prenait son temps pour répondre.

« Le sujet n'est ni psychotique ni déprimé. »

C'était dorénavant un diagnostic coutumier, s'agissant de Cinnamon Brown. Il était exact qu'elle se comportait comme si elle se battait pour garder quelque terrible secret, effrayée de ce qui pouvait arriver si la vérité émergeait. Questions, tests et même sympathies constituaient pour elle autant de menaces à repousser.

Parfois, cependant, elle se sentait trop seule. Après l'extinction générale des feux, quand elle se remémorait la plage et les surfeurs qu'elle aimait tant admirer, les visites à Disneyland et son rêve d'aller à l'université, elle se demandait ce qu'allait être sa vie et même si elle allait jamais aboutir quelque part. Le monde qu'elle ne voyait qu'à la télévision lui paraissait laid et dangereux. Il l'avait tellement distancée qu'elle ne pourrait sans doute jamais le rattraper. Pourtant, de temps en temps, ce monde ne lui semblait pas tellement inaccessible, il lui paraissait injuste de passer son quinzième, son seizième, son dix-septième et – bientôt – son dix-huitième anniversaire derrière des barreaux.

Rien de ce que son père lui avait jadis promis ne s'était réalisé. Elle avait eu une confiance absolue en lui et il lui arrivait de se demander si elle n'avait pas été trop crédule.

22

Pendant que Cinnamon subissait son deuxième examen psychiatrique en quelques mois, son père changeait une nouvelle fois de domicile. Il avait besoin d'une résidence plus grandiose, plus vaste, qui lui permettrait de séparer les deux principales femmes de sa vie : Manuela et Patti continuaient de s'entre-regarder d'un mauvais œil et, si grand que parût leur champ clos, il n'offrait pas assez de place pour que les deux femmes y cohabitent en harmonie.

David avait les nerfs à vif et sa santé ne faisait qu'empirer. Il ne supportait plus les chamailleries. Il chercha dans la région une propriété où il serait possible d'aménager un appartement ou une maisonnette nettement séparés pour ses parents. Arthur et Manuela faisaient désormais partie intégrante de son foyer, même s'ils conservaient par ailleurs leur propre logement. La grand-mère considérait comme des intruses Heather et Patti, laquelle jugeait sa belle-mère autoritaire et revêche.

En fin de compte, David trouva une propriété qui lui parut susceptible de résoudre ses problèmes. Cette résidence n'avait pas la classe de la précédente, mais à la piscine s'ajoutait une maison de gardiens indépendante, le tout assez près des transports urbains. Elle était aussi moins exposée, et David s'en félicitait. Car, trop souvent, il avait la sensation que quelqu'un le regardait dans son dos ; mais, quand il se retournait, il ne voyait ou ne reconnaissait personne. Du moins la nouvelle maison le protégerait-elle de ses hauts murs.

David avait pris une hypothèque de 257 000 dollars sur sa résidence du moment et payé la nouvelle 177 300 dollars au comptant. Il devait encore y investir 100 000 dollars supplémentaires en travaux divers, mais, dès qu'il aurait trouvé acquéreur pour la première, la seconde lui garantirait un vaste ensemble où il ne pourrait emménager qu'à la fin du printemps ou au début de l'été.

Il avait toujours veillé avec un soin scrupuleux à tenir ses assurances à jour. En 1987, à peine achetée sa future résidence, il l'avait assurée pour 182 000 dollars, couverture relevée à 667 000 dollars au mois de juin 1988, plus 500 000 dollars sur ses biens meubles, ce qui lui coûtait naturellement une prime coquette. La liste des biens meubles était en effet beaucoup plus importante que les avoirs habituels d'une famille des environs.

En dépit de sa bonne fortune, la malchance semblait s'acharner contre David Arnold Brown. Quand la Dodge qu'il avait achetée en septembre 1986 fut volée sur le parking d'un supermarché, il ne manqua pas de le signaler à la police locale. Pourtant, quand il vint officiellement déposer sa plainte, plusieurs mois plus tard, il déclara que le véhicule n'avait disparu que trois jours auparavant. Un autre aspect insolite de cet épisode fut la rapidité avec laquelle – moins d'une heure après – la police routière de Californie retrouva la Dodge au fin fond du désert, dévalisée, vandalisée et incendiée, avec sa remorque.

Malgré ses démêlés antérieurs avec la compagnie Allstate, David parvint à obtenir le remboursement intégral de la voiture. Il faut dire que le règlement n'en fut pas effectué à son nom, mais directement à la société de crédit de Chrysler à laquelle restaient dues de nombreuses échéances. Jamais personne ne fut accusé de ce vol et David sortit une fois encore gagnant de l'affaire.

Dans le même temps, Data Recovery marchait fort bien. David s'attendait à devoir déclarer 250 000 dollars de revenus à la fin de 1988. Après trois ans de tohu-bohu, sa vie semblait sur le point de s'apaiser.

À l'approche de ses dix-huit ans, Cinnamon restait incarcérée et plus coupée que jamais de sa famille. Elle ignorait tout de la nouvelle maison, du mariage de son père et de la naissance de sa nouvelle petite sœur. Son grand-père lui avait toutefois appris la grossesse de Patti, en marmonnant qu'elle s'était fait « mettre en cloque » par hasard. Cela avait surpris l'adolescente, qui ne se souvenait pas que sa « tante » soit jamais sortie avec des garçons.

Si l'histoire était vraie, Cinnamon craignait de deviner de qui Patti était enceinte. Mais c'était une pensée tellement affreuse qu'elle la rejetait, tellement abominable qu'elle ne posa plus de question à ce sujet. Elle ne voulait pas entendre confirmer ses supputations.

Cinnamon se trouvait de plus en plus éloignée de tout cela. Elle passait beaucoup de temps à regarder de vieilles photos en essayant de s'imaginer son retour parmi les autres, mais c'était difficile. Elle demanda qu'on lui envoie les albums de la famille, mais David s'en garda bien.

À vrai dire, Cinnamon ne manquait de rien. Elle avait toujours sa télé couleur dans sa chambre et, quand l'électricité était coupée à minuit, une batterie montée par David prenait automatiquement le relais. Dans une lettre, elle s'était juste plainte de la nourriture :

« Les salades sont mangeables, écrivait-elle, mais je ne touche à rien du reste. Je ne mange que ce que j'achète à la cantine : des soupes, des chips, des biscuits, du beurre de cacahuète, de la confiture, n'importe quoi... »

De fait, il y avait toujours de l'argent à son crédit à la cantine. C'était parfois le seul moyen qu'elle avait de savoir que son père ne l'avait pas oubliée, puisqu'il ne venait presque plus la voir.

— Au début, il me rendait visite très régulièrement, dit-elle plus tard. Il me posait des tas de questions, afin de savoir quelles pressions on avait exercées sur moi pour me faire avouer. Il me conseillait de ne pas parler, de simplement répéter que je ne me souvenais de rien. Il m'effrayait avec l'idée que Linda n'était peut-être pas vraiment morte.

Je faisais de temps en temps des cauchemars, mais je savais bien qu'elle n'était plus là.

« Les visites de mon père se sont de plus en plus espacées. Comme je le suppliais de venir parce qu'il me manquait beaucoup, il m'écrivait des cartes et j'ai même reçu quatre ou cinq vraies lettres. Il disait qu'il était malade, qu'il allait à l'hôpital ou qu'il était mourant. J'étais paniquée, mais j'ai fini par comprendre qu'il le faisait exprès. Quand je téléphonais pour avoir de ses nouvelles, mes grands-parents me disaient qu'il était sorti faire des courses. Donc, il ne pouvait pas être malade à l'hôpital.

« Ma grand-mère prétendait que Patti et lui partageaient la même chambre, mais papa m'assurait le contraire en disant que grand-mère était piquée. Ils achetaient de nouvelles voitures, de nouvelles maisons, mais mon père le niait toujours. Il niait aussi quand mon grand-père rapportait qu'il avait touché de l'argent grâce à la mort de Linda. Il me mentait beaucoup et ces mensonges me faisaient comprendre que j'étais toute seule.

« Personne ne venait jamais non plus de la part de mon père. Il prétendait qu'il passait son temps chez des avocats pour moi, mais ce n'était pas vrai.

La mère de Cinnamon, en revanche, ne l'abandonnait pas et Lori, sa première belle-mère, gardait le contact avec elle. De loin en loin, elle recevait des nouvelles de l'une de ses anciennes camarades d'école. Naturellement, la vie de Krista était très différente de la sienne et il ne leur restait plus grand-chose en commun.

Cinnamon commençait maintenant à croire que tous l'avaient oubliée. Pire, elle soupçonnait qu'on lui mentait depuis très longtemps. Elle n'en souffla mot à quiconque. Elle ne pouvait savoir qu'à l'extérieur un dénommé Jay Newell travaillait à vérifier ces doutes qui la hantaient jour et nuit.

23

Jay Newell estima qu'il était grand temps d'avertir Cinnamon de ce qui se passait chez les siens. À sa connaissance, les seules nouvelles qui lui étaient parvenues provenaient de son grand-père, et exclusivement sous forme de bribes plus ou moins obscures. Mais la jeune fille était encore mineure et le resterait jusqu'à son dix-huitième anniversaire, le 3 juillet 1988. Newell ne pouvait donc pas encore s'adresser à elle sans l'autorisation de ses parents.

Or le parent qui avait la garde de Cinnamon au moment de son arrestation se trouvait précisément être l'individu même que Newell soupçonnait d'avoir joué un rôle dans le meurtre de sa cinquième femme. De plus, il vivait toujours avec la suspecte dénoncée par Brown senior. Et il s'était montré assez malin pour prévoir que Patti risquait un jour ou l'autre d'être mêlée à l'affaire. Sinon, pourquoi était-il resté avec elle ?

David Brown était donc la dernière personne que Newell voulait alerter. Il préférait épier David et Patti à leur insu, et n'entendait pas se démasquer en demandant au père la permission de s'entretenir avec sa fille. Il n'imaginait même pas que celui-ci puisse lui donner son consentement.

Jay Newell était toutefois en mesure, pour rester conforme à la loi et à la morale, de communiquer certaines informations au responsable chargé d'accompagner la future libération sur parole de la jeune fille. À défaut de s'adresser directement à elle, Newell pouvait ainsi la renseigner par raccroc. Cela revenait à pêcher en eaux troubles au cœur de la nuit : impossible de prévoir ce que remonterait son hameçon.

Newell était maintenant convaincu que Cinnamon Brown accomplissait une espèce de pénitence en subissant le châtiment d'un crime qu'elle n'avait peut-être pas commis. Quelque chose l'empêchait de dire la vérité à la commission de libération sur parole, tout comme aux psychologues. Il ne savait pas si c'était de la crainte ou une loyauté mal placée.

Il aurait aimé que Cinnamon sache qu'elle avait un allié qui travaillait en sa faveur à l'extérieur, mais n'osait pas le lui indiquer. Il était possible qu'à la fin de son enquête il se retrouve en position d'ennemi. Il ne connaissait pas personnellement la jeune fille, ne savait pas ce qui la motivait, ni par conséquent ce qui pouvait l'amener à révéler la vérité. À supposer, bien sûr, qu'elle la connût.

Jay Newell commença par prendre des photos des nouvelles résidences où s'étaient prélassés David et Patti : la somptueuse villa sur les hauteurs d'Anaheim, le jardin derrière celle de Chantilly Street, avec sa piscine et sa statue de déesse grecque, des tables et des chaises longues luxueuses groupées sur la terrasse ensoleillée. Il emporta ces clichés au Centre de protection de la jeunesse, où il demanda à parler à la personne responsable de Cinnamon.

Pendant qu'il attendait, il ne put s'empêcher de relever le contraste entre la condition de vie de David et celle de sa fille. Avec ses bâtiments en rez-de-chaussée de brique rouge et ses tables de pique-nique rondes équipées de parasols, l'école n'avait pas l'air trop rébarbative. Mais c'était quand même un centre de détention avec des barreaux aux fenêtres. Les haut-parleurs lançaient en continu des ordres, et de grosses clefs grinçaient dans de lourdes serrures. Depuis trois ans, l'univers de la prisonnière se réduisait à ces portes fermées, à ses gardiennes et aux fouilles auxquelles elles procédaient.

Newell s'entretint avec Carlos Rodriguez, le responsable chargé de la surveillance de Cinnamon, de la possibilité de la renseigner sur ce qui se passait chez elle, et il lui transmit les photos des maisons où résidaient David et Patti. Selon lui, la jeune fille était en droit d'apprendre que Brown et sa belle-sœur vivaient ensemble, qu'ils n'étaient pas seulement libres, mais menaient grand train entre leurs villas et leurs automobiles de luxe. Il obtint en retour confirmation que la jeune fille ne disposait toujours d'aucun moyen de prendre contact avec son père, sinon en lui écrivant à son bureau.

Newell continua de s'intéresser à ce que faisait Cinnamon sans jamais avoir pu lui parler. Il apprit ainsi qu'elle restait une solitaire, qui ne se mêlait pas davantage au groupe des WASP qu'à celui des Hispaniques, des Noires ou des Asiatiques. Au bout de trois ans, elle gardait encore ses distances. Plutôt renfermée, elle ne causait jamais aucun ennui et collaborait sans réserve avec ses professeurs. Ses notes ne lui offraient pas de quoi pavoiser, mais pas davantage de quoi rougir, ses résultats scolaires équivalant probablement à ce qu'ils auraient été dans un lycée extérieur. La seule différence restait que, au lieu de courir à la plage sitôt après la classe, Cinnamon regagnait sa cellule.

Newell sut de même qu'elle ne s'était ni endurcie, ni aigrie. C'était une adolescente comme tant d'autres, à ceci près qu'elle avait été extraite de la vie normale depuis si longtemps qu'elle paraissait presque craindre de retourner dans un monde métamorphosé. Elle avait même un copain, pas un vrai petit ami, mais au moins un garçon qu'elle voyait et à qui elle parlait quand elle travaillait le soir. Mais elle allait bientôt le perdre, car il devait être libéré sur parole.

Newell n'avait pas la moindre idée de l'état d'esprit de Cinnamon. Il doutait de pouvoir l'émouvoir, parce que personne d'autre n'y était parvenu, à cause de ce mur d'amnésie que ni ses thérapeutes ni même ses propres avocats n'avaient pu abattre.

L'affaire était devenue une véritable obsession pour Jay Newell. En plus de trois ans, il avait eu le temps de l'étudier sous toutes ses facettes et se disait que tout homme de bon sens aurait laissé tomber depuis longtemps. Mais, chaque fois qu'il rouvrait son dossier écorné, il découvrait de nouveaux indices lui suggérant qu'il était sur la bonne piste. Il ne savait pas exactement qui avait tiré sur Linda Brown pendant son sommeil, mais il était convaincu que l'impulsion qui avait abouti à ce meurtre n'avait pu naître dans l'esprit de Cinnamon.

Quelqu'un d'autre devait se trouver mêlé à l'affaire, quelqu'un qui se promenait, en ce moment même, en toute liberté. Peut-être s'agissait-il d'autres membres de la famille Bailey, comme l'avait suggéré David. Et même s'il s'avérait que Cinnamon avait bel et bien appuyé sur la détente, Newell voulait découvrir pourquoi.

Il se mit en rapport avec Brenda Sands, la mère de Cinnamon, dans l'espoir qu'elle l'aiderait à faire parler sa fille. Leur entrevue lui fit penser à l'intrusion d'un faucon dans le nid d'une fauvette. David avait persuadé son ex-femme que Jay Newell représentait une menace dangereuse pour sa fille, puisqu'il était l'un des méchants qui l'avaient mise en prison. Brenda le chassa de chez elle avec tant de frénésie qu'un ami qui l'attendait dans sa voiture lui demanda en riant :

— Tu es sûr d'aimer ce boulot ? Vu d'ici, ça n'a vraiment pas l'air sympa !

Brenda allait voir Cinnamon aussi souvent qu'elle le pouvait, au volant d'un drôle de vieux break cabossé que David lui avait offert à cette fin. À force de patience, Newell finit par la convaincre qu'il ne cherchait que la vérité. Ils se revirent et elle lui dit tout ce qu'elle savait à ce sujet, c'est-à-dire bien peu de chose. Oui, David s'était précipité chez elle le jour même du meurtre de Linda et s'était empressé de lui enjoindre de présenter Cinny comme une fille instable et suicidaire.

Brenda avait deviné anguille sous roche, mais elle était assaillie de mauvais pressentiments et de doutes. De plus, son premier mari lui faisait encore peur et elle était terrifiée à l'idée de le contrarier.

24

Quand survint enfin l'appel téléphonique qu'il espérait sans trop y croire, Jay Newell en fut abasourdi. Le plus long coup de dé qu'il eût jamais tenté venait de réussir. Au bout du fil, ce 19 juillet 1988, Carlos Rodriguez, le responsable de la libération de Cinnamon, annonçait :

— J'ai là quelqu'un qui voudrait vous parler de son affaire...

Il s'agissait bien de la jeune fille.

En toute hâte, Newell pria le DA adjoint Dick Fredrickson de décrocher un poste annexe pour écouter la communication qu'entamait une voix sourde et effrayée :

— Allô ? Monsieur Newell ?

— Oui. Et vous, vous êtes Cinnamon ?

Il l'informa que Fredrickson était également à l'écoute sans qu'elle soulève d'objection, mais sa première question fut surprenante :

— Allez-vous me protéger ou mon père sera-t-il au courant ?

— Qui ? s'étonna Newell.

— Mon père !

Assurée que David Brown n'entendrait rien de leur dialogue, elle enchaîna :

— Ce qu'il a fait était mal et j'étais trop jeune pour m'en rendre compte. Je sais maintenant qu'il est temps pour lui d'assumer la responsabilité du crime qui a été commis... Je suis aussi un peu responsable, parce que je savais ce qui allait se passer, mais je n'ai pas vraiment commis ce meurtre.

Elle hésitait encore à entrer dans les détails par téléphone, mais Newell avait besoin d'en savoir plus et il réussit à l'en convaincre assez pour qu'elle reprenne :

– J'ai peut-être quelque chose qui vous suffira pour travailler. Voilà... Mon père répétait que Linda allait le tuer pour toucher l'assurance avec son frère jumeau et il disait qu'il fallait réagir. Je lui ai demandé : « Qu'est-ce que tu veux que je fasse ? » Il m'a répondu : « Nous allons devoir réfléchir à un moyen de nous débarrasser d'elle ou nous serons forcés de quitter la ville. » Quand je lui ai dit que je ne voulais pas qu'on parte, il a répliqué : « Alors, il va falloir que tu m'aides. » Ensuite, nous sommes allés faire plusieurs tours en voiture pendant que Patti et lui cherchaient comment se débarrasser de Linda...

Cinnamon raconta à Newell le souvenir qu'elle avait de son père embrassant Patti dans le centre commercial :

– Plus tard, les choses ont empiré. Il partait avec Patti et parfois je les accompagnais. Nous roulions pendant des heures, et ils ne parlaient que de se débarrasser de Linda... Par exemple, nous aurions pu la pousser par la portière en roulant sur l'autoroute... Patti suggérait par exemple de lui flanquer d'abord un grand coup sur la tête pour l'assommer. Je les écoutais, mais je ne me sentais pas concernée.

Les secrets longtemps ensevelis jaillissaient à présent comme un torrent dont la crue balayait tout. Cinnamon dit qu'après le meurtre son père lui avait d'abord demandé de déclarer que c'était elle qui l'avait commis, puis lui avait conseillé de se taire en prétendant ne se souvenir de rien.

– C'est ce que j'ai fait, parce que j'avais confiance en lui...

Newell l'interrogea à propos de l'arme du crime et elle répondit que celle-ci appartenait à Linda, et que Patti l'avait essuyée avec une serviette.

Cinnamon expliqua qu'elle n'avait pu parler à son père depuis quatre semaines. Quant à ses propres réactions à propos du meurtre de Linda, elle affirma qu'elle avait tenté de les confier à David, mais que ce dernier éludait ce sujet en lui promettant qu'elle serait bientôt libre.

— Pour une raison que j'ignore, dit-elle, il ne veut pas en parler du tout. Il fait semblant de ne rien entendre là-dessus.

Cinnamon souligna aussi que Patti ne venait pas la voir et ne lui téléphonait même jamais. Elle questionna soudain :

— Vous savez que Patti a eu un bébé ?

— Je suis au courant, oui.

— Vous savez que l'enfant est de mon père ?

— Oui, je le sais.

C'était donc bien ça. Trahie de bien d'autres façons, Cinnamon avait perdu toute confiance et compris qu'elle avait été abandonnée à cause de la naissance de Heather. Newell s'empressa de lui demander :

— Consentiriez-vous à faire une déposition officielle sur tout cela... et à faire ainsi rouvrir une enquête ?

— Je pourrais probablement vous aider, mais je ne veux pas courir de risques avec mon père.

— Vous avez peur de lui ?

— Oui. Je crois qu'il est très fort.

Le revirement de Cinnamon pouvait contribuer à exaucer ses vœux de liberté, mais Newell ne pouvait le lui garantir, se bornant à commenter :

— Je ne sais pas au juste où vous allez nous mener.

À maintes reprises, la jeune fille pria que sa communication reste confidentielle et réclama la protection des autorités. Newell promit leur aide en cas de besoin. Dick Fredrickson prit le relais en posant deux questions :

— Vous dites que votre père était parti en voiture avant que vous n'entendiez les coups de feu ?

— Oui.

— Aviez-vous manipulé le revolver ?

— Je ne sais pas trop. Mon père avait tant d'armes à feu ! Je ne peux même pas affirmer laquelle c'était.

— Qu'est-ce qui vous faisait croire que ce n'était pas Patti qui avait emprunté l'auto ? enchaîna Newell.

— Elle ne savait pas conduire.

Cinnamon pensait avoir entendu démarrer la bruyante voiture qu'utilisait son père à l'époque, à moins que c'en ait été une autre. Newell la pria de noter tout ce qui lui reviendrait en mémoire jusqu'à ce qu'il puisse s'entretenir avec elle. Il insista pour qu'elle ne révèle à personne qu'elle avait appelé le bureau du DA, pas même à sa mère.

Cinnamon promit.

Newell et Fredrickson n'échangèrent que quelques mots avec Carlos Rodriguez avant de raccrocher. Après un moment de stupéfaction, les deux hommes échangèrent de grandes claques jubilatoires dans le dos l'un de l'autre. Pour eux, c'était un moment d'intense satisfaction.

Le déluge de paroles déversées par Cinnamon laissait néanmoins encore quelques sujets de perplexité à Newell. En particulier, il ne s'était nullement attendu à entendre que David Brown était parti avant les coups de feu. Mais il n'était pas du tout certain qu'il s'agissait là de toute la vérité, même d'une partie de la vérité.

Le plus important restait que Cinnamon avait enfin commencé à parler. Elle avait rompu un silence de trois ans et quatre mois depuis le meurtre de Linda Brown.

La procédure ne s'annonçait pas aussi simple qu'on l'aurait souhaité. Officiellement, Newell ne travaillait sur cette affaire que sur la base d'une requête en supplément d'information présentée par la Protection judiciaire de la jeunesse californienne. Il ne s'agissait nullement d'une enquête commandée par voie d'instruction judiciaire. L'assassinat de Linda Marie Bailey Brown ayant été théoriquement élucidé, l'affaire se trouvait classée de longue date. Newell n'était pas habilité à rouvrir les investigations. Une chose était de surveiller discrètement David Brown et Patti Bailey ; c'en était une autre que d'entamer de nouveaux interrogatoires au centre de détention.

Si l'appel téléphonique de Cinnamon exaltait Newell, cela ne l'incitait pas moins à la prudence. Dick Fredrickson avait beau le soutenir, il risquait d'avoir trop de responsabilités en même temps pour aller au fond de cette histoire s'il se révélait qu'il y avait de quoi retourner devant les tribunaux. Il faudrait trouver un autre DA adjoint qui ait le temps, l'enthousiasme et la ténacité nécessaires pour reprendre cette affaire.

Une meurtrière avouée, incarcérée depuis trois ans et qui change inopinément d'avis ne constitue pas un témoin idéal pour l'accusation. Ce serait un gibier facile pour tout avocat de la partie civile. Face à un cas pareil, la plupart des procureurs n'auraient pas manqué de reculer.

Mais Newell avait quelqu'un en tête.

Jeoff Robinson n'avait pas de temps libre, mais était réputé partant pour les missions impossibles et doué d'un cran à toute épreuve. Or les district attorneys adjoints du comté d'Orange gravissaient lentement les échelons, depuis les plus menues infractions jusqu'aux crimes de sang. Quand ils étaient enfin parvenus au niveau des affaires d'homicide, chacun se voyait affecté à une ville particulière du comté. Et, en juillet 1988, le procureur responsable de Garden Grove se trouvait être Jeoff Robinson.

Par bien des aspects, l'homme était exactement le personnage qu'un producteur de cinéma aurait choisi pour incarner une grande cause. À trente-cinq ans, c'était un très beau garçon aux yeux bleu vert transparents. Dépassant 1,80 m et 80 kilos, il était charpenté comme un trois quarts arrière, ce qu'il avait d'ailleurs été à l'université du Pacifique.

– Si j'avais eu quelques centimètres et quelques kilos de plus, je serais certainement passé professionnel, plaisantait-il. Mais ce n'était hélas pas le cas.

C'était le droit qui attendait Jeoff, depuis qu'il était en âge de le comprendre. Sa famille était composée par tradition de juristes, non pas orientés vers le pénal, mais vers le droit civil. C'est ainsi que son père, Mark Robinson, associé au frère aîné de Jeoff, Mark Robinson junior, avait remporté une victoire historique contre les automobiles « dangereuses même à faible vitesse » de la compagnie Ford et, depuis, avait obtenu des millions de dollars de dommages-intérêts pour ses clients.

– Enfant, ma vocation n'était mise en doute par personne, se souvenait Jeoff Robinson. Dès l'âge de cinq ans, j'étais soumis à des interrogatoires et à des contre-interrogatoires que j'adorais. J'aimais aussi admirer mon papa pendant les audiences. Je le respecte aujourd'hui encore plus que quiconque au monde. Il possède plus de force intérieure que tout autre. Quant à ma mère... c'est une sainte !

Pilote de l'US Air Force pendant la Seconde Guerre mondiale, le père de Jeoff avait été abattu en vol au-dessus de la Yougoslavie et porté disparu pendant de longs mois avant d'être retrouvé dans un camp de prisonniers. À la même époque, Rita, son épouse âgée de dix-neuf ans, était enceinte d'un premier garçon, que l'on gratifia à la naissance du prénom d'un père que nul n'était sûr de revoir.

Après-guerre, la famille s'installa à Los Angeles et s'étendit jusqu'à compter huit enfants.

– Nous vivions dans un paradis pour les enfants, racontait Jeoff. Je crois qu'il y en avait au moins soixante-quinze, rien que dans notre bloc d'immeubles : de vieilles mais belles habitations spacieuses, remontant au temps où les quartiers de Los Angeles étaient très différents, et formant une espèce de ghetto catholique.

Plus tard, quand sa clientèle augmenta, Mark Robinson père installa sa famille à Fremont Place, où il avait acheté une grande maison avec ascenseur et court de tennis. Mais Jeoff n'avait pas été élevé en gosse de riche. La remarquable réussite de son père n'avait atteint son point culminant qu'alors que la plupart des enfants étaient déjà grands.

Comme ses frères et sœurs, Jeoff avait été éduqué en sorte de manifester une politesse sans faille, un dévouement sans limite et de travailler comme un damné pour ce en quoi il croyait. Les Robinson partageaient une énergie à la Kennedy et il en avait hérité une double ration. Mark Junior exerçait avec son père, et leur frère Greg resta pendant neuf ans entraîneur de football à la prestigieuse université de

216

Californie, avant de rejoindre une célèbre équipe de New York.

Jeoff décrocha son diplôme de droit à l'université Southwestern de Los Angeles, et il aurait été accueilli à bras ouverts dans le cabinet familial, mais il tenait auparavant à faire ses preuves par lui-même :

– Je voulais aussi tâter de quelques procès. Or le seul moyen qu'avait un jeune avocat d'être alors chargé d'une affaire, c'était de collaborer à l'aide judiciaire ou d'entrer chez le district attorney. Moi, je préférais poursuivre les criminels plutôt que d'assurer leur défense...

Ce qu'il fit. Jeoff Robinson se passionnait pour ses procès comme s'il jouait encore au football et attaquait l'adversaire. Il passait des nuits entières à travailler ses réquisitions, à répéter les rôles de chacun des protagonistes et à se préparer à toute éventualité. Il était également renommé pour sa volonté de coopérer avec les enquêteurs dans la recherche et le repérage des pièces à conviction.

Aux procès, il était tout à sa cause, particulièrement brillant dans les conclusions ainsi que dans les ultimes réquisitoires. Sa technique d'interrogatoire et de contre-interrogatoire était imaginative et affolante pour la défense. Il jouait beaucoup sur l'émotion dans le prétoire, mais c'était une attitude sincère et non une comédie. Il manifestait ses sentiments, laissant le public voir qu'il se mettait en colère et ayant du mal à cacher quand il était amusé.

Hormis les avocats de la défense, tout le monde le trouvait éminemment sympathique. L'intensité et la vivacité de ses reparties lui valaient la faveur des jurés, sinon des juges. Un de ses procès n'ayant pas nécessité moins de trente motions à discuter confidentiellement, il avait proclamé :

– Je vais finir par user mes souliers, à force de faire constamment la navette comme ça.

Le juge avait froncé les sourcils et la défense avait protesté.

À ce même procès, son adversaire avait montré une propension excessive à invoquer sa propre épouse à tout propos, sans doute pour donner l'impression qu'il vivait

217

dans un foyer stable et harmonieux. Célibataire impénitent, Jeoff n'avait pas manqué la première occasion de déclarer au jury d'une voix exagérément affligée :

– Je pourrais demander son avis à ma femme, si seulement j'en avais une...

– Je n'ai plus de fille à marier, mais j'ai une petite-fille qui vous plairait ! s'était laissé aller à crier un juré.

Jeoff Robinson avait gagné cinquante procès sur cinquante et un. Un seul de ses jurys s'était révélé incapable de trancher et il avait encore emporté l'affaire au second jugement. Non conformiste, il respectait la loi et la vérité, visait une justice morale, mais il lui advenait de le faire d'une manière très personnelle.

C'était bien là le partenaire dont avait besoin Newell. S'il parvenait à le persuader de relancer l'affaire Cinnamon Brown, tous deux formeraient avec Fred McLean un magnifique trio de compétences complémentaires. Tous trois paraissaient pareillement obsédés par la révélation d'une vérité cachée depuis trop longtemps. La perspective de les réunir plaisait à Newell et ce fut d'un pas léger qu'il quitta son bureau pour rejoindre celui de son supérieur.

Le fief du district attorney du comté d'Orange était immense, tant par ses dimensions que par le nombre de ses effectifs. Ses pièces déployaient un dédale au rez-de-chaussée et au premier étage du palais de justice. Hormis les proches collaborateurs du DA et les enquêteurs qui venaient leur présenter des affaires, nul n'y retrouvait son chemin sans guide.

Le cabinet personnel du district attorney se trouvait au premier, mais, une fois franchie la porte verrouillée derrière le poste de la réceptionniste, il restait dissimulé par un inextricable réseau de couloirs, d'escaliers et de portes dérobées. Il y avait là en tout cent soixante-quinze adjoints, faisant à la fois office de procureurs et de juges d'instruction, ainsi que cent quarante enquêteurs travaillant pour leur compte. Cette pléthore était inconcevable ailleurs, mais le comté d'Orange accordait à sa justice un soutien exceptionnel.

Les magistrats chargés des homicides occupaient le rez-de-chaussée du palais de justice. En dehors des sentiers battus, leurs bureaux n'étaient que des cagibis de 1,60 m sur 3. Celui de Jeoff Robinson se trouvait dans un désordre épouvantable, mais cet environnement ne reflétait en rien l'organisation rigoureuse de ses pensées. Il était toujours sur le point de ranger et de faire le ménage, mais il partait perpétuellement au tribunal, préparait une affaire ou attendait un verdict, à moins d'être en train de faire du sport. Robinson aimait courir et Newell, que cela ennuyait mortellement, le talonnait parfois parce que c'était le seul moment où ils pouvaient discuter des divers aspects d'une affaire.

Dossiers et paperasses de toutes sortes jonchaient les tables du cabinet de Robinson. Des messages l'engageant à retourner des appels téléphoniques datant de mars 1988 s'y trouvaient encore entassés, bien qu'il affirmât avoir rappelé depuis longtemps. Un mur affichait une photo de lui, surpris par l'objectif en train de creuser pour chercher un cadavre disparu. Au-dessous, ses adjoints avaient gribouillé de multiples propositions de légendes, pour la plupart scabreuses. Il était tout à fait possible qu'un diplôme encadré se trouvât derrière ce fatras, tout comme un téléphone devait être dissimulé sur le bureau du DA.

Cela n'avait pas grande importance, car Robinson était toujours en mouvement, évoluant en silence entre les deux étages. Les réceptionnistes l'appelaient généralement par haut-parleur avant même d'essayer de le joindre dans un bureau où elles prévoyaient de ne jamais le débusquer. Et, même si d'aventure il venait d'y passer, il pouvait encore se vanter d'avoir le bureau le plus difficile à trouver au fond de ce labyrinthe. Son nom ne figurait pas sur sa porte, seulement marquée par la transcription d'un jugement incident qui concluait : « Le fait que M. Robinson soit ou non un bouffon n'a aucun rapport avec notre affaire. »

– Ce n'est pas moi qui ai affiché ça, protestait-il. Ma porte est réputée comme panneau d'affichage pour les insanités. Je ne sais jamais ce qu'on va m'y coller.

En 1981, Jeoff Robinson s'était engagé à rester au bureau

du district attorney pendant au moins deux ans. Sept ans plus tard, il y était encore joyeusement retranché. Sa première affaire d'homicide avait été le cauchemar que redoute tout procureur – il avait dû poursuivre un vieux monsieur qui avait tiré sur sa femme parce qu'elle souffrait d'un mal incurable – et il en parlait avec émotion :

– Comment allais-je faire monter ce pauvre vieux dans le box et le soumettre à un terrible interrogatoire ? Je n'en avais pas la moindre envie, tant j'avais pitié de lui, comme n'importe quel juré doué d'un minimum de cœur. Après des heures à en débattre avec l'avocat de la défense, nous sommes parvenus à la conclusion qu'il fallait que la femme ait elle-même pressé la détente. Selon notre point de vue, l'accusé l'aurait simplement aidée à tenir son doigt. De ce fait, nous avons pu faire déqualifier le chef d'accusation en simple « complicité de suicide ».

Un condamné qui avait purgé quatre ans pour viol obtint la révision de sa sentence quand Robinson s'avisa que son dossier comportait un certain nombre de vices de fond.

– Il apparaissait que l'homme était innocent, s'indignait Jeoff. Je suis allé voir son avocat, qui était justement Al Forgette, pour lui demander si je pourrais parler à son client sous garantie que ses réponses ne pourraient jamais être utilisées contre lui. Il s'agissait de l'agression d'un couple sur une plage, à la suite de laquelle cet homme avait été seul à se faire prendre et condamner, alors que les autres couraient toujours. Ivre mort et vêtu exactement comme le violeur réel, l'homme avait été identifié par suite d'une erreur des victimes. Nous avons réussi à découvrir et à faire condamner la demi-douzaine de véritables coupables à moins de six mois de la date de prescription.

Ainsi, un innocent avait recouvré sa liberté, mais malheur au coupable qui aurait à affronter Robinson devant un tribunal !

Jusque-là, Jay Newell n'avait jamais eu l'occasion de travailler avec Jeoff Robinson, mais il y tenait :

– L'affaire Cinnamon Brown était trop énigmatique pour

220

quiconque commençait à y mettre son nez. Je ne pouvais la lâcher, Fred McLean non plus, et j'escomptais qu'elle ferait le même effet à Jeoff Robinson.

Robinson était à moitié préparé à sa visite. Bryan Brown, le principal adjoint de la brigade des homicides du DA, l'avait averti qu'une vieille affaire allait peut-être refaire surface. Faute d'autre précision, Robinson s'en était méfié :

– Je me demandais dans quoi j'allais me trouver entraîné. Quand Jay Newell est venu rôder par chez moi avec sa requête, j'ai flairé l'os. Il a commencé par m'exposer son affaire et j'ai tout de suite compris qu'elle exigerait beaucoup de travail. Je me suis demandé pourquoi diable exhumer une histoire morte et enterrée. En écoutant, je pensais : « Ce coup-là ne va pas être de la tarte ; plutôt des pépins... »

Assis à son bureau, Robinson écouta longuement Newell.

– Au bout d'une demi-heure, j'ai commencé à me passionner, parce que je flairais l'erreur judiciaire. Avec ça, il m'a accroché.

Jeoff Robinson avait un tempérament de croisé, de défenseur des causes qu'il jugeait bonnes, même s'il répugnait à l'admettre :

– À mesure que j'entendais Newell, j'étais de plus en plus surexcité. J'ai toujours préféré les affaires de principe aux histoires tranchées d'avance. Pour ce qui me concerne, je pourrais perdre les dix affaires suivantes sans m'en faire. Pas parce que j'aime perdre, mais parce que je me complais dans ce rôle chevaleresque qui consiste à servir le bon côté.

Newell lui résuma l'affaire, sa surveillance de David et de Patricia Bailey, ainsi que sa conversation téléphonique avec Cinnamon. Robinson lui semblait l'homme de la situation, puisqu'il proclamait :

– Je veux poursuivre les pires espèces de criminels. Si bizarre que ça paraisse, j'éprouve du respect pour le voleur de banque qui braque un pistolet dans la figure d'un caissier et exige de l'argent car, au moins, il est franc et ne cherche pas à se faire passer pour autre chose que ce qu'il est. Mais je ne supporte pas le délinquant en col blanc qui feint d'être quelqu'un alors qu'il est en réalité tout différent. Je m'estime blessé par les crimes retors.

Si Cinnamon Brown portait le chapeau et subissait une incarcération à la place du véritable coupable, Robinson acceptait de s'occuper de son affaire, mais il prévint Newell qu'il ne ferait jamais rouvrir l'enquête sur les seuls dires de la jeune fille. Il lui fallait plus, beaucoup plus que ça.

Jay Newell le comprenait tout à fait. Or il savait qu'il ne pouvait faire davantage tout seul. Fred McLean n'étant plus membre de l'unité des policiers de Garden Grove, il lui fallait trouver un moyen de le remettre sur l'affaire. Il s'adressa au vieux sergent de McLean, qui en parla à son nouveau lieutenant, lequel, heureusement, accepta.

Le feu vert de la hiérarchie se fit attendre. Au bout de trois semaines – les plus longues de la vie de Jay Newell –, ils obtinrent l'autorisation officielle de poursuivre leur enquête. Mais, en dépit de tout ce que McLean et lui avaient déjà appris en plus de trois ans, ils ne pressentaient nullement le degré de complexité qu'allait atteindre l'affaire.

25

À l'aube du 10 août 1988, Jay Newell et Fred McLean prirent la route pour aller parler à Cinnamon. Son appel téléphonique leur avait fourni assez de faits nouveaux pour justifier une telle visite. Ils n'avaient aucune idée de ce qu'elle comptait leur dire, mais cette discussion leur donnerait l'occasion de l'étudier.

Il était tout à fait possible que la jeune fille ne cherchât qu'à sortir de prison, mais ils ne pensaient pas que c'était la seule raison de son revirement. Il était plus vraisemblable que les secrets qu'elle avait si farouchement gardés commençaient à lui peser. De plus, elle était sans doute en colère, excellente chose dans la mesure où une fureur justifiée conduit souvent à la vérité.

Il était encore tôt quand ils arrivèrent devant les grilles. La lourde chaleur estivale n'avait pas écrasé un reste de fraîcheur de la nuit. Ils patientèrent, car Cinnamon dormait encore : ses horaires de travail aux réservations nocturnes de la compagnie aérienne qui l'employait la faisaient veiller tard.

Quand elle les rejoignit, Newell et McLean furent tous deux surpris par sa métamorphose : elle s'était habillée avec soin et légèrement maquillée. Une jeune femme pleine d'aisance avait remplacé l'adolescente que McLean avait extraite trois ans plus tôt d'une niche répugnante.

Il était 11 h 37, ce mercredi matin, quand Newell mit en marche la première cassette de son magnétophone. Il commença par expliquer à Cinnamon qu'elle n'avait pas besoin d'avocat, puisqu'elle avait déjà été jugée et condamnée pour le meurtre dont ils allaient parler : elle ne pourrait être jugée deux fois pour le même crime. Il continua en insistant sur le fait que ni lui ni McLean ne pouvaient promettre quoi que ce soit en échange des renseignements qu'elle leur donnerait, notamment aucune réduction de peine.

Comme elle avait acquiescé, il voulut la ramener aux événements du début de 1985 et lui proposa :

– Avant tout, revenez mentalement à l'époque où tout cela est arrivé, en essayant de vous rappeler jusqu'aux détails apparemment les plus insignifiants, comme le temps qu'il faisait, ce que vous portiez ce jour-là, si la pelouse avait été tondue ou non, l'odeur de l'air, votre âge...

– J'avais quatorze ans.

Depuis, Cinnamon n'avait vu que les rapports les plus schématiques concernant son affaire. Elle n'avait pas lu les articles de presse, n'avait pas revu son avocat, dont elle disait :

– Même alors, M\ :sup:`e` Forgette ne voulait pas que je lise quoi que ce soit en rapport avec mon affaire.

– Vous n'avez jamais rafraîchi votre mémoire d'une façon ou d'une autre, autrement qu'en y pensant ?

– Seulement en y repensant, en essayant de revenir en arrière, parce que j'avais repoussé tout ça. Comme on me l'avait conseillé, j'avais rejeté les souvenirs si loin qu'ils n'avaient plus de contact avec moi. J'ai presque commencé à croire moi-même que j'avais oublié.

Newell étala sur la table une planche de cinq épreuves de photos de l'extérieur de la maison d'Ocean Breeze. Cinnamon identifia sans peine les petits clichés en pointant dessus un ongle long et parfaitement manucuré. Elle indiqua la caravane en confirmant :

– C'est là qu'on me faisait dormir...

Elle reconnut correctement chaque image, car la maison était restée gravée dans sa mémoire malgré tous ses efforts pour l'en chasser. Newell suggéra :

– Commencez n'importe où. Racontez-nous ce que vous vous rappelez à propos de ce qui a conduit au drame.

Elle prit une profonde inspiration.

– Eh bien, j'étais dans le living-room avec mon père et Patricia, ce jour-là... Elle était partie pour aller à la cuisine et elle était restée arrêtée près de la porte... Elle a fait chut ! alors je n'ai rien dit.

Patti était restée figée plusieurs minutes, puis était revenue dans le living, l'air perplexe. Elle venait d'entendre quelque chose de très bizarre, avait-elle dit à Cinnamon et David : elle avait surpris une conversation téléphonique entre Linda et son frère jumeau Alan, qui avaient l'air de comploter pour se débarrasser de David. En entendant ça, Cinnamon avait ri. Mais Patti, très sérieuse, insistait :

– Je t'assure qu'ils parlaient de tuer David !

Puis elle n'avait rien voulu ajouter avant de quitter la maison, soi-disant de peur que Linda ne l'entende.

– Avez-vous une idée de la date ? interrogea Newell. C'était combien de temps avant le meurtre ?

– Au moins sept mois avant.

Selon elle, ce soir-là, il ne devait plus en être question. Le sujet n'avait été repris que le lendemain, alors que tous trois étaient en route pour se rendre chez le chiropracteur qui les soignait depuis qu'ils avaient eu un accident d'auto :

– Patti a répété que Linda voulait tuer mon père pour s'en débarrasser et je n'ai pu croire une chose pareille. Je me souviens d'avoir regardé Linda, par la suite, en pensant qu'elle ne pouvait pas avoir parlé comme ça ! Elle était si mignonne... Non, Patti devait avoir eu une hallucination... Seulement mon père s'est mis à me seriner : « Si, c'est vrai ! Écoute-moi, je suis ton père et je sais qu'elle va tenter de me tuer. »

C'était pendant cette période qu'elle avait vu son père embrasser Patti, ce qui l'avait encore plus désorientée. Linda était si gentille avec elle, s'inquiétait tellement de sa tristesse... Mais il était évident que Cinnamon ne pouvait lui parler du baiser de son père et de Patti. D'ailleurs, elle ne pouvait parler à personne.

— Ensuite, je me suis trouvée avec eux dans la fourgonnette... Il venait juste de revenir de Randomex, et nous allions déposer son chèque. J'ai entendu Patti dire à mon père : « Il faut nous débarrasser d'elle ! » Je me suis blottie sous la banquette, derrière eux, mais mon père a tourné la tête vers moi et m'a dit : « Qu'est-ce que tu as entendu ? Tu as probablement tout entendu, alors reste là et tiens-toi tranquille. »

Newell jeta un coup d'œil à McLean. L'histoire était bizarre, mais sonnait vrai. Aucun des deux hommes n'avait besoin d'encourager Cinnamon, qui continuait son récit :

— Patti m'a répété une autre fois : « Moi, je te garantis que je les ai bien entendus dire qu'ils allaient tuer ton père... Tu ne connais pas Linda aussi bien que moi, c'est ma sœur ! »

David lui-même confirma à sa fille qu'il croyait que sa femme se préparait à l'assassiner :

— Ou nous nous débarrassons d'elle, ou je serai forcé de m'en aller !

Cinnamon en avait été atterrée :

— Pourquoi est-ce que tu nous quitterais ? Qu'est-ce que tu racontes ? Tu n'as qu'à divorcer !

Elle avait eu peu de stabilité dans sa jeune existence, où seul son père lui semblait solide et affectueux. L'idée qu'il risquait de la laisser lui paraissait plus menaçante que les histoires de meurtre de Patti. Il avait déjà divorcé quatre fois, raisonnait-elle. Une fois de plus ne ferait pas de différence.

Mais David avait objecté :

— Si je divorce, elle me tuera quand même... Je vais simplement tout vous laisser et repartir de zéro.

Cinnamon s'était effondrée :

— Je ne veux pas que tu me quittes, papa. Je ne veux pas que tu m'abandonnes !

Il avait renchéri :

— Il le faudra bien, ou alors nous devrons nous débarrasser de Linda.

Elle s'était inquiétée :

– Comment est-ce que je peux t'aider ? Tu veux que je lui parle pour toi ?

– Non, ne lui répète surtout jamais ce que nous t'avons raconté.

L'incroyable conversation s'était poursuivie pendant que la fourgonnette roulait vers Garden Grove. David suggéra de renvoyer simplement Linda, de lui proposer assez d'argent pour qu'elle accepte de partir. Mais Patti décréta à son tour qu'il était indispensable de lui régler son compte. Sceptique, Cinnamon demanda :

– Comment pensez-vous procéder ?

– J'y ai déjà réfléchi, nous pourrions peut-être lui flanquer un bon coup sur la tête, avança Patti.

– Avec quoi ?

– Avec quelque chose de dur.

– Ça la tuerait ?

– Je crois...

Là-dessus, le bon père de famille mit son grain de sel :

– Si on la frappe assez fort et au bon endroit, ça devrait la tuer.

Cinnamon ne pouvait toujours pas croire qu'ils parlaient de Linda, ni que Linda puisse constituer une menace pour quiconque. Tout cela lui faisait plutôt l'effet d'une vaste blague. Elle avait déjà fait remarquer aux policiers que sa famille formait une vraie bande de farceurs, et son père n'était jamais le dernier à inventer de mauvais tours. Mais Patti la questionna alors :

– Et toi ? Tu n'as pas d'idée ?

– Pour tuer quelqu'un ? J'ai vu au cinéma qu'il fallait flanquer un appareil électrique dans la baignoire, mais je ne sais pas si ça marche vraiment.

Patti avait ri et déploré que Linda ne prît que des douches. Cinnamon s'était détendue. Elle avait reculé dans l'encoignure de sa banquette et mis en marche sa radio, sans plus s'occuper des deux conspirateurs.

Newell lui demanda s'ils avaient reparlé du meurtre une fois à la maison. Elle répondit que non : ils avaient peur d'être entendus. Elle ne se rappelait pas combien de temps

David avait attendu avant de réaborder le sujet. Elle se souvenait simplement que c'était à nouveau dans la voiture, en retournant chez le chiropracteur.

— Qui y avait-il dans la voiture ? demanda Newell.

— Patti, mon père et moi. Mon père a sorti tout à trac : « Cinny, il faut agir immédiatement. Nous devons nous débarrasser de Linda le plus tôt possible, parce que je suis sûr qu'elle ne va plus tarder à me tuer. Nous ne pouvons plus attendre, il faut que ça se passe tout de suite ». Patti a dit : « Ouais, faut que ça se passe maintenant. » J'ai demandé : « Bon, mais comment est-ce que vous comptez vous y prendre ? » Alors, mon père m'a répondu : « Nous avons besoin de ton aide. »

Cinnamon ferma les yeux pour revivre ce trajet en voiture avec Patti et David, et répéter ce qu'ils lui avaient dit :

— Il me demande : « Est-ce que tu m'aimes, Cinnamon ? » Moi, je lui réponds par une pichenette sur la tête. « Bien sûr que je t'aime, idiot ! – Tu m'aimes comment ? – Je t'aime beaucoup, je t'aime plus que tout... » Il me demande : « Tu ferais n'importe quoi pour moi ? – Oui, je ferais n'importe quoi pour toi. – Je voudrais être sûr que tu m'aimes assez pour faire n'importe quoi pour moi. – Naturellement, ne sois pas ridicule. – Je te parle sérieusement. » Je réponds : « Moi aussi, je te parle sérieusement. » Ensuite, je me mets à pleurer en pensant qu'il va s'en aller. Je le supplie : « Je t'en prie, ne m'abandonne pas, ne pars pas ! » Immédiatement, il me dit : « Eh bien, alors, comment est-ce que tu vas m'aider ? »

Ils roulèrent un long moment en silence avant qu'elle se détende. Tout à coup, son père déclara :

— J'ai besoin de toi. J'ai besoin que tu m'aides à me débarrasser d'elle.

— Tu veux que ce soit moi qui la tue ? souffla Cinnamon.

— Je veux que tu m'aides, oui ; si tu penses avoir assez de cran pour ça, je veux que tu le fasses.

Cinnamon avait l'impression de marcher sous l'eau, au milieu d'un univers étranger. Sa propre voix lui semblait lointaine, chevrotante :

– Je n'ai pas le cran pour ça, tu me connais.

– C'est bien ce que je me disais, admit David. Et moi non plus...

Cinnamon regarda alors Patti et demanda :

– Et elle ?

– Nous en avons longuement discuté.

– Je ne sais même pas de quoi vous parlez, tous les deux, s'écria Cinnamon. Je ne comprends pas ce qui vous passe par le crâne !

Tout en l'observant dans le rétroviseur, David lui répondit très calmement, d'une voix grave, posée et résolue :

– Si tu m'aimais vraiment, tu me ferais confiance. Il faut seulement que tu m'écoutes. Je suis ton père, je sais ce qui est le mieux.

26

Fred McLean et Jay Newell écoutèrent Cinnamon Brown avec une fascination mêlée d'horreur. Ils sentaient à peine la chaleur qui s'était élevée dans la pièce. Si ce qu'elle prétendait se révélait exact, c'était la manipulation la plus machiavélique dont ils aient jamais entendu parler : une enfant de quatorze ans entraînée par son propre père à participer à un meurtre pour lui prouver son amour filial.

Encouragée par Newell, Cinnamon décrivit une deuxième scène au cours de laquelle ce terrible projet avait été évoqué. C'était un jour où toute la famille – y compris les grands-parents Arthur et Manuela – était allée à Riverside rendre visite à une parente qui venait d'accoucher. Linda, Manuela, Patti et David étaient entrés dans la clinique, laissant Cinnamon avec Krystal et leur grand-père.

– Comme le bébé et moi étions trop jeunes, nous devions rester dans le hall, alors grand-papa a voulu attendre avec nous, se souvint la jeune fille en fermant les yeux comme pour revivre cet épisode.

Arthur l'avait alors interrogée au sujet du complot de Linda et d'Alan contre David et lui avait demandé ce qu'elle en savait.

– J'ai répondu : « Je ne suis pas au courant. C'est à mon père de te parler de ça. »

Alors que Patti et David étaient revenus dans le hall, Linda et Manuela étant restées à admirer le nouveau-né, grand-père Brown avait remis le sujet sur le tapis.

– Mon père a répondu : « Souviens-toi, papa ; je t'ai déjà

expliqué en deux mots ce qui se passait avec Linda et la menace qu'elle a proférée au téléphone. »

Comme Arthur voulait en savoir davantage, Patti déclara d'un air pincé :

– Nous comptons nous en occuper ce soir.

Cinnamon écoutait en frémissant : s'agissait-il toujours d'une sorte de jeu ou parlaient-ils sérieusement ?

– Nous allons prendre l'autoroute, annonça Patti au grand-père. David roulera vite, mais sans excès de vitesse. Quand Linda sera montée, nous déverrouillerons la portière après avoir ôté l'ampoule qui éclaire l'intérieur quand on ouvre.

À ce moment, Linda et Manuela étaient revenues dans le hall et ils avaient pu tous repartir. Linda était souriante et Manuela ne semblait pas remarquer l'atmosphère tendue, jouait avec Krystal en balançant le fauteuil de bébé.

Cinnamon poursuivit à l'adresse de McLean et Newell :

– Quand nous avons rejoint l'autoroute et que j'ai attendu que Patti ouvre la portière et pousse sa sœur sur la chaussée comme elle l'avait projeté, je n'ai rien vu et je me suis dit : « Tant mieux, tant mieux, j'aime bien Linda et je n'ai pas du tout envie d'être mêlée à ça... »

Mais Patti s'était faufilée entre les sièges, le dos vers la banquette où Cinnamon était assise.

– Fais-le, toi, lui avait-elle chuchoté.

– T'es dingue ?

– Fais-le, avait-elle répété.

– Non.

– Pourquoi ?

– D'abord, je ne suis pas assez forte. Je ne le ferai sûrement pas...

Le père de Cinnamon s'était retourné.

– Il m'a regardée, dit-elle, et j'ai fait non de la tête.

– Que faisait votre grand-père ? demanda Newell.

– Je n'en suis pas sûre, mais je crois qu'il les écoutait parler.

– Vraiment ?

– Oui, et il disait à mon père : « Je ne pense pas que ce soit une bonne idée, David. Tu ferais mieux de t'abstenir. »

Ils avaient roulé vers l'ouest le long de la 91 et s'étaient arrêtés à un fast-food. Quand Patti et Cinnamon étaient revenues à la fourgonnette, la première avait pris la place de la seconde et insisté pour qu'elle exécute leur plan.

– Il faut que tu le fasses !

– Tu n'as pas à me donner d'ordres !

– Si tu aimais ton père, tu le ferais.

– J'aime mon père, mais je ne veux pas faire une chose pareille...

– Tu n'aimes pas vraiment ton père, parce que sinon tu n'hésiterais pas !

La constante répétition de ce qu'elle devait faire par amour commençait à tenailler Cinnamon. Soudain, elle se sentait coupable. Heureusement, son grand-père était sorti du restaurant et était venu s'asseoir à côté d'elle :

– Ton père a tort, murmura-t-il. Ce qu'il voudrait que tu fasses, ce serait mal. C'est un malade. Je te le dis maintenant, il est malade.

En fin de compte, il ne s'était rien passé de dramatique. Ils étaient rentrés paisiblement à Garden Grove, après ce qui n'avait été qu'une brève promenade sans incident. Linda ne se doutait pas qu'elle avait frôlé la mort. Elle portait Krystal puis l'avait déposée pour qu'elle dorme un peu, aussi tranquilles l'une que l'autre. Il ne lui restait pourtant qu'un mois à vivre.

Cinnamon raconta à Newell et à McLean que le sujet de l'assassinat de Linda revenait chaque fois qu'ils se retrouvaient tous les trois en voiture. À chaque reprise, la pression montait dans les voix de Patti et de David. Il avait rabâché sans trêve qu'il devait partir pour échapper à la mort, à moins que ce ne soit Linda qui meure.

Si c'était vrai, McLean et Newell se rendaient compte que Cinnamon avait dû être peu à peu accoutumée – en quelque sorte « mithridatisée » – au caractère inhumain de leur projet. Ce qui avait d'abord paru inconcevable était peu à peu devenu presque banal à force de lui être continuellement enfoncé dans le crâne par un manipulateur qui se trouvait être l'homme en lequel elle avait le plus confiance au monde.

Avait-elle subi une sorte de lavage de cerveau ? Si c'était le cas, il était évident que Cinnamon elle-même n'en avait pas conscience.

– Lorsque vous avez parlé de cela la fois suivante... voulut enchaîner Newell.

Mais sa question demeura longtemps en suspens avant que Cinnamon ne réponde. Elle était restée tellement muselée pendant les dernières années que ses mots avaient du mal à suivre le torrent de ses pensées :

– L'incident suivant que je me rappelle, c'est quand nous avons fait une excursion. Ça s'est surtout passé dans la fourgonnette. Mon père avait dit que nous irions nous entraîner au tir et aussi qu'il avait de l'argent caché là-haut.

– Où, là-haut ? demanda Newell.

– Quelque part dans la montagne, vers Riverside... Je crois qu'il comptait nous emmener faire une longue balade, il disait que nous aurions besoin d'emporter la trousse de premier secours et les fusils, et des provisions, des sodas et aussi la glacière portable. Il y avait un frigo dans la fourgonnette, alors je l'ai rempli de ravitaillement... Linda était emballée par cette sortie, mais disait qu'elle ne voulait pas emmener le bébé là-haut. Mon père a répliqué : « Nous te déposerons chez ta mère, ça te fera une occasion de voir ta famille. »

Cinnamon avait travaillé toute la journée, la veille de ce fameux départ, à tondre les pelouses, à faire le ménage en grand, à charrier le matériel jusqu'à la voiture, où David l'avait priée de charger un coffre très lourd qu'il avait tiré de sous son lit en commentant : « Emporte aussi tous les fusils d'ici. »

– Il y avait beaucoup d'armes, reprit Cinnamon. Des carabines et aussi des pistolets ou des revolvers... Je ne me

rappelle plus si nous avions aussi emporté l'arc et les flèches.

— Une arbalète ? demanda McLean, qui n'avait remarqué
ni arc ni flèches sur les lieux du crime, pas plus que sur les
listes de Morrissey.

Cinnamon secoua la tête. Elle ne se souvenait pas si elle
avait vu une arbalète au milieu de cet arsenal, mais il lui
revenait que son père avait insisté pour qu'elle n'oublie pas
les fusils à air comprimé pour elle et Patti.

Ils étaient partis vers la montagne, mais David n'était pas
passé comme prévu déposer Linda chez sa mère.

À ce point du récit, un claquement de la bande magnétique indiqua que la cassette était parvenue en bout de
course. Newell leva une main pour inviter Cinnamon à marquer une pause et lut à haute voix l'heure à sa montre :
12 h 21.

Après que Jay eut inséré une cassette vierge dans le
magnétophone, Cinnamon reprit :

— À ce moment-là, nous étions tout là-haut, dans la montagne, je ne sais où. J'ai rappelé à mon père que nous avions
les fusils à air comprimé, mais il m'a lancé : « Tu me tapes
sur les nerfs ! Assieds-toi, plutôt ; pose donc tes fesses ! »
Mon grand-père m'a consolée : « Ne t'en fais pas. Assieds-
toi. »

— Donc vos grands-parents étaient aussi de la partie ?

— Je ne me rappelle pas si grand-maman y était. Je ne
sais plus.

Newell et McLean échangèrent un regard amusé. En dépit
du caractère macabre de son sujet, Cinnamon manifestait
un indéniable talent de conteuse. Son récit du bourlinguage
de cette camionnette brinquebalante, bourrée de bric et de
Brown, ressemblait à une journée du voyage des *Enfants
du capitaine Grant*.

La nuit était déjà noire quand David avait enfin consenti
à cesser de rouler pour manger un morceau. Il se montrait
nerveux comme un chat par temps d'orage. Ils s'étaient
finalement arrêtés devant un restauroute.

234

Quand Cinnamon avait sauté du véhicule en déclarant qu'elle avait faim, il lui avait crié de « la boucler ».

— Je lui ai répliqué : « Voilà des heures que je suis assise là derrière sans piper, et tu commences à m'engueuler ? »

Linda s'était levée pour la laisser descendre en disant à David de laisser sa fille tranquille. La tension entre eux devenait presque palpable, mais David s'était incliné servilement.

Patti ne disait rien. Elle les observait.

Il se produisit ensuite quelque chose de très bizarre. Ils avaient commandé leurs plats et étaient aussitôt remontés dans la fourgonnette. Ils venaient de rouler depuis près de six heures et Cinnamon « s'en sentait encore toute chahutée », ce pourquoi elle supplia de rester au restaurant au moins le temps de s'asseoir et de manger tranquillement. Mais David refusa carrément.

Linda se montra aussi irritable :

— Je crois que nous devrions faire demi-tour, lança-t-elle. Je pense que nous ferions mieux de rentrer à la maison, il est tard...

David suggéra au contraire :

— Pourquoi est-ce que nous ne camperions pas ici, ce soir ?

— Parce que je veux rentrer à la maison tout de suite, insista Linda.

— Tu en es bien sûre ? On aura fait tout ce chemin pour des prunes ?

Linda éleva la voix :

— Je veux rentrer immédiatement chez moi !

Elle paraissait effrayée, voire pétrifiée, à l'idée de passer une froide nuit de mars en pleine montagne.

Alors David consentit à faire demi-tour et ils redescendirent, en tressautant et en cahotant sur la mauvaise route, dont Cinnamon n'avait pas gardé un bon souvenir :

— À chaque bosse du terrain, je me flanquais mon sandwich contre la figure et je commençais à râler que c'était trop bête : un voyage complètement gâché.

Elle n'avait pas saisi le but de cette excursion avortée, ni la nécessité d'emporter tous les fusils et les munitions uniquement pour monter acheter de la nourriture mexicaine avant de rentrer. McLean et Newell croyaient pour leur part mieux deviner la situation : avec tous ces projets, Linda était peut-être destinée à ne pas revenir de sa nuit de camping. David avait-il perdu son cran en cours de route ? Ou quelque chose lui avait-il mis des bâtons dans les roues ?

– Le lendemain, mon père m'a ordonné de tout décharger et de tout rentrer dans la maison, reprit Cinnamon, et j'ai dit : « Pourquoi est-ce que tu ne le fais pas faire par Patti ? C'est déjà moi qui me suis tout tapé au départ ! Tu n'as qu'à lui dire de s'en occuper... » Mais il m'a simplement ordonné de ne pas discuter.

Cinnamon avait obéi, ce dimanche 17 mars, jour de la Saint-Patrick. Elle trouvait idiot de tout déballer dans la soirée, alors qu'ils avaient prévu de retourner pique-niquer dans le désert dès le lendemain. Pourquoi ne pas laisser cet attirail dans la voiture ?

Seulement, le lendemain, il plut à verse.

Et, dans la nuit, Linda fut assassinée.

Cinnamon paraissait de plus en plus agitée. Elle devait se rendre à son travail pour sa compagnie aérienne, disait-elle. Elle se demandait si elle aurait des ennuis au cas où elle serait en retard. Newell lui assura que non. Mais il comprenait qu'ils en étaient arrivés au point le plus brûlant de ce long récit. À défaut d'avoir été faciles pour Cinnamon, les détails précédents étaient du moins restés supportables ; maintenant, il allait falloir en venir au soir fatidique de la mort de Linda.

Newell en avait assez appris sur Cinnamon Brown durant ces deux heures pour noter que plus elle était effrayée, plus elle s'animait. Elle souriait, à présent, mais il savait qu'elle avait peur.

Elle décrivit la journée du lundi 18 mars. Sa mère, sa tante et son arrière-grand-mère de l'Utah lui avaient rendu visite à Ocean Breeze. Elles avaient pris des photos et l'adolescente leur avait montré son nouveau chiot. Son père avait accepté de mauvaise grâce de saluer son ex-belle-famille.

— Il a fait un petit effort pour elles, parce qu'il m'avait crié après, et aussi contre le reste de la famille, expliqua Cinnamon, qui pour sa part avait bavardé plus longuement avec ses parentes. Je suis rentrée à la maison un peu plus tard. Mon père m'a demandé : « Tu ne leur as rien dit, au moins ? » J'ai répondu que non, alors il a ajouté : « Tant mieux, car ce sera sans doute ce soir que Linda sera tuée. »

Cinnamon précisa que son père avait appelé Manuela et Arthur vers 18 heures, et les avait invités à dîner et à faire une partie de cartes.

— Pendant ce temps-là, Linda préparait le repas. Je ne me rappelle plus ce que c'était au juste, mais il s'agissait d'un grand plat qui réclamait une longue préparation. Moi, je ne faisais qu'entrer et sortir, je râpais le fromage et je faisais un tas d'autres trucs. Ma grand-mère donnait aussi plus ou moins un coup de main. Linda n'aimait pas l'avoir dans la cuisine, parce qu'elle, vous savez, elle voulait toujours tout commander.

Newell et McLean laissaient Cinnamon poursuivre à sa façon, à son rythme.

— Et puis après, quand nous avons joué, mon grand-père m'a enguirlandée parce que je me fichais de lui, que je lui refilais tout un paquet de cartes dont il n'avait pas besoin. Alors, il m'a crié après... Et moi, j'ai ri... Il a hurlé qu'il ne voulait plus rester assis à côté de moi et c'est seulement là que j'ai vu qu'il était sérieux. Et ça m'a fait de la peine, ce n'était pas dans ses habitudes.

C'était le joyeux compte rendu d'une heureuse soirée familiale, ou, du moins, cela aurait pu le paraître si Newell et McLean n'avaient pas connu la suite. Cinnamon disait qu'elle était à la fois à la cuisine et au jeu, et qu'on l'appelait de tous les côtés.

— J'ai fini par être jetée dehors.

— Au sens propre ? s'étonna Newell.

— Je veux dire que j'ai perdu, vous pigez ? Ils m'avaient vraiment eue...

Elle admit qu'elle s'était ensuite insurgée quand Linda lui avait ordonné :

— Va plutôt laver la vaisselle, au lieu de faire une scène devant grand-papa et grand-maman.

Il y avait eu une petite dispute entre Linda et Manuela à propos de vidéos. Finalement, la première avait mis Krystal dans les bras de la seconde, en annonçant qu'elle allait prendre une douche. Manuela avait endormi le bébé en le berçant et en fredonnant. Et puis les grands-parents Brown étaient partis.

Cinnamon laissa échapper un long soupir.

— Il ne restait plus que Patti et mon père, dans le living... Lui, il répétait : « On doit le faire, il faut le faire ». J'ai demandé : « Et alors, qui d'après toi va "le faire" ? » Et il ma répondu : « Toi ! Si tu m'aimes, tu le feras ; si tu m'aimes vraiment, tu le feras. Sans ça, ça ira trop mal ; d'un moment à l'autre, elle peut me tuer. »

Désespérée, l'adolescente avait biaisé :

— C'est tellement urgent ?

— Oui, Cinny. Sinon, elle me tuera ! Est-ce que tu veux qu'elle me tue ? Ou tu veux la tuer, elle ?

— Je ne crois pas que j'en aurai la force.

Patti la regarda et lança :

— Tu n'arrêtes pas de pleurnicher, c'est tout ce que tu sais faire ! Bon, alors, on en reparlera plus tard. En attendant, j'ai autre chose en tête.

Linda était sous la douche et n'avait rien entendu de cette conversation. Environ dix minutes après, elle dit à Cinnamon dans le vestibule :

— Va donc te coucher : il est tard !

— Bon, je m'en vais au lit tout de suite...

— D'accord, je te fais confiance.

Linda et David avaient alors disparu ensemble vers leur chambre. Cinnamon avait pensé que les choses finiraient peut-être par s'arranger, en priant le ciel de ne pas se tromper.

Patti s'était endormie par terre et Cinnamon s'était assise sur le canapé du living. Elle s'était aussi assoupie, rassérénée par la pensée que les conjurés allaient en faire autant.

Elle se réveilla en sursaut au son d'une chanson provenant de la télévision. Elle secoua Patti et lui suggéra de rejoindre sa chambre.

– Là-dessus, mon père a ouvert la porte, poursuivit-elle. Il a jeté : « Debout, les filles ! Debout, il faut y aller, maintenant. »

Patti se releva d'un bond, comme si elle s'attendait à cet ordre.

– Quelques jours plus tôt, mon père m'avait dit de préparer un mot. Alors, j'ai fini par écrire : « Mon Dieu, je vous en supplie, pardonnez-moi. Je ne voulais pas lui faire de mal. »

– Oh oh ! grogna Newell.

Le flot des aveux de Cinnamon s'accélérait à mesure que son histoire devenait plus incroyable. Mais les deux hommes savaient qu'elle était vraie, car le moindre détail concordait avec les faits. À leur requête, elle décrivit plus précisément le billet qu'elle avait rédigé :

– Mon père m'a dit d'aller le cacher dans la caravane, et j'y ai mis ma petite touche personnelle en l'entourant d'un ruban...

Patti s'était montrée autoritaire et insupportable toute la soirée, souligna Cinnamon.

– Je ne l'aime pas du tout. Après nous avoir appelées, mon père m'a ordonné de le suivre. Alors, je suis allée avec eux et j'étais là, à la porte de la grande chambre. Linda dormait et j'entendais... cette petite radio pour bébés qui permettait d'entendre Krystal depuis sa chambre... Linda avait monté le son au maximum et j'entendais respirer ma sœur...

Cinnamon avait demandé à Patti pourquoi Linda avait réglé l'appareil à plein volume et Patti avait expliqué que Krystal était enrhumée et que Linda voulait être sûre qu'elle n'étouffait pas.

– Mon père avait apporté des flacons de comprimés. Il

m'a emmenée à la cuisine, m'a dit de me servir un verre d'eau et puis : « Tiens, prends ça... – Pourquoi ? – Je veux qu'on croie que tu as tenté de te suicider, au cas où ça ne marcherait pas ce soir. – J'aurai l'air d'avoir voulu me tuer ? – Oui, mais ça va marcher, ça va marcher, ne t'en fais pas. J'ai dans l'idée que Patti va faire ce qu'il faut ce soir. – Est-ce que ces cachets vont me faire mal ? »

Désormais, Cinnamon avait peur. Elle pressentait que les comprimés allaient la rendre malade. Mais elle avait obéi à son père et les avait avalés. Il avait débranché le système d'alarme, puis lui avait commandé de sortir.

– Alors, je suis montée dans la caravane. J'ai pris la feuille... Il m'a demandé : « Est-ce que tu avais écrit d'autres papiers, avant cette note-ci, des brouillons pour que ce soit mieux ou pour corriger un gribouillage ou quelque chose de ce genre ? » J'ai dit : « Oui... ils sont dans la corbeille à papiers ». Il m'a dit : « Va les chercher et brûle-les. » Alors je l'ai fait. J'ai allumé le feu dans la petite corbeille en tôle, pleine de petits bouts de papier qui ont fait des étincelles et qu'ensuite je suis allée vider dans l'allée... J'ai attendu que ça refroidisse et j'ai tout mis dans un sac en plastique pour le déposer dans le coin des poubelles.

Son père avait alors paru satisfait et lui avait enjoint d'aller se réfugier dans la plus grande des niches, en emportant le petit mot annonçant son suicide.

David Brown n'avait pas fait d'adieux.

Cinnamon, en proie à la nausée, avait murmuré qu'elle ne voulait pas savoir ce qui allait se passer, « parce que j'aime beaucoup Linda ».

Elle avait entendu la portière de la voiture s'ouvrir, puis claquer et, en glissant un coup d'œil, elle avait vu son père démarrer et s'éloigner...

– Je me suis demandé s'ils avaient fait quelque chose et s'ils allaient m'abandonner là... J'ai entendu un bruit, comme... Sur le moment, je n'étais pas sûre que c'était un coup de feu... Je savais que ça venait de la maison, ou de tout près... Alors je suis entrée dans la niche, où je me suis roulée en boule. Je tremblais quand j'ai entendu deux autres détonations sèches qui claquaient. Elles s'étaient succédé rapidement. Et j'ai commencé à être malade, à vomir, et je n'ai plus rien entendu.

Sans commentaire, Newell exhiba des photos du jardin situé derrière la maison d'Ocean Breeze pour que Cinnamon lui indique où elle se trouvait quand elle avait entendu le premier coup de feu. Elle mit le doigt sur un point voisin du garage. Elle ne se souvenait plus de rien jusqu'à bien plus tard, quand elle avait entendu la voix de son père, tout proche, qui lui chuchotait : « Si on te le demande, dis que tu as fait le coup, d'accord ? Tu n'auras pas d'ennuis. Si on te le demande, tu diras que c'est toi qui as fait ça. »

Il avait annoncé que Patti venait de tirer sur Linda, mais en insistant pour que Cinnamon raconte que c'était elle :

– Et il a ajouté : « Si tu m'aimes, tu le feras. » J'ai dit : « Oui, je t'aime, je t'aime, je le ferai, oui. » Je me rappelle que je parlais très lentement, comme dans un cauchemar et qu'il a dû partir ensuite, parce que je n'ai plus entendu sa voix... Plus tard, des hommes sont venus me chercher. Je ne me rappelle pas de quoi ils avaient l'air ni les questions qu'ils posaient, je m'étais trouvée mal.

Cinnamon se souvint d'être finalement arrivée à l'hôpital. Sa mère avait été la première à venir la voir. Puis son père avait suivi et lui avait répété qu'elle devait affirmer que c'était elle qui avait tiré : « Ne cherche pas d'explications compliquées, tu t'embrouillerais. »

– Moi, j'avais tout préparé dans ma tête pour raconter que c'était moi qui avais tiré.

– Pourquoi donc ? questionna Newell.

– Pour protéger ceux qui l'avaient fait : mon père et Patti.

– Que comptiez-vous raconter à la police pour l'expliquer ?

– Je n'y avais pas vraiment pensé. Ce que j'ai dit à la police n'est pas très clair, même pour moi... Je me souviens d'avoir entendu l'enregistrement au procès, mais pas d'avoir parlé aux policiers. Je devais être dans le brouillard...

Cinnamon ne semblait pas se rendre compte que Fred McLean – assis en face d'elle – était précisément celui qui l'avait extraite de la niche, que c'était à lui qu'elle s'adressait dans l'enregistrement. Il ne le releva pas et ne fit rien pour qu'elle comprenne qu'ils s'étaient déjà vus. Il intervint seulement pour remarquer :

– À un moment, vous avez prétendu que vous ne vous souveniez plus de ce qui s'était passé. Qu'est-ce qui vous a fait changer d'avis ?

– Mon père m'embrouillait les idées... Il est venu et m'a dit : « Tu n'as qu'à leur dire que tu ne te souviens de rien. Dis-leur que tu ne te rappelles rien du tout. »

Newell sondait Cinnamon avec précaution, pour découvrir qui exactement avait eu l'idée de lui faire feindre l'amnésie.

– Mon père disait que mon avocat, M. Forgette, trouvait que ce ne serait pas une bonne idée pour moi que ça me revienne.

– OK, approuva Newell avec désinvolture, tout en sachant que ce n'était pas le style de l'avocat.

– Mon père me répétait : « Dis-leur que tu as tout oublié. Ça marchera à cause des médicaments. Dis-leur que tu ne te rappelles rien, parce que, si tu parles, tu finiras par dire quelque chose qui nous mettra tous dans le pétrin. » Au cours du procès, M. Forgette m'a dit : « Si votre père a tiré ou si Patti est mêlée à l'affaire, dites-le-moi maintenant. Si vous avez peur de votre père, nous vous protégerons... » Mais moi, je pensais que je ne pouvais pas faire ça. Et j'ai répondu : « Non, non, ils n'ont rien à voir là-dedans. » Et il a répondu : « D'accord. Vous ne vous rappelez vraiment rien ? » J'ai dit non et nous sommes retournés dans la salle d'audience.

Ainsi, en refusant de trahir son père ou Patti Bailey, Cinnamon avait lié les mains à son avocat. Si c'était réellement la vérité qu'elle narrait maintenant à Newell et McLean, son histoire était plus qu'abominable.

– Bien, reprit Newell. Ici, à Ventura, avez-vous participé

à des thérapies de groupe ou à quoi que ce soit qui vous ait permis d'en parler ?

Cinnamon répondit que non. Elle avait joué l'amnésique même auprès des psychiatres, jusqu'à ce que quelque chose l'ait poussée à avouer la vérité.

– Qu'est-ce qui s'est passé ? interrogea Newell. Qu'est-ce qui vous a fait changer d'idée ?

– Eh bien, l'an dernier, mes grands-parents m'ont raconté les nouvelles de la maison. Le bébé de Linda a été très négligé. Mon père m'a caché que Patti était enceinte.

Cinnamon dit qu'elle ne savait pas grand-chose du bébé de Patti, pas même son âge.

– Tout ce que j'ai appris, c'est que c'est une petite fille et qu'elle s'appelle Heather.

– Qui vous a révélé son prénom ?

– Mon père, en me racontant que Patti était enceinte d'un garçon qui habitait notre rue. Moi, je sais bien que mon père est très possessif et qu'il n'était même pas question qu'il la laisse sortir seule...

David contestait qu'il était le père de l'enfant, mais le grand-père Arthur soutenait le contraire.

– Il m'a dit : « Tu sais qu'il ne quitte pas cette fille des yeux. N'écoute pas ce qu'il invente, il ne cesse de te mentir... »

Cinnamon ne croyait plus que son père était aussi malade qu'il le prétendait. Il n'était jamais là quand elle téléphonait et Arthur lui avait rapporté que Patti et lui sortaient ensemble.

– Je n'ai même pas son adresse, constata Cinnamon. Je dois lui écrire à sa boîte postale... Il ne veut pas me dire où il habite, parce qu'il a peur que le district attorney l'apprenne.

Quand elle lui avait fait observer que le DA connaissait déjà son domicile, David s'était inquiété :

– Tu crois qu'ils nous surveillent ?

– Je ne sais pas, mais si j'étais toi, je ferais gaffe.

Elle commenta :

– Il se conduit d'une façon bizarre. Il ne veut pas monter jusqu'ici, ce qui fait que je ne le vois presque plus.

– Si je comprends bien, vous nous dites que, si vous racontez maintenant ce que vous vous rappelez, c'est parce que Patti et lui ont eu un bébé ?

Cinnamon baissa les yeux et secoua la tête avant de regarder Newell :

– À vrai dire, je sens que je me suis fait manipuler quand j'étais plus jeune et je viens de commencer à affronter la vérité. J'ai tenu un journal, ici, sur l'incident, sur ce qui s'est passé. Mon père me rabâchait à tout bout de champ que, si je l'aimais, je ferais ci ou ça, alors que, dans le fond, je pensais que ce n'était pas bien. Maintenant, je sais que c'est mal et je ne crois pas que je devrais assumer toute seule la responsabilité de ce qui est arrivé.

Cinnamon avait longtemps ignoré de nombreux aspects de l'affaire. Par exemple, elle avait appris pendant une réunion de sa commission de liberté conditionnelle que Linda avait été assurée sur la vie pour un million de dollars. La jeune fille en avait été choquée.

– J'ai demandé à mon père ce qu'il en était et il m'a garanti qu'il n'avait touché aucune assurance à la mort de Linda. Et puis je viens tout juste d'apprendre qu'en fait il a encaissé de l'argent...

Cinnamon reconnut espérer que sa rétractation contribuerait à la faire sortir de prison, tout en sachant qu'il ne lui suffirait pas de parler pour amadouer la commission. Elle n'aurait pu gagner sa liberté qu'à l'issue d'un nouveau procès, alors qu'elle n'avait guère d'espoir de révision. Elle avait déjà dix-huit ans, et tout ce qu'elle avait jamais eu s'était lentement et méthodiquement désintégré. Elle paraissait plutôt lasse de porter seule depuis si longtemps un tel fardeau.

Fred McLean et Jay Newell quittèrent Cinnamon après l'avoir écoutée pendant près de trois heures. Ils ne s'étaient engagés à rien vis-à-vis d'elle, promettant simplement qu'ils lui donneraient bientôt des nouvelles... Il leur faudrait auparavant consulter le DA pour établir s'il existait un précédent juridique qui permettrait de relancer l'affaire.

Ils n'échangèrent pas un mot avant de déboucher sur la bretelle de l'autoroute qui les reconduisait à Orange. D'une certaine façon, ils se sentaient tous deux assommés par l'histoire de Cinnamon.

– Qu'est-ce que vous en pensez ? finit par hasarder McLean.

– Je ne sais pas. C'est fou. Si elle dit la vérité...

– Vous croyez qu'elle ment ?

– En partie, mais peut-être pas sur tout. Elle en dit au moins assez, car ce qu'elle nous raconte colle presque parfaitement aux faits. Elle décrit par exemple très fidèlement la succession des coups de feu. Alors, la question reste de savoir si elle aurait pu les entendre de l'extérieur.

McLean esquissa un geste vague en songeant au jardin obscur, à l'adolescente tapie dans la niche, et opina :

– Peut-être que oui, peut-être que non...

– Elle prétend aussi que son père est parti avant les détonations. Il se peut qu'elle cherche encore à le protéger et à tout rejeter sur Patti, qu'elle n'a pas l'air d'aimer, suggéra Newell.

– Exact.

– C'est drôle, il me tourne dans la tête une image de Cinnamon complètement abrutie par ses comprimés pendant que Patti lui tient pratiquement le doigt sur la détente. Mais je ne sais toujours pas si Cinnamon était à l'intérieur ou à l'extérieur de la maison.

Ils roulèrent un moment en silence, chacun plongé dans ses pensées, se remémorant tout ce qu'elle avait dit.

Quand ils quittèrent l'autoroute, Newell proposa :

– Il faut que nous consultions Robinson pour voir où nous mettons les pieds, à supposer que nous allions où que ce soit.

Le lendemain matin, Newell et McLean allèrent voir Jeoff Robinson à son bureau. Les deux enquêteurs expliquèrent qu'ils avaient obtenu un premier aperçu des véritables circonstances du meurtre de Linda Brown. Robinson partagea leur excitation, mais les mit en garde :

– Il ne suffit pas d'entendre ça de la bouche de Cinnamon. Nous savons que sa parole serait trop facile à mettre en doute devant un jury. Il faut le faire avouer par David Arnold Brown lui-même..

Mais tous trois savaient que cela relevait de la pure utopie : un pareil suspect n'accepterait jamais de leur parler. Le seul moyen d'obtenir confirmation du récit de Cinnamon par la bouche de son père, ce serait d'équiper la jeune fille d'un appareil d'écoute. Et, si jamais ils obtenaient une ordonnance du tribunal les autorisant à l'équiper d'un micro clandestin, serait-elle assez forte pour jouer le jeu ?

– Elle est intelligente et elle a l'esprit vif, résuma Newell. Mais je ne sais pas si elle aura le cran d'essayer de faire dire la vérité à un paternel qui lui flanque une telle frousse...

– Essayons toujours, proposa Robinson, nous verrons bien !

Sylvester Carraway, le directeur de l'école Ventura, et Carlos Rodriguez, le préposé à la surveillance de Cinnamon, consentirent à les aider. Si la jeune fille se déclarait d'accord pour porter un émetteur lors d'une visite de son père, ils feraient leur possible pour la soutenir et faciliter les choses aux hommes du DA qui resteraient à l'écoute.

Et Cinnamon accepta.

Le plus difficile resterait de faire venir son père. Le prochain jour de visites autorisées étant le surlendemain, le samedi 13 août, Newell suggéra à Cinnamon de téléphoner à David pour lui dire qu'elle avait besoin de lui parler de quelque chose d'important et d'urgent. Il espérait que ça marcherait, supposant que l'homme vivait dans l'angoisse et était sujet aux crises de panique.

En fait, David demeura prudent quand Cinnamon l'appela et se montra irrité qu'elle refuse de lui dire par téléphone ce qui la tracassait. Mais il finit par promettre de monter la voir ce samedi-là, non sans réitérer ses jérémiades coutumières à propos de sa santé fragile.

Le vendredi 12, Jeoff Robinson s'assura lui-même que le personnel de Ventura était prêt à toute éventualité. Tout devait être soigneusement orchestré pour éviter une bavure. Carraway, le directeur, avait réservé une petite pièce face au parloir en plein air, afin que Newell et Robinson puissent entendre la conversation entre Cinnamon et son père, s'assurer que l'enregistrement était audible et prendre des photos de la rencontre. À condition que Cinnamon parvienne à entraîner David à l'emplacement prévu, ils ne seraient qu'à huit mètres de distance. Avant l'heure des visites, elle serait conduite dans un bureau pour se faire équiper de l'appareil. Armando Favila, l'assistant du chef de la sécurité du Centre de protection de la jeunesse, resterait à proximité, de manière à pouvoir porter des messages à Cinnamon au cas où Newell aurait des instructions à lui donner. Aucun des deux hommes du DA d'Orange ne pouvait courir le risque d'être reconnu.

– Je faisais office d'assistant technique, se souviendrait plus tard Robinson. Mon unique mission consistait à fournir les piles nécessaires à l'émetteur. Et même ça, j'ai réussi à le rater, puisque les piles que j'avais apportées étaient trop courtes d'un bon centimètre. Nous avons connu une ultime panique jusqu'à ce que notre ingénieur du son, Greg Gullen, du bureau du DA, m'ait conseillé d'utiliser du papier alu enlevé à des paquets de chewing-gums pour caler les piles avec ces tampons conducteurs. L'incroyable, c'est que ce truc a marché.

Newell donnait simultanément à Cinnamon des consignes très élémentaires :

– Parlez d'une voix forte. Évoquez le soir du crime et répétez à votre père que vous tenez à connaître la vérité. Si l'émetteur tombe en panne, nous enverrons Armando vous avertir que vous avez fini pour la journée. D'accord ?

Pâle mais résolue, elle acquiesça. Ils étaient prêts.

27

L'après-midi du samedi 13 août 1988, Cinnamon Brown portait un jean et un ample sweat-shirt bleu pâle. Rien ne trahissait l'équipement dont elle était munie. Elle se hâta de se rendre dans la zone des visites, tellement absorbée par son rôle qu'un gardien dut la héler afin qu'elle lui montre le laissez-passer indispensable pour aller d'un secteur à un autre.

Elle aperçut aussitôt son père. Lui aussi était en jean, avec une chemise de sport grise à fines rayures rouge et bleu dont la poche était gonflée par un paquet de cigarettes. Elle se composa un visage souriant et vint à sa rencontre :

– Salut !

– Quoi ! Pas de « je t'aime, papa » ?

C'était bien son père, cette façon de jouer avec les mots pour la placer d'emblée en déséquilibre.

– Je t'aime, papa, répéta-t-elle docilement.

Ils bavardèrent de la pluie et du beau temps pendant qu'elle l'entraînait vers un coin du parloir en plein air, un peu ombragé, parce qu'il avait horreur du soleil. Ils n'y étaient pas encore arrivés quand David demanda :

– Qu'est-ce que tu as à me dire ?

– C'est à propos de ma confusion mentale... Je me suis fait pas mal de souci, ces derniers temps et j'ai besoin de t'en parler, je me sens un peu perdue...

Au lieu de répondre, David murmura quelques mots qui firent battre simultanément la chamade aux cœurs de Cinnamon et de Newell, dissimulé à proximité.

– Vois-tu, chuchotait David, personne ne se doute que j'ai des fils scotchés au corps.

Tétanisée, Cinnamon fit un effort pour articuler :

– Pourquoi donc ?

– Pour mon dos : j'ai ces satanés trucs sur toute la peau...

Bien sûr : il portait de ces petits plots électriques que le médecin lui prescrivait, censés calmer ses douleurs. Soulagée, Cinnamon rit :

– Moi aussi, je suis équipée comme une antenne de radio.

Son père rit, croyant qu'elle plaisantait. Il ne savait donc rien... Elle reprit :

– Depuis deux mois, j'ai beaucoup réfléchi, mais je n'en ai rien dit à personne. Qu'est-ce que je vais devenir ici, papa ? Je ne sais plus où j'en suis et ça me fait mal. En partie parce que mon copain Ronny a été remis en liberté surveillée, en partie parce que je suis enfermée là depuis trop longtemps.

David posa avec précaution sa silhouette massive dans l'herbe et hocha la tête d'un air sentencieux :

– C'est bien ce que je pensais qui te tracassait. Je sais ce que c'est que d'aimer quelqu'un et d'en être séparé. Tu en es le meilleur exemple.

– Oui, mais je me sens vraiment paumée.

– Qu'est-ce qui te met dans cet état ?

La voix de l'homme parvenait claire et forte aux oreilles de Newell et de Robinson, blottis derrière leur poste d'observation.

– Je repense à des tas de choses qui me passent par la tête devant leur commission de mise en liberté conditionnelle. Eux n'arrêtent pas de me répéter tout le temps la même rengaine.

– Quoi donc ?

– Qu'ils vont me garder ici jusqu'en 1992 ou 1995. Ils ne cessent de m'ajouter des années, papa.

– Je ne vois pas pourquoi. Tu travailles bien, tu as fini tes études secondaires avec succès, je sais que tu n'embêtes personne... Alors, où est le problème ?

– Le meurtre.

Il avait l'air d'avoir complètement oublié pourquoi elle était là. Elle changea de ton :

— Pourquoi m'as-tu dit que je ne resterais là que pour un petit bout de temps et qu'ensuite ils allaient me laisser rentrer à la maison ?

— Parce que c'était ce que je croyais. Apparemment, je me suis trompé.

— Tu m'as menti...

— Non, je ne t'ai pas menti. Je te jure devant Dieu que j'en étais convaincu à l'époque. Si tu as bonne mémoire, Cinny, je t'ai demandé de ne pas... Je t'ai dit exactement que je souffrais tellement que j'aurais voulu mourir. Tout mon corps se désagrège, mes nerfs sont fichus. Je suis incapable de réfléchir, je ne peux plus m'occuper de mes affaires...

Cinnamon ne se laissa nullement impressionner. Toute sa vie, elle avait entendu son père simuler des états désespérés. Il avait crié au loup une fois de trop. Elle ne le croyait plus. Elle poursuivit de sa voix douce et haut perchée de petite fille :

— À quoi ça rimait ?

Comme il ne répondait pas, elle insista :

— Tout ça m'embrouille complètement, parce que je dois mentir ; je mens tout le temps, au point que je ne me rappelle jamais le mensonge d'avant. Et je leur débite un nouveau mensonge et ils me répètent : « Vous mentez encore. »

— C'est pour t'emberlificoter. Moi, je sais seulement que Patti a dit que toute l'idée venait d'Alan... Bon, tu sais bien que Linda se droguait...

— À quoi ?

— De la cocaïne et un autre truc, mais elle était salement accro...

David prétendit que le jumeau de Linda, Alan, ne lui laissait pas le moindre répit.

— J'ai même dégoté une nouvelle maison, reprit-il, où je suis censé m'installer, mais je ne vais pas encore assez bien pour y emménager, et Alan sait déjà où c'est.

— Où est-ce que vous habitez donc, tous, en ce moment ?

250

— À Orange, et nous allons partir pour Anaheim...
N'importe comment, à ce que dit Patti, Linda et Alan étaient
en cheville avec une bande avec laquelle Alan vendait de
la came... Je ne sais pas si Linda leur devait de l'argent ou
quoi, mais ils avaient décidé de s'emparer de notre entreprise. Ils ont séquestré leur frère Larry pendant quinze jours.
C'est ce que m'a dit la police de San Bernardino, qu'on
l'avait découvert comme ça, dans une baraque, ligoté sur
une chaise, et qu'il y avait au sous-sol des tonnes de drogue.
De la cocaïne, du crack et toutes sortes de stupéfiants. Ils
en ont trouvé à la fois sur Linda et dans son corps. Apparemment, elle était complètement toxico et je n'avais pas
eu le moindre soupçon...

Newell et Robinson échangèrent un regard goguenard.
David y allait un peu fort.

— Je ne me doutais pas qu'elle se droguait, murmura Cinnamon.

— C'était pourtant dans le rapport d'autopsie... Bref, ces
gens avaient reçu l'ordre de m'éliminer pour que Linda
hérite de Data Recovery et dirige l'affaire avec Alan sous
le contrôle de leur gang ou de je ne sais qui. Ces truands
cherchent toujours à avoir Larry ou Alan pour me régler
mon compte. Tant que je suis vivant, le gouvernement
s'adresse à moi, parce que j'ai travaillé pour le Pentagone,
parce que c'est moi qui ai découvert ce qui a fait exploser
la navette Challenger et tué son équipage. Des trucs vitaux
pour notre pays ! J'ai sauvé tout ça depuis que tu es ici,
mais la Mafia veut tout diriger, elle veut s'emparer de mon
procédé...

Newell écoutait en levant les yeux au ciel. Il était facile
d'imaginer qu'un homme concoctant de pareilles fables soit
capable de maintenir sous influence une gamine de quatorze
ans. Seulement, sa fille en avait désormais dix-huit et n'était
plus une enfant. Ce qui n'empêchait pas la voix grave de
David Brown de poursuivre :

— La Mafia leur avait promis de l'argent, à elle et à Alan,
s'ils se débarrassaient de moi. Ils voulaient ma peau : tant

que je restais en vie, personne d'autre n'était capable de contrôler ma société...

— Mais quel était le but réel de tout ça ? coupa Cinnamon. Quel en était le véritable mobile ?

— C'était justement ça, la véritable raison...

Il se remit à décrire le complot de Linda et d'Alan contre lui et la décision de Patti de le sauver, mais il ne prononçait jamais les mots de « tuer Linda ».

— Alors, qu'est-ce que je peux raconter à la commission, moi ?

En un clin d'œil, David fit marche arrière.

— Tu n'as qu'à leur dire la vérité, que Linda voulait te chasser de la maison, souviens-toi.

— Linda ne voulait pas me chasser. Il n'y avait pas de place pour moi dans la maison, c'est tout.

Patiemment, son père entreprit de détailler à Cinnamon le scénario qu'il voulait lui faire répéter :

— Elle a d'abord voulu que tu déguerpisses pour t'installer dehors. Et finalement, elle n'a plus voulu de toi, même dans la caravane.

— Linda n'a jamais dit qu'elle ne voulait plus de moi.

— Je te jure bien que si. Et elle s'est arrangée pour que je le sache. Elle voulait te renvoyer chez ta mère, mais ta mère non plus ne voulait pas de toi...

Cinnamon secoua la tête et rappela à son père qu'elle s'était installée dans la caravane de son propre chef, parce qu'elle ne voulait plus partager la chambre de Patti. Alors, contre toute attente, David changea brusquement de tactique :

— Patti dit que si les choses tournent au pire, elle va avouer le crime, mais qu'il faudra que vous fassiez coller vos histoires, toutes les deux, pour qu'elle prenne ta place.

— Pourquoi est-ce que tu ne peux pas simplement dire la vérité ?

Elle avait presque crié. Il prit le temps de réfléchir :

— Je vais t'expliquer pourquoi... Parce que... Tu peux dire la vérité à la commission si... si tu ne dis pas *toute* la vérité, d'accord ? Parce que, si tu leur apprends que tout le monde savait à l'avance ce qui allait se passer, alors nous irions tous en prison, grand-père et grand-mère compris. Ce qui n'aurait pas de sens ; ce n'est pas nous qui avons fait quelque chose de mal.

– Moi non plus, je n'ai rien fait de mal.

La constatation était amère. Mais Newell et Robinson en retenaient plutôt que tous les suspects du meurtre de Linda Brown venaient d'être successivement innocentés par les déclarations de David, à la notable exception d'Alan et de Larry Bailey, dont la culpabilité n'avait à aucun moment pu être sérieusement envisagée. Dans le même temps, David enchaînait par des propos obscurs :

– Je t'ai demandé de ne pas faire ça, parce qu'on ne m'avait pas appris quelles répercussions cela pourrait avoir...

– Et Patti, alors ? Qu'est-ce qu'elle pense de tout ça ? Elle n'a pas de remords ? Elle n'est pas bouleversée ?

– Si. Ça la mine.

– Elle ne me donne pas de nouvelles pour autant !

Il jura que, au contraire, Patti écrivait souvent. Et il lui soumit de nouveau l'idée d'un échange entre elles.

– Elle pourrait assumer l'entière responsabilité du meurtre, elle n'a personne dans sa vie. À part Heather. Toi, tu n'aurais qu'à t'en tenir à tes premières déclarations : tu n'étais au courant de rien.

Bon Dieu, se demandèrent Newell et Robinson, quelle espèce de diable était cet homme, qui envisageait avec une facilité déconcertante de sacrifier Patti, sous prétexte que nul au monde, excepté sa fille, ne tenait à elle ?

Il jurait maintenant à Cinnamon que Patti ne vivait plus avec lui, mais qu'elle l'avait accompagné jusqu'au centre de détention (elle se trouvait à ce moment dans la fourgonnette), car il avait besoin de quelqu'un pour lui administrer ses médicaments.

– Elle n'est plus aussi braque qu'avant, assura-t-il. Elle a beaucoup mûri, tu sais, Cinny. Ce qui s'est passé la bouleverse. Pas à cause de Linda, non, mais à cause de ce qu'il t'est arrivé.

— C'est seulement à présent qu'elle est bouleversée ?

— Non, ça la travaille depuis que c'est arrivé. Elle sait qu'à ta place je ne tiendrais pas une semaine sans trouver le moyen de me tuer. Elle sait que tu dois éprouver quelque chose comme ça.

— Je me sens idiote ! Parce que j'étais si jeune, que je t'aimais tellement ! Et que j'ai été assez naïve pour faire ça...

Newell eut un haut-le-corps. De quoi parlait-elle avec tant de rancœur ? D'avoir fait quoi ?

— Grand-papa l'aurait fait, si tu n'avais pas voulu, enchaîna David.

Cinnamon secouait la tête.

— Grand-papa aimait bien Linda ; jamais il n'aurait fait une chose pareille !

— Tu ne connais pas aussi bien ton grand-père que tu le crois.

— Je ne connais personne aussi bien que je le croyais.

— Patti est prête à prendre ta place.

— Elle ne peut pas.

— Si, si elle avoue. Jusqu'ici, il n'y a jamais eu d'aveux. La seule confession qu'ils aient obtenue est celle que tu as faite sous sédatifs à l'hôpital.

Il était évident que David réfléchissait à toute allure. Les hommes du DA le voyaient se pencher vers Cinnamon en gesticulant. Il était en train de lui expliquer qu'il serait facile de la faire sortir en échange de Patti. C'était Cinnamon qu'il aimait vraiment, l'enfant dont il avait été fier. Patti ne comptait pas, d'ailleurs elle était sur le point de s'en aller.

— Je croyais t'avoir entendu dire qu'elle était déjà partie, riposta Cinnamon.

— Elle n'est venue ces temps-ci que pour donner un coup de main, prétexta David avec désinvolture.

— Et le bébé ?

— Quel bébé ?

— Heather.

254

– Quoi, Heather ?

– Qu'est-ce qui se passe, avec ce bébé ? Je ne t'entends jamais parler du bébé de Patti.

Newell et Robinson savaient que c'était là que le bât la blessait, que c'était ça l'ultime trahison qui avait conduit Cinnamon vers eux. Ils sourirent en entendant son père éluder péniblement le sujet.

– Qui est le père du bébé ? demanda carrément Cinnamon.

David tira une longue bouffée de sa cigarette. Son haleine sifflante parvint clairement à travers le micro.

– En toute honnêteté, Patti elle-même l'ignore et elle en a plutôt bavé. Elle pense que c'est un nommé Doug. En tout cas, c'est lui qui en revendique la paternité. Mais elle dit que c'est un salaud. Il est grec. Il est assez méchant : il l'a même tabassée plusieurs fois. Elle ne veut plus rien avoir à faire avec lui et ne lui accorde même pas de droit de visite.

– Ce n'est pas toi, le père ?

– Grands dieux, non ! Je ne suis pas le père ! Tu veux rire ? Il y a si longtemps que je n'ai pas été avec une femme que je me demande si je ne préfère pas les hommes, maintenant. D'ailleurs, ça me travaille. Je crois que je ne pourrai plus jamais faire confiance à une femme.

Newell et Robinson froncèrent les sourcils. Il y avait quelque chose d'anormal, d'indécent, dans sa façon de parler à Cinnamon, une sorte d'intimité vulgaire à propos de sujets que les pères n'ont pas l'habitude d'aborder avec leurs filles. Mais Cinnamon paraissait habituée à ce genre de conversation et n'y prêtait aucune attention. Elle ne se laissait pas détourner des sujets convenus à l'avance :

– Ils m'ont demandé si mon père avait touché l'assurance d'un million de dollars ; je ne sais pas quoi dire à ces gens-là...

La voix de David trahit un léger frémissement. Mais il affirma que lui-même ne pouvait plus obtenir d'assurance depuis le jour où sa voiture avait été retrouvée criblée de balles par des inconnus. Après la mort de Linda, proclamat-il, la compagnie avait même annulé toutes les polices de la famille. Ils n'étaient plus du tout assurés.

— Moi non plus, répliqua Cinnamon.

Elle avait le sens de l'humour noir. Son esprit était plus vif que celui de son père et ses trois ans et demi d'incarcération ne lui avaient pas fait perdre une ironie qui dépassait parfois l'entendement de David. Il ne comprenait pas non plus pourquoi elle insistait tant pour parler de la vérité. Il s'énervait contre sa fille qui n'acceptait pas tout simplement son offre de livrer Patti comme coupable : elle se serait sacrifiée, affirmait-il. Ou alors, si cette solution ne plaisait pas à Cinny, il avait engagé un détective qui était en train d'essayer de mouiller Larry Bailey. Il expliquait :

— Quelqu'un est entré par effraction à Garden Grove en notre absence. La police est retournée fermer la maison. Je leur ai répété que tu n'étais pas plus capable que moi de tirer sur quelqu'un. Alors, je continue de payer un privé pour qu'il poursuive l'enquête...

De toute façon, il prétendait qu'il subsistait une autre solution pour elle :

— Ils disent que le seul moyen de t'obtenir une réduction de peine, ce serait de leur raconter quelque chose de convaincant indiquant que ce n'était pas prémédité, que tu n'as commis qu'un acte impulsif dans la colère du moment.

Soudain, une silhouette s'interposa entre David et Cinnamon. C'était Favila, le responsable de la sécurité, qui demanda d'une voix bourrue :

— Vous avez votre laissez-passer, mademoiselle ?

Dans un souffle, il lui glissa :

— N'oubliez surtout pas : « Papa, je vais leur dire la vérité »...

Elle acquiesça et exhiba un document.

— Qu'est-ce qu'il te voulait ? s'inquiéta David.

— Rien. Juste un truc que je n'avais pas signalé : ils ne savaient pas où j'étais...

— En tout cas, si tu trouvais quelque chose à leur dire qui les satisfasse...

— Pourquoi pas la vérité ?

– OK, alors, fais-moi plaisir. Dis-la-moi à moi, la vérité, d'accord ?

– Je ne l'ai pas fait.

– C'est vrai ? La vraie vérité ? Est-ce Patti qui a tiré ou est-ce toi ? Rappelle-toi bien !

– Je me rappelle.

– Oui, mais tu as dit que tu avais oublié un tas de choses.

– C'est toi qui m'as demandé de me rappeler ce que tu m'avais dit de dire ! Tu disais que si je t'aimais... Je veux être sûre que toi, tu te rappelles tout ce que tu m'as demandé de dire. N'essaye pas de me faire croire que je suis dingue...

– Je ne cherche pas à te faire croire ça, mais je ne sais franchement pas, à ce jour, si c'est vraiment Patti qui a fait le coup.

– Eh bien, en tout cas, ce n'est pas moi ! Et elle, je ne l'ai pas vue faire.

– C'est bon. Je te comprends. Je regrette que tu ne m'aies pas dit ça il y a longtemps.

– Comment ça ?

– Je t'avais dit de ne pas le faire. Tu disais que tu y étais obligée parce que tu m'aimais et que tu ne voulais pas laisser Linda et Alan me faire du mal.

Cinnamon explosa :

– Tu répétais que si je t'aimais vraiment, je devais... et que je serais moins sévèrement condamnée, qu'on ne m'enverrait même pas en taule... Je voulais juste vérifier que tu te souvenais de ce que tu m'avais raconté, parce que je suis sur le point de l'oublier.

C'était maintenant au tour de David d'être alarmé. Manifestement, la dernière chose au monde qu'il souhaitait, c'était que Cinnamon s'affole :

– Non, garde ton sang-froid. C'est donc Patti qui a tiré. Pas étonnant que j'aie eu peur. Tous les soirs, elle restait dans cette maison... Si j'avais su que c'était elle, je l'aurais forcée à passer aux aveux il y a longtemps. Tu ne m'avais pas dit...

– Tu m'as soufflé tout ce que je devais raconter... Tu ne m'as pas demandé...

– Laisse Patti payer les pots cassés. Toi, tu ne sais rien, d'accord ?

– Ils ne me laisseront plus partir, j'ai déjà été condamnée.

David expliqua qu'il pensait pouvoir s'arranger pour faire inculper et condamner Patti. C'était elle la seule à avoir eu assez de cran pour agir, elle aussi qui portait des traces de poudre.

– Tout ce temps-là, j'ai cru que c'était toi qui l'avais fait parce que tu m'aimais, souffla-t-il. Ce n'est pas ce que je voulais. J'aurais bien préféré t'avoir à la maison tout ce temps-là.

– J'aurais bien aimé y être, à la maison...

– Ne m'en veux pas pour quelque chose que j'ignorais, Cinny... Je croyais savoir beaucoup de choses à propos de tout...

Et avec tout cela, David Brown continuait de danser des claquettes autour du pot, avec tous ses complots interchangeables. Pas une fois il n'avait suggéré que c'était lui qui savait le fin mot de l'histoire. Il paraissait réfléchir. Il répéta :

– Le mieux, c'est que tu continues à ne te souvenir de rien. Moi, je ne sais rien du tout et je ne me souviens de rien. S'ils viennent me voir, c'est ce que je leur dirai. Parce que je ne peux pas survivre en prison. Surtout avec mon cœur et mon foie, et mon problème de reins. Je ne peux pas... Je me tuerais plutôt que de me laisser mourir dans une cellule.

Sur ces entrefaites, Favila fit de nouveau semblant d'examiner le laissez-passer de Cinnamon et il lui souffla dans l'oreille :

– Dites-lui que vous voulez qu'il vous amène Patti maintenant, pour que vous puissiez enterrer la hache de guerre. Que vous voulez entendre de la bouche de Patti que le passé est le passé. Vous voulez faire la paix avec elle. Essayez de lui soutirer des aveux.

Mais l'heure des visites était presque terminée et Cinnamon était épuisée. Elle connaissait assez Patti pour savoir qu'elle ne se laisserait pas extraire la vérité en quelques minutes. Il allait donc falloir reporter cela à la prochaine fois.

Cinnamon embrassa rapidement son père, puis, les jambes tremblantes, elle se dépêcha de rejoindre la pièce où elle se fit enlever l'émetteur et les fils.

— Comment vous sentez-vous ?

— Écœurée...

28

D'une façon ou d'une autre, ensemble ou séparément, trois acteurs principaux avaient joué un rôle dans le drame de la mort de Linda Marie Brown : Cinnamon, David et Patti.

Après les aveux de la première et les déclarations du deuxième, prêt à échanger la liberté de sa fille contre celle de sa femme, Patti se trouvait au troisième rang des personnes que tenaient à entendre Newell et Robinson. Cinnamon avait pressé son père de l'amener dès sa prochaine visite, et il était maintenant assez inquiet de l'attitude de sa fille pour obtempérer.

Le 27 août 1988, à 14 heures, Cinnamon murmura :
– Jay... vous m'entendez ? Je l'espère, parce que je ne voudrais pas rater notre enregistrement...

Newell la recevait fort et clair, mais ne pouvait l'apercevoir. Il était enfermé dans la pièce où ils avaient installé leur matériel de réception la fois précédente. Cinnamon, Patti et David devaient se trouver de l'autre côté du patio, hors de vue. Walt Robbins, adjoint du chef de la sécurité, juché dans un mirador à moins de sept mètres de là, était chargé de prendre des photos.

Cette fois, Cinnamon se montra moins craintive. Elle avait réussi à surmonter le pire quand elle avait secrètement enregistré son père la première fois. Il allait lui être moins pénible d'affronter celle qu'elle soupçonnait d'être la maîtresse de son père et la mère de l'enfant de celui-ci.

260

Quand Cinnamon vit arriver le couple, tenant Krystal par la main, Patti lui parut vieillie et un peu épaissie. Elle était en jean et en corsage rose, et ses épais cheveux blonds étaient ramassés en une queue de cheval ondulée. David portait un tee-shirt également rose, qui sanglait son torse et son abdomen proéminent, au-dessus d'un pantalon de flanelle grise.

Cinnamon n'avait pas oublié le reproche qu'il lui avait adressé la fois d'avant et, quand Newell entendit David marmonner « Salut », sa fille répondit machinalement par « Je t'aime aussi, papa ». À Krystal, elle lança :

— Salut ! Est-ce que tu es ma petite copine ?

Cela faisait un drôle d'effet d'espionner cette réunion de famille au cœur d'un établissement carcéral, avec un bruit de fond de rires et de cris d'enfants. Krystal réclama un beignet, qu'elle laissa promptement tomber par terre. Cinnamon et ses visiteurs allèrent s'asseoir à une table ronde protégée du soleil par un grand parasol blanc. David buvait de l'eau minérale, et les filles, du Coca.

La conversation transmise était banale, propos à bâtons rompus sur la pluie et le beau temps, comme si tous trois hésitaient à parler de la véritable raison de cette visite. À un moment, David se retourna pour regarder de jeunes femmes qui s'agitaient sur le terrain de sport voisin :

— Parfait ! le taquina Cinnamon. Tu veux reluquer, hein ?

— Ma fille me connaît bien ! commenta David en riant. C'est vrai que je ne crache pas sur de la viande bien noire.

— La quoi ? s'exclama Cinnamon.

— La viande de nègre, café, chocolat, quoi ! répéta-t-il, pivotant vers les filles de couleur qui s'entraînaient et mimant leurs appas d'un geste vulgaire.

— Tu es dégoûtant...

— Ouais, approuva Patti.

À trente-six ans, David persistait à se comporter avec Patti et Cinny comme s'ils avaient le même âge. Elles paraissaient même plus mûres que lui, comme si lui-même n'était qu'un adolescent prépubère, salace et plein de pré-

261

jugés. Il geignait à présent contre les embouteillages sur l'autoroute qu'ils avaient dû prendre pour venir :

– Ils la font monter jusqu'ici avec cinq voies, mais il y a quand même un tronçon, tu sais...

– Non, je ne sais pas, murmura Cinnamon.

– Eh bien, quand on sort de Los Angeles, on arrive à cinq voies...

– Je suppose qu'il y a beaucoup de choses qui m'ont échappé...

Il fit semblant de ne pas comprendre et continua de parler à tort et à travers. Brusquement, il demanda :

– Pourquoi est-ce qu'ils te harcelaient tellement, la dernière fois que je suis venu ?

Elle répondit avec aisance :

– À cause de mon laissez-passer. Le personnel ne savait pas que j'avais quitté mon pavillon.

– Comment est-ce que tu obtiens un laissez-passer, s'ils ne savent pas que tu es sortie ?

Newell retint son souffle.

– Ils ont un changement d'équipe à 2 heures.

Convaincu par l'explication, David souligna qu'il lui avait envoyé ses nouveaux numéros de téléphone, mais que la lettre avait dû se perdre. Patti observa d'un ton pénétré qu'elle avait engagé Betsy Stubbs pour garder Heather dans la fourgonnette, ce qui ne lui coûtait pas moins de 20 dollars.

– Quel âge a la petite, à présent ? demanda Cinnamon.

– Elle aura un an le mois prochain, répondit Patti.

Elle s'en mordit la lèvre et David s'empressa de détourner la conversation.

– Où as-tu récupéré ces beignets ? On dirait qu'ils sont restés sous le lit pendant un millénaire !

– Seulement un siècle, corrigea Patti.

Mais Cinnamon avait de la suite dans les idées :

– Je voulais te poser des questions à propos du bébé, puisque je n'ai guère eu l'occasion d'en parler avec toi. Je ne sais même pas à quoi elle ressemble.

– À rien, grogna Patti.

– Elle ne ressemble pas à son père ?

– Elle ne ressemble à personne. Elle a l'air d'un bébé, c'est tout, et tous les bébés se ressemblent...

– Qui est le père ? insista Cinnamon.

– Elle m'a dit qu'elle fréquentait Doug, coupa David.

Patti, sans répondre, regarda fixement la table. David en profita pour détourner la conversation sur Betsy Stubbs, laquelle avait prétendu être enceinte, mais aurait fait une fausse couche.

– Elle m'a dit qu'elle avait craché le fœtus. Je lui ai rétorqué que si c'était le cas, elle avait un sacré problème anatomique à régler... Quelle conne !

La figure de Patti s'éclaira :

– Franchement, je commence à croire qu'elle est gouine.

– Elle l'est, confirma David. Elle suit Patti jusque dans les chiottes.

– J'ai vraiment peur de me déloquer devant elle.

– En tout cas, tu t'es certainement déloquée devant quelqu'un, lança Cinnamon. Et ça m'obsède : qui est le père, Patti ?

David s'apprêtait à mettre son grain de sel, mais Patti le devança :

– Fais attention, je ne veux pas que tu le lui dises !

– Il a une Trans Am ou une Fire Bird, enchaîna David. Je l'ai vu une fois et il est à peu près aussi intelligent qu'une banane. Il habite encore chez sa maman, il a des cheveux tout frisés, comme on n'en voit pas par ici. Le genre grec, quoi. Heather a les cheveux roux, alors que Krystal et toi avez la même chevelure que moi. En plus, vous et moi avons le même type de peau, tandis que Heather a une peau translucide à travers laquelle on voit même les os, tout comme Patti.

Or Cinnamon savait qui était le père du bébé. Ils le savaient tous.

Elle laissa David changer de conversation et, pendant les vingt minutes suivantes, ils reprirent leur discussion à bâtons rompus. Ils riaient et Newell, malgré son impatience,

263

comprit que David et Patti commençaient à se détendre. Mais, brutalement, Cinnamon se tourna vers Patti :

— Papa t'a dit de quoi nous avons parlé à sa dernière visite ?

Patti se tut au milieu d'un éclat de rire et répondit lentement :

— Je lui ai dit ce que j'en pensais, et il te l'a fait savoir.

— Il ne m'a absolument rien dit.

— À propos de l'échange ?

— Qu'est-ce que tu en penses ?

— Si c'est vraiment ce que tu veux... répliqua Patti, apathique.

— Et si toi et moi sautions à pieds joints dans la quatrième dimension ? fit Cinnamon, acerbe.

Croyaient-ils vraiment qu'on pouvait troquer un prisonnier contre un autre, d'un simple battement de cils ?

— En tout cas, il faut que tu t'en tiennes à ce que tu as toujours dit, rappela David. Tu ne te souviens de rien et elle leur racontera sa version pour te disculper.

— Mais est-ce qu'elle leur dira la vérité ?

— Elle leur dira ce qu'elle voudra bien leur dire.

— Est-ce que tu es vraiment prête à leur révéler la vérité, Patti ?

— Quelle est la vérité ? Je suis, je suis...

David négligea l'intervention de Patti et chapitra Cinnamon :

— Le fait est que tu ne connais pas la vérité. Tu ne la connaissais pas le jour où tu es entrée ici. Tu ne te souviens pas...

— Alors, toi aussi, tu vas leur dire la vérité ?

— Tu ne dois rien te rappeler, c'est elle qui savait tout, parce que c'est elle qui a fait le coup.

Patti objecta :

— Alors, ils vont me demander pourquoi c'est elle qui a avalé tous ces médicaments.

— Tu les lui as donnés, intervint David.

— Elle ne me les a pas donnés, protesta Cinnamon.

— Comme tu veux, David, consentit Patti.

— Dis-leur simplement la vérité, répéta pour la dixième fois Cinnamon.

Que manigançait David ? Newell s'escrimait à suivre ces passes d'armes verbales et constatait que David était en train de remanier toute l'histoire. Et Patti semblait prête à se laisser offrir sur un plateau. Mais pourquoi ? Et puis, soudain :

— On n'a rien à leur dire, affirma Patti.

— Aucun de nous ne se rappelle grand-chose, dit David.

— Tu veux dire que tu ne te rappelles pas les événements de cette soirée ? articula Cinnamon d'une voix incrédule. Même grand-papa les sait par cœur !

Sans leur laisser le temps de répondre, elle se mit à les bombarder de questions : combien de coups de feu avaient été tirés ? par qui ? pourquoi lui avait-il fait écrire ce billet ?

David et Patti parurent soudain frappés d'amnésie. Au lieu de lui répondre, ils lui opposèrent que quelqu'un d'autre, peut-être Larry ou Alan, s'était introduit dans la maison. Patti ne se remémorait même pas la tapisserie du tigre dans sa chambre.

— Crois-moi, ajouta-t-elle, je serais venue t'en parler plus tôt si ça m'avait marquée.

Cinnamon les considéra d'un air égaré. Ils étaient venus la voir avec leur stupide projet d'échange et, soudain, tous deux se trouvaient victimes de trous de mémoire. Ni l'un ni l'autre ne parvenait plus à se rappeler que son propre nom.

— Tu ne te rappelles rien de ce qui a été dit dans la maison ? Ni quand nous étions dans la fourgonnette, ni rien ?

— La fourgonnette ? reprit Patti.

— Tu es censée répondre : « Quelle fourgonnette ? »

Tout cela paraissait tellement ridicule à Cinnamon que Newell l'entendait rire. Cela lui faisait sans doute l'effet d'un canular de mauvais goût.

— Non, je ne me souviens pas, dit Patti. Tout ce que je me rappelle, c'est ce que j'ai lu dans le journal.

— Tu sais que j'essaye de vérifier que je ne suis pas en

train de tourner dingue. C'est pour ça que je cherche à passer en revue une partie de cette histoire avec toi, avec vous deux, pour m'y retrouver.

— Je comprends, dit David avec une pointe de satisfaction dans la voix. Et ça ne me pose aucun problème.

— Tous ces mensonges me rendent dingue.

— C'est vrai que c'est fou que tu ne nous croies pas, concéda Patti.

Cinnamon demanda à son père s'il se souvenait de lui avoir dit de se débarrasser de tous les brouillons du billet annonçant son suicide.

— Probablement... Je ne sais plus.

— Vous êtes sûrs de m'être apparentés ? persifla-t-elle en riant jaune. Ne seriez-vous pas plutôt des clones de gens que j'ai connus avant d'être enfermée ici ?

— Cinny, gémit David, quand mon foie a commencé à me donner du fil à retordre, tout mon corps s'est déglingué. Je perds la mémoire. J'ai oublié beaucoup de choses, même à propos de Data Recovery.

Newell suivait les tortueux raisonnements de David Brown en s'étonnant une fois de plus de son agilité mentale. Il se faisait subitement compatissant, essayait de convaincre Cinnamon qu'elle était bien mieux en prison que lui à l'extérieur.

— Je sais, je sais, dit-il d'une voix lasse. Il faut que ma fille puisse compter sur son papa...

— Si je dois me montrer forte, répliqua Cinnamon, tu peux en faire autant !

— Je fais de mon mieux. Je me débats du mieux que je peux. Mais c'est à mon corps que ça arrive, je n'y suis pour rien. Personne ne te demande de t'occuper d'un mourant...

Cinnamon se tourna vers Patti, résolue à une nouvelle tentative :

— La dernière fois qu'il est venu, j'ai demandé à papa pourquoi nous étions passés par tout ça... Il m'a donné son opinion... Mais toi, quelle raison avais-tu d'accepter ?

Patti se hérissa :

266

— Parce qu'ils étaient tous les deux contre lui et que toi, tu ne voulais pas qu'il disparaisse.

— C'est bien de Linda que nous parlons ? dit Cinnamon.

Et soudain, Patti battit en retraite. Elle prétendit ne plus se souvenir d'aucune conversation téléphonique entre Linda et Alan, d'aucun complot. Peut-être l'information était-elle venue de David ? Aussitôt, comme chaque fois que la mémoire de Patti laissait filtrer le moindre rayon de lumière, David la fit taire. Il rappela à Cinnamon le souvenir qu'il voulait graver dans sa mémoire :

— On m'a déjà tiré dessus. Si quelqu'un veut me tuer, il peut toujours essayer. Il me blessera peut-être. Il se peut qu'il me rate et qu'il finisse derrière les barreaux. Je me souviens de vous avoir dit qu'on m'avait déjà tiré dessus. C'est la dernière chose que je me rappelle avoir dite en quittant la maison : « Ne vous en faites pas, je vais m'éclaircir les idées à la plage. Laissez tout ça, allez vous coucher et oubliez tout... » Et vous m'avez répondu de ne pas partir, en arguant qu'Alan pouvait m'attendre sur la plage.

Cinnamon secoua la tête, effarée.

— Je ne me rappelle pas ça... Je me rappelle que tu nous as parlé dans le living, en disant : « Il faut que ce soit fait ce soir. » Ensuite, tu es parti.

— Je ne me souviens pas de ça non plus, dit David sur un ton convaincu.

Cinnamon éclata de rire. Sa vie dépendait de ce dialogue, mais elle semblait trouver presque comiques les trous de mémoire de son père.

— Pourquoi avez-vous l'air de dire que j'étais toute seule dans le coup ? protesta-t-elle. Vous me collez toute la responsabilité sur le dos. C'est moi qui suis enfermée ici ! Est-ce que ça compte vraiment, de savoir qui a pressé la détente ?

Newell sursauta, en dressant l'oreille. Elle interpellait David :

— Je me rappelle t'avoir entendu dire que tu ne pourrais pas... que tu n'aurais pas le cran de rester dans la maison.

— Et je n'avais de courage pour rien de ce qui est arrivé... Quand je suis rentré, Cinny, j'étais en état de choc.

Ulcérée, Cinnamon se tourna de nouveau vers Patti :

— Qu'est-ce que tu crois que j'ai ressenti quand j'ai compris que mon père était aussi le père de ton bébé ? À cause de ce que je vous avais vus faire tous les deux au supermarché.

— Blessée. Bouleversée. Furax. Trahie...

— Pourquoi, papa ? demanda Cinnamon à David.

— Pourquoi j'ai agi comme ça avec Patti, au magasin ? Parce que j'avais perdu confiance en moi. J'étais bouleversé par ce que j'avais vu et vécu avec Linda. Je ne me doutais pas du tout qu'elle se droguait. Je sentais qu'il y avait quelque chose qui n'allait pas. Ça arrive dans une vie conjugale : on a besoin de quelqu'un pour vous tenir dans ses bras quand on a l'impression que le monde entier va vous chier dessus... Or tout ce que Patti et moi éprouvions n'était pas réel.

— Alors pourquoi continue-t-elle de vivre avec toi ?

— Parce que nous sommes la seule famille qui nous reste l'un à l'autre. Qui va nous aider à veiller sur elle ? ajouta-t-il en désignant Krystal, entourée d'oiseaux venus picorer des miettes de beignet.

— D'ailleurs, explosa Patti, je l'aime encore... Je ne vais pas le quitter, à moins qu'il me l'ordonne. Je veux être là pour lui comme il a toujours été là pour moi.

C'était une gaffe : David avait assuré à Cinnamon que Patti avait quitté la maison depuis longtemps. Patti perçut le mécontentement de David et infléchit son discours. Oui, elle s'était rendue dans l'Oregon pour se retrouver. Quand Cinnamon insista pour en apprendre davantage au sujet de Heather, tous deux refusèrent de répondre. David protesta qu'il ne s'intéressait plus à Patti « de cette façon-là » :

— J'ai connu plein d'autres femmes !

Quand il entreprit de les énumérer, le visage de Patti s'empourpra de chagrin et elle proclama avec ferveur :

— Je l'aime encore et je l'aimerai toujours ! Et ça ne me fait pas plaisir... Je sais que tout le monde lui court après pour son argent, alors que moi je l'aime sincèrement pour ce qu'il est. Bien sûr, dans le temps, j'étais encore une sale môme et je n'y réfléchissais jamais à deux fois avant de faire quoi que ce soit... Ça fait mal, parce que mes sentiments n'ont rien à voir avec les siens...

La vérité était là, cachée sous les mensonges. Patti s'était laissé emporter par le cri du cœur.

— Mon amour pour elle n'est pas différent de mon amour pour toi, Cinny, ou pour Krystal, expliqua David. Il n'y a rien de physique là-dedans.

— Alors, tu veux dire que ce que je vous ai vus faire tous les deux dans le magasin pourrait être considéré comme un inceste ? demanda Cinnamon.

— Quand on s'est embrassés ? fit David.

— Oui.

— Qu'est-ce que c'est, l'inceste ? s'enquit Patti.

— Ça n'était pas de l'inceste, objecta David, patient. Des tas de parents embrassent leurs enfants sur la bouche...

— Pas de cette façon-là ! riposta Cinnamon.

— Peut-être pas comme ça, mais cela ne m'a pas semblé bien sur le moment et ça ne me paraît toujours pas bien.

— Alors tu devais éprouver davantage pour elle qu'un père pour sa fille ?

— Je crois que j'essayais, à cause de mon angoisse, à cette époque, de m'en convaincre. J'aurais pu chercher à... Il arrive que des pères couchent avec leurs filles. C'est très courant, tu sais, peu importe ce qu'on a à se mettre sous la dent.

Newell détourna la tête, dégoûté bien que peu surpris par les idées qu'exprimait David. Il trouvait en revanche Cinnamon formidable. Elle posait les bonnes questions, interrogeait au sujet de l'assurance de Linda. Cette fois, elle eut droit à une explication inédite :

— C'est Krystal qui en bénéficie. Je n'ai pas besoin de cet argent. Tu sais combien j'ai gagné depuis le 1er août ? 170 000 dollars. J'aurais même pu me faire 3 millions avec le seul boulot que nous venons de terminer pour la banque.

Cinnamon écoutait à peine. Elle demanda à Patti et à David de passer en revue pour elle la nuit du 18 au 19 mars 1985. Docile, Patti décrivit les événements qui s'étaient succédé jusqu'à ce qu'elle aille se coucher dans sa chambre. David l'interrompit pour interpeller Cinnamon :

— Je voudrais encore poser une question. Est-ce qu'on vous fait porter des souliers réglementaires ? Est-ce que tu dois porter des godasses spéciales, au cours des visites ?

L'incongruité de l'interrogation rappela à Newell le moment où il avait vu David tirer les cheveux de Brenda alors que l'on condamnait Cinnamon. Mais cette dernière se hâta de le ramener au crime, à propos duquel David se déclarait maintenant certain que c'était Larry qui avait assassiné Linda en croyant probablement le tuer lui :

— Linda était couchée à gauche, de mon côté du lit. Les flics me l'ont dit quand ils ont pris leurs photos. Ils ont aussi dit que la pièce était plongée dans le noir. Voilà pourquoi je crois que celui qui a fait le coup croyait tirer sur moi. Je sais bien que quelqu'un cherche à m'avoir. Il est fort possible que mon foie ait été empoisonné.

— C'est vrai, renchérit Patti. Sa crise est arrivée moins de deux mois plus tard et il paraît que c'est le temps qu'il faut pour que le poison fasse effet.

— De toute façon, c'est peut-être Linda qui a tenté de m'empoisonner. C'est une des choses qu'on m'a dites. Ou Alan. Mais, puisque tu voulais savoir pourquoi Patti est toujours là, la vérité c'est que je crève de trouille. Tous les jours, j'ai peur que quelqu'un ou quelque chose réussisse à m'avoir, parce que Alan poursuit ses menaces...

David raconta qu'il avait vu trois psychiatres depuis le meurtre. La seule raison qu'il avait de courtiser des femmes, c'était qu'il était terrifié, constamment. Et déprimé.

— Je me fais du souci de te savoir ici. Je voudrais t'avoir à la maison.

Ces fariboles continuèrent pendant encore une demi-heure. Parfois, une idée venait à David, mais sa mémoire lui faisait défaut. Il n'était pas assez solide pour aller en prison, mais il serait heureux de laisser Patti passer aux aveux. Lorsque Patti et Krystal s'en furent aux toilettes, le ton de David devint confidentiel :

— Je sais ce que ce doit être pour toi.

— Non, répondit-elle lentement. Tu te l'imagines peut-être, mais tu n'en as aucune idée.

— Cinnamon, tu comprends ce que je veux dire. Je t'ai toujours tant aimée ! Je voulais qu'il ne t'arrive jamais rien de mal... Cinny, si tu as réellement fait ça, tu l'as fait parce que tu m'aimais autant que je t'aime.

— Mais je n'ai pas fait ça !

— Je te crois... Tu as toujours été trop gentille, tu sais. Tu étais toujours drôle et malicieuse, comme moi.

— N'en fais pas trop.

— Mais c'est vrai ! Tu aimais blaguer comme moi. Tu n'avais pas une fibre qui t'aurait permis de faire du mal à quelqu'un. C'est pourquoi j'ai toujours été convaincu que ce devait être une personne qui croyait tirer sur moi.

— Je veux que tu me dises clairement ton avis. D'après ta conversation avec Patti, est-ce qu'elle aurait pu faire le coup ?

— Tu m'as mis sur des charbons ardents, après ce que tu m'as dit l'autre fois, sur l'herbe. Tu m'as flanqué une peur bleue. J'ai dit à ton grand-père et à ta grand-mère de quoi nous avons parlé et ils ont été terrifiés. Ils veulent rester le plus possible à la nouvelle maison, ils craignent qu'elle essaye de m'avoir, maintenant. Ils l'en croient capable. Ils en sont tous les deux persuadés.

Cinnamon était saisie de vertige. Elle raccompagna David, Patti et Krystal auprès des grands-parents Brown. Elle sourit faiblement quand Manuela lui fit cadeau d'un ours en peluche. Et, quand ils se dirent au revoir et que son père la serra dans ses bras, elle réprima une grimace.

Quand elle retourna dans la pièce où Jay Newell écoutait les enregistrements, elle vit qu'il lui souriait.

— Vous avez entendu que j'essayais de le faire parler ?

— Oui, vous avez accompli du bon boulot, même s'ils

271

se sont assez bien débrouillés pour faire coller leurs histoires...

Il ne savait pas s'ils possédaient assez de faits nouveaux et avait besoin de réécouter les bandes avec Robinson. Mais c'était un bon début.

29

Pour reconstituer une affaire criminelle, les magistrats et les policiers doivent d'abord rechercher le mobile, les moyens et le mode opératoire de l'assassinat – ce que les enquêteurs américains surnomment les « trois M ». Il leur faut ensuite rassembler les preuves directes et indirectes.

Dans cette affaire, Cinnamon avait été condamnée par ses propres aveux adressés à l'externe Kim Hicks. Pour Jeoff Robinson et Jay Newell, il fallait étayer la nouvelle déposition de Cinnamon par une pièce à conviction, par exemple une empreinte digitale ou une comparaison d'ADN. Malheureusement, en l'occurrence, toutes les personnes en cause avaient vécu dans la même maison, ce qui ôtait toute valeur aux indices de ce genre. En revanche, si les déclarations enregistrées à l'insu des deux suspects, David et Patti, pouvaient être recoupées avec les dires de Cinnamon, cela laissait une chance à Robinson d'obtenir des mandats pour relancer le procès.

Inlassablement, Robinson et Newell réécoutaient leurs bandes magnétiques. Chaque audition révélait une nuance supplémentaire, une indication précieuse. Mais Robinson ne voulait rien précipiter. Newell et lui en débattirent jusqu'à ce que chacun se fatigue d'entendre la voix de l'autre.

– Comment aurions-nous pu faire mieux ? se demande aujourd'hui Newell. Nous nous doutions que nous n'avions rien de plus à tirer de David et de Patti, à moins qu'ils n'en viennent à s'accuser mutuellement, ce qui supposait de pouvoir les séparer après leur arrestation.

Les mobiles de David et de Patti s'avéraient beaucoup plus convaincants que celui naguère prêté à Cinnamon : le premier désirait profiter de la jeunesse de la seconde, laquelle n'avait nullement dissimulé ses sentiments à l'égard de son beau-frère. De plus, un deuxième mobile pouvait être imputé au moins à David : il avait toujours dit que les assurances étaient faites pour être exploitées et il avait su s'en servir. En somme, la cupidité venait s'ajouter à la luxure, deux péchés capitaux !

Fred McLean travailla donc sur les assurances. Il découvrit qu'il n'y avait pas eu moins de quatre polices couvrant la vie de Linda au moment de sa mort. Linda Marie Brown, jeune femme au foyer qui n'avait pas suivi d'études secondaires, n'aurait jamais pu assurer sa vie pour un million de dollars auprès d'une unique compagnie. En prévision de tels calculs, les assureurs échangent leurs informations au sein d'une chambre spéciale, non sans avoir soumis leurs clients éventuels à des questionnaires du genre : « Cette police est-elle destinée à en remplacer une autre ? » ou « Êtes-vous couvert pour le même risque auprès d'une autre compagnie ? »

L'enquête de McLean mit au jour une multitude de dossiers aux noms de Linda et de David Brown. Ce dernier s'était montré exhaustif dans l'énumération de ses innombrables pseudo-maladies, alors qu'elle s'était déclarée en parfaite santé. Il n'était donc pas surprenant qu'elle ait été acceptée plus facilement et à moindre prix que lui. À y regarder de plus près, un policier soupçonneux pouvait supposer que, si David voulait tellement assurer Linda sur la vie, il n'avait jamais eu l'intention de souscrire une police sur lui-même, si ce n'était pour tranquilliser une épouse méfiante.

McLean vérifia que David Brown n'était pas personnellement couvert, bien qu'il fût le principal salarié de Data Recovery et le chef de famille. En revanche, au moment de son assassinat, Linda Marie Brown était assurée contre tout décès non naturel chez American General Life and Accident, New York Life, Capital Life et Liberty Life. Au cours des treize mois précédant sa mort, Linda Marie avait été assurée quatre fois, toujours avec une clause de double indemnité et toujours avec David Brown comme unique bénéficiaire. Peu après l'enterrement, American General avait envoyé un chèque de 208 043 dollars ; Capital Life avait payé 361 833 dollars le 8 août ; New York Life, 200 000 dollars le 9 septembre. La dernière souscription auprès de Liberty Life n'était pas confirmée, mais la compagnie avait encaissé le paiement d'une première prime accompagnant le dossier d'admission le 21 février 1985, soit à peine vingt-six jours avant le meurtre de Linda.

McLean prit contact avec Dillard Veal, de Rainbow, en Caroline du Sud, agent au siège de la Liberty depuis trente ans et qui constituait une véritable encyclopédie vivante. Il se rappelait en particulier le contentieux en question :

– Comme une maigre prime de 133 dollars s'était trouvée bel et bien encaissée, nous avions proposé un compromis à M. Brown, qui avait estimé qu'un forfait de 50 000 dollars n'était pas suffisant et qui nous a donc renvoyés à son avocat, avec lequel j'ai transigé à 73 500 dollars.

Veal révéla que Brown avait fait des demandes pour d'autres membres de sa famille, notamment des polices avec clauses de double indemnité atteignant 100 000 dollars sur Patti, Cinnamon et Krystal. Celle de Cinnamon avait été ajournée d'un an, celle de Patti annulée et celle de Krystal était parvenue à expiration en novembre 1985. Au total, David avait perçu 843 626,68 dollars dans les six mois suivant la mort de Linda. Si quelques mois de plus s'étaient écoulés avant son assassinat, si Cinnamon était morte d'une overdose et si Dillard Veal n'avait pas découvert que Linda était abusivement assurée, il aurait même reçu un dédommagement supérieur de 50 %.

Les signatures apposées sur les demandes de Linda parurent dissemblables à McLean, mais il n'était pas graphologue. Il prit ensuite contact avec l'agent qui avait vendu la police de New York Life, Stanley Gudmunsen. Celui-ci se souvenait n'avoir eu aucun contact avec les Brown avant qu'ils se soient présentés à son bureau pour prendre une assurance sur la tête de Linda, le 12 mars 1984.

– À l'époque, je travaillais dans l'immeuble de la Bank of America, à Orange, précisa-t-il. La femme était une petite personne menue avec de longs cheveux blonds, l'homme était plus fort et avait une figure joufflue. Par la suite, je n'ai eu affaire avec lui ou son avocat que par téléphone et par courrier.

En réponse à McLean, qui voulait savoir si David avait cherché à s'assurer lui-même, Gudmunsen consulta ses dossiers et rappela plus tard pour confirmer qu'il avait exhumé une police portant une mention de refus :

– Elle a été rejetée pour raisons de santé, déclara-t-il, et parce qu'une assurance mieux adaptée était déjà en vigueur.

McLean se demanda si Linda Brown avait vraiment fait une demande d'assurance vie. Patti et elle se ressemblant comme des jumelles, il aurait été facile de faire passer l'une pour l'autre lors de leur visite à l'agent. Il composa donc une mosaïque de photos de jeunes femmes blondes, dont Linda et Patti, et pria Gudmunsen de désigner la femme qui avait accompagné David. L'agent d'assurance élimina d'abord tous les portraits, sauf Linda et Patti, puis finit par reconnaître Linda.

Mais McLean n'était pas convaincu : Gudmunsen n'avait pas signalé que Mme Brown était enceinte quand elle était venue à son bureau, alors que Linda l'était depuis cinq mois. Comme elle n'était pas grande, son état aurait dû sauter aux yeux d'un assureur soucieux de la santé de sa clientèle. McLean soumit alors les signatures à un expert, qui les reconnut toutes comme étant de la main de Linda, leurs différences pouvant s'expliquer par des changements d'humeur, la précipitation ou la fatigue.

Il fallait donc se rendre à l'évidence : c'était bien Linda Brown qui avait accompagné David chez l'assureur, au moins quatre fois dans l'année précédant son assassinat. Elle qui avait été tirée du fond d'une misère sans espoir, sans doute tenait-elle à veiller à ce que son bébé ne manquât de rien. Savait-elle seulement que David refusait d'être assuré lui-même ou faisait en sorte que sa demande soit rejetée ?

Robinson ne voulait toutefois pas se contenter de ce faisceau de présomptions. Le calme Newell finit par sortir de ses gonds :
– Bon Dieu, Jeoff ! Je vous apporte cette affaire sur un plateau d'argent !
– C'est bon. On y va.

Ouvert auprès de la Cour Suprême de l'État de Californie, au nom du Comté d'Orange, sur ordre du District Attorney dudit Comté d'Orange,

Pour GARY L. GRANVILLE, GREFFIER DU COMTÉ

_____, Substitut du Greffier

COUR SUPRÊME DE L'ÉTAT DE CALIFORNIE

AU NOM DU COMTÉ D'ORANGE

LE PEUPLE DE L'ÉTAT DE CALIFORNIE,
)
Requérant,   INSTRUCTION N° C-71791
)
)
contre INFORMATION
)
)
)
DAVID ARNOLD BROWN
)
Inculpé(s)

_____

ARRÊTE :

ARTICLE I : Le Procureur du District du Comté d'Orange, par la présente information, accuse DAVID ARNOLD BROWN de Crime, à savoir : Violation de la Section 187 du Code Pénal de l'État de Californie (Crime), lorsque dans la nuit du 18 au 19 mars 1985, dans le Comté d'Orange, État de Californie, il a volontairement, illégalement, et de manière délictueuse, commis un meurtre avec préméditation sur la personne de Linda Brown.

ARTICLE II : Considérant qu'entre le 19 mars 1984 et le 19 mars 1985, sur le territoire du Comté d'Orange, État de Californie, un crime, à savoir : Violation de la Section 182.1 du Code Pénal de l'État de Californie, a été commis par DAVID ARNOLD BROWN et Patti Bailey, qui dans les lieux et temps précités, ont volontairement, illégalement, et de manière délictueuse conspiré ensemble et avec une ou plusieurs autres personnes d'identités inconnues, à un meurtre en violation de la Section 187 du Code Pénal, Crime ; considérant que dans l'intention de mettre à exécution les moyens et mobiles de la conspiration susmentionnée, les prévenus répondent des faits patents suivants perpétrés dans le Comté d'Orange :

1

L'accusé DAVID ARNOLD BROWN et Patti Bailey évoquent lors d'une série de discussions le meurtre de Linda Brown.

2

L'accusé DAVID BROWN demande à Cinnamon Brown de participer au meurtre, au motif que Linda Brown a l'intention de le tuer. Elle est sommée de collaborer afin de préserver l'équilibre de la famille.

3

Après que Cinnamon Brown a surpris l'accusé DAVID ARNOLD BROWN et Patti Bailey en train de s'embrasser, l'accusé

278

DAVID ARNOLD BROWN demande à Cinnamon Brown de ne rien dévoiler à quiconque de ce qu'elle a vu se dérouler entre David et Patti Bailey.

4

Au cours d'un trajet en minibus vers Long Beach, les deux accusés DAVID ARNOLD BROWN et Patti Bailey évoquent leur projet de meurtre. Ils s'accordent à dire qu'il doivent « se débarrasser » de Linda Brown. Ils imaginent plusieurs scénarios de meurtre.

5

L'accusé DAVID ARNOLD BROWN souscrit deux nouvelles polices d'assurance vie pour sa femme Linda Brown.

6

Dans la semaine précédant le meurtre, l'accusé DAVID ARNOLD BROWN demande à Cinnamon Brown d'endosser la responsabilité du meurtre qu'il fomente. Il ajoute qu'en raison de son âge elle sera condamnée à une peine de prison très courte, voire nulle.

7

L'accusé DAVID ARNOLD BROWN demande à Cinnamon de rédiger plusieurs lettres de suicide ; il explique que cela donnera au meurtre l'apparence d'un meurtre-suicide.

8

L'accusé DAVID ARNOLD BROWN prépare une solution médicamenteuse qu'il demande à Cinnamon d'ingurgiter juste avant de tuer Linda Brown, afin de renforcer l'hypothèse de la tentative de suicide.

Quelques instants avant le meurtre, l'accusé DAVID ARNOLD BROWN réveille Patti Bailey et Cinnamon Brown dans leur sommeil ; leur donne ses dernières instructions ; puis quitte les lieux conformément à son plan originel.

10

Le 19 mars 1985, Linda Brown est tuée dans son sommeil à l'aide d'une arme de poing de calibre 38.

L'accusé DAVID ARNOLD BROWN est présumé coupable d'avoir intentionnellement orchestré le meurtre de Linda Brown au mobile de gain financier, selon l'acception de la Section 190.2 (a) (1) du Code Pénal.

Contrevenant à la forme, à la force et à l'effet des lois en vigueur dans ce domaine, ainsi qu'à la paix et la dignité du Peuple de l'État de Californie.

Pour CECIL HICKS, PROCUREUR DU DISTRICT
COMTÉ D'ORANGE, ÉTAT DE CALIFORNIE

_____

SUBSTITUT DU PROCUREUR

TROISIÈME PARTIE

L'ARRESTATION

30

Le jeudi 22 septembre 1988 à 6 h 39, Jay Newell et Fred McLean se retrouvèrent au coin de Sunkist avec des renforts de police. À 7 heures, ils devaient aller frapper à la porte de la grande maison bleue de Chantilly Street, prêts à toute éventualité.

— J'ai enfoncé une cassette vierge dans le magnétophone de la voiture de patrouille, se souvient Newell. Une femme policier en tenue était au volant et nous comptions faire asseoir David et Patti avec nous à l'arrière. Si ces deux-là se disaient quelque chose, je voulais savoir quoi.

Non loin du grondement de la circulation sur la voie express, la maison restait silencieuse. Pendant que McLean demeurait légèrement en retrait, Newell frappa à la porte, puis, ne recevant pas de réponse, recommença jusqu'à ce que l'interphone fasse entendre la voix de David :

— Qu'est-ce que c'est ?

— Monsieur Brown, voulez-vous descendre ici, s'il vous plaît ? Nous avons un petit problème à résoudre.

Après une nouvelle attente, la porte s'ouvrit et David apparut en pantalon de jogging et tee-shirt blancs, grommelant qu'on le tirait de son sommeil. Pendant qu'il reculait vers l'intérieur, Newell l'avertit :

— Nous venons vous arrêter, monsieur, pour le meurtre de Linda Marie Brown...

David ne parut ni surpris ni choqué et soutint le regard de l'enquêteur avec des yeux impénétrables.

Infiniment plus luxueuse que le petit bungalow d'Ocean

Breeze Drive, la maison était très en désordre, jonchée de cartons et de dossiers. Le mobilier semblait identique à celui du soir du meurtre. Sans s'y arrêter, Newell s'engagea dans l'escalier et monta au premier étage.

Patti, en chemise de nuit, tenait Krystal dans les bras. Ahurie, elle l'écouta annoncer :

— Vous êtes arrêtée pour le meurtre de Linda Marie Brown...

Elle n'en sembla pas plus surprise que David. Ni qu'il l'interroge :

— C'est votre chambre ?

— Non. Je dors au bout du couloir, avec Heather.

Suivant la direction de son bras, Newell trouva le bébé dans son berceau. Le lit voisin était recouvert de vêtements pliés qui laissaient supposer que personne n'y avait couché.

David demanda la permission de se rendre aux toilettes, ce à quoi Newell répondit qu'il était obligé de l'y escorter. La salle de bains principale jouxtait la grande chambre, de toute évidence celle de David, récemment repeinte, avec un téléviseur à écran géant et un système stéréo. Le lit était défait devant un espace qui semblait servir de bureau. Un réfrigérateur contenait toutes sortes d'alcools et de bouteilles d'eau minérale. David en profita pour indiquer un flacon de tranquillisants.

— Je peux prendre un cachet ? demanda-t-il.

Newell déboucha lui-même le flacon et lui donna un unique comprimé avant de passer les menottes à son prisonnier. À peine poussé dans la voiture de police, David se mit à geindre :

— Aidez-moi, je vous prie, j'ai mal au cœur, je vais vomir. Je suis claustrophobe.

Plus silencieuse, Patti Bailey avait tendu les poignets aux menottes. Elle s'était rapidement habillée d'un pantalon blanc, d'un sweat-shirt à capuche et de baskets blanches. Pas plus que David, elle ne portait de bijoux. Newell devait découvrir par la suite que David lui avait ôté ses bagues ainsi que les siennes pour les cacher au-dessus de l'armoire à pharmacie avant de descendre ouvrir. Sur le moment, le policier se contenta de dire :

– Vos enfants peuvent être confiés au foyer Albert-Simon, à Orange, à moins que vous préfériez que quelqu'un de votre connaissance s'occupe d'elles ?

– Grand-papa Brown, murmura Patti. Téléphonez-lui.

L'officier de police féminin attendit donc que Manuela et Arthur Brown viennent se charger de Krystal et de Heather.

Quand le véhicule de police dévala Chantilly Street, David parut de nouveau maître de lui et fit observer qu'à cette heure-là la voie express serait embouteillée. Lui donnant raison, Newell allait raconter :

– Il nous a indiqué un raccourci jusqu'au palais de justice, apparemment sans songer que ce chemin allait le conduire plus vite en prison.

Patti et David ne parlant guère, le magnétophone de bord n'enregistra rien de nouveau pour l'enquête. Excepté un détail : durant tout le trajet, David pressa Patti de questions au sujet de Heather et du père de celle-ci, dans le but manifeste de convaincre les enquêteurs qu'il n'était pas le géniteur.

– Ça cadrait bien avec le personnage, commenta Newell. Après tout, il s'était déjà débarrassé d'une fille qui croupissait en prison. Il pouvait bien se défaire d'une autre, et en particulier de Heather, qu'il tenait pour une erreur de parcours.

En reniant le bébé de Patti, qui, aux yeux de cette dernière, comptait bien plus que sa propre existence, David Arnold Brown commettait peut-être la plus grossière erreur de sa vie.

31

La salle d'interrogatoire des bureaux du district attorney d'Orange n'était pas bien grande. Les gens interrogés et les enquêteurs s'y trouvaient assez proches non seulement pour se regarder dans le fond des yeux, mais aussi pour entendre la moindre modification du rythme d'une respiration. La pièce était meublée d'une table rectangulaire, de chaises couvertes d'un tissu jaune fané, imprimé d'un motif en zigzag. Les reproductions d'une toile de Jackson Pollock et d'un tableau du Douanier Rousseau voisinaient avec l'affiche d'une exposition au musée d'Art moderne de New York remontant à avril 1967.

Peu avant 8 h 30, au matin du 22 septembre 1988, David Arnold Brown s'était laissé lourdement tomber sur l'une des chaises jaunes. Jay Newell s'était assis en face de lui, tandis que Fred McLean s'installait au bout de la table. Un peu agacé mais très calme, voire confiant, David avait réclamé une eau minérale qu'il sirotait à petites gorgées dans un gobelet de plastique, puis il avait allumé la première d'une longue série de cigarettes.

La technique d'entretien de Newell était si subtile que la plupart des suspects avaient tendance à se détendre. Dans sa bouche, les pires accusations semblaient dénuées de gravité, peut-être à cause d'un imperceptible relent de son accent de l'Oklahoma. Quand il disait : « Vous devriez me répéter tout ça, je ne suis pas aussi rapide que vous », ses interlocuteurs le croyaient, alors que rien ne lui échappait jamais.

David l'écouta lui lire ses droits constitutionnels en hochant la tête pour approuver :

— Je n'ai rien à cacher.

Il expliqua posément qu'il était malade, souffrait de problèmes circulatoires et d'hémorragies, qu'il aurait sans doute besoin d'aller souvent aux toilettes et priait par avance de l'en excuser.

— Pas de problème, acquiesça Newell.

David précisa que, en outre, il était atteint d'un déficit immunitaire – « pas le sida », s'empressa-t-il d'ajouter – qui attaquait les reins, le cœur et le foie, aggravé par un déséquilibre chimique dans son organisme.

Un miracle que ce bonhomme parvînt à se lever de son lit le matin, railla Newell in petto. L'existence de Heather suffisait néanmoins à prouver qu'un de ses organes au moins demeurait en état de fonctionner.

Interrogé sur le soir de la mort de Linda, David fit des efforts pour se rappeler la date, puis feignit de n'en garder pour ainsi dire aucun souvenir :

— Je sais qu'une grande partie de mes problèmes de santé vient de ce deuil... Je n'avais jamais aimé et je n'aimerai jamais plus une femme comme j'ai aimé celle-là.

— Dites-moi juste ce dont vous vous souvenez.

— J'ai sans doute répondu à de multiples coups de téléphone d'un peu partout, depuis les petites sociétés locales d'informatique jusqu'au Pentagone. C'est ce que je faisais en général.

— Mais ce soir-là, plus précisément ?

— Nous avons fait l'amour.

— C'est-à-dire ?

— Je ne me souviens pas spécialement de cette fois-là. Mais Linda était fantaisiste, imaginative. Il y avait des choses qu'elle adorait me faire, vous comprenez ? Elle prenait un plaisir fou à m'affoler, à m'exciter. Ah, c'est dur de donner des détails...

— Nous sommes entre adultes, fit Newell sèchement.

— C'était la reine des préliminaires. Parfois même on

couchait ensemble quand elle avait ses règles. Je n'adorais pas, mais...

— Qu'a-t-elle fait ce soir-là ?

— Je ne me souviens pas. Je sais qu'elle... elle s'est servie de ses mains pour...

— Êtes-vous allé jusqu'à l'orgasme ?

— Oh... toujours, tous les soirs. Nous nous connaissions bien et nous étions amoureux depuis longtemps. Chacun de nous savait ce que l'autre aimait, même si nous cherchions à ne pas refaire la même chose chaque soir. Nous aimions attiser le feu.

— Tout le monde était encore à côté, à jouer aux cartes ?

— Franchement, je n'en sais plus rien. Ça n'avait d'importance ni pour elle ni pour moi. Je ne sais pas s'il restait quelqu'un ou non.

David parlait inlassablement. Il enfumait la pièce avec ses cigarettes et continuait de jacasser. C'était ainsi qu'il avait toujours gagné : les enquêteurs n'allaient pas pouvoir placer un mot et il garderait ainsi le contrôle de la conversation.

Au bout de trois heures de bavardages, Robinson et Newell contemplèrent leurs bandes magnétiques avec satisfaction. Ils ne pouvaient prévoir comment un jury réagirait à l'audition de cet enregistrement, mais du moins avait-il parlé. Et, du coup, ils se sentaient sûrs de le coincer.

Pour le moment, le principal souci de David était qu'il allait se trouver moins confortablement installé qu'il n'en avait pris l'habitude. On le fouilla et on remplaça ses vêtements par une combinaison orange de détenu. David Arnold Brown, génie de l'informatique, était maintenant le matricule 1 058 076, prisonnier à la maison d'arrêt du comté d'Orange. Il chercha les moyens de s'adapter en attendant que son père vienne payer sa caution. Il se faisait l'effet d'être vulnérable, sa gorge dépouillée du fameux médaillon au phénix, son porte-bonheur, le symbole de ce qu'il croyait être.

À 12 h 44, Patti Bailey s'assit sur la chaise précédemment occupée par David dans la salle d'interrogatoire. Alors qu'il n'avait quasiment pas changé de position, elle s'agitait, se tortillait, croisait, décroisait et repliait les jambes, dansant d'un pied sur l'autre. En revanche, elle ne parlait guère. D'une voix basse et sans timbre, elle prétendit ne se souvenir de rien. Elle avait un « trou ».

— Une psychiatre m'a aidée à affronter la réalité : jusque-là j'avais toujours cru que Linda était juste partie en vacances. Tout était dans le brouillard... Je suppose que je ne veux pas encore que tout me revienne...

Elle déclara ne même pas se remémorer ce qui s'était passé la semaine précédente, quand elle avait parlé à Cinnamon, s'étonnant elle-même :

— Je me rappelle la route pour monter jusque chez elle, mais pas ce que nous nous sommes dit.

— Qu'est-ce qui vous a poussée à aller la voir, après si longtemps ? s'étonna Newell.

— C'est ma sœur... enfin, pas vraiment... mais elle est comme une sœur... Je voulais voir si elle allait bien.

— De quoi avez-vous parlé ?

— De Krystal.

— Pas de la mort de Linda ?

— Non.

— Et si je vous disais que Cinnamon se souvient d'en avoir parlé avec vous ?

— Moi, je ne me rappelle pas.

— Quels rapports entretenez-vous avec David ?

— Il n'est pas mon père de sang, mais pour moi il représente quand même une sorte de papa.

— Quels sont vos sentiments exacts à son égard ?

— Ceux que j'aurais pour un père.

— Vous l'aimez ?

— Comme un père, oui, mais pas autrement.

— Il n'y a rien de sexuel entre vous deux ?

— Non, rien.

— Il n'y a jamais rien eu entre vous ?

— Non.

Newell lui rappela le baiser d'autrefois, au supermarché, mais elle répondit ne pas voir de quoi il s'agissait. Les yeux secs, elle paraissait dénuée de toute émotion et rien ne la faisait démordre de sa pseudo-amnésie. Quand Newell essaya de lui faire évoquer le complot entre Linda et Alan pour tuer David, qu'elle avait prétendu surprendre au téléphone, elle prit un air ahuri. Newell grogna :

— Vous arrive-t-il de rêver de la mort de Linda ?

— Je rêve que je vais la chercher à l'aéroport, c'est tout.

Newell lui dit alors qu'il avait un enregistrement à lui faire écouter, ce qui la fit s'étrangler. Elle le supplia d'y aller doucement, « parce que tout ça fait vraiment trop mal... ». Quand il quitta la pièce pour aller chercher des mouchoirs en papier, elle baissa la tête en sanglotant. Sans doute son chagrin était-il authentique, car elle ignorait qu'une caméra filmait ses moindres gestes.

Comme elle était prise de panique, s'attendant à entendre un enregistrement de la nuit du meurtre, Newell la détrompa en lui annonçant qu'il lui passerait un récent dialogue où David parlait de son rôle à elle dans la mort de Linda. Dévisageant Newell d'un air perdu, elle affirma n'avoir jamais parlé du meurtre avec David. Même quand Newell lui fit écouter des extraits dans lesquels David la mettait en cause, elle nia. Newell objecta :

— Pourquoi donc, alors, tout le monde vous dénonce-t-il ?

— Je n'en sais rien.

Elle réagit à peine quand Newell repassa la bande où David racontait à Cinnamon qu'il redoutait d'être la prochaine victime de Patti, qui cherchait à lui régler son compte. Elle chuchota :

— Peut-être que je ne veux pas me souvenir...

— Peut-être serait-il grand temps que vous retrouviez la mémoire...

— Il peut dire tout ce qu'il veut, mais ce n'était pas moi.

— Alors, en quoi êtes-vous mêlée à la mort de Linda ?

— En rien. Je serais incapable de vivre si j'avais fait du mal à quelqu'un... Je ne peux même pas dire non à Krystal, encore moins lui donner la fessée. Je ne peux pas m'énerver contre ma mère sans lui téléphoner après pour lui demander pardon...

Exhortée à se rappeler la nuit du 18 au 19 mars 1985, elle déclara se souvenir subitement que David les avait convoquées dans le living, Cinnamon et elle, mais ne plus savoir pourquoi. Elle était livide et semblait terrorisée. Lorsque Newell quittait la pièce, la caméra cachée filmait ses soupirs de détresse.

— C'est bon, Patti, conclut Newell, il faut commencer à récupérer votre mémoire. Car nous allons faire écouter cette bande aux jurés, qui apprendront comme ça que vous vous êtes levée au milieu de la nuit et que vous avez débattu pour savoir si oui ou non vous iriez jusqu'au bout et si *vous* tueriez Linda... Vous feriez mieux de rassembler vos souvenirs, parce que vous encourez une inculpation de meurtre avec préméditation. Vous vous croyez capable d'assumer cela seule ?

— S'il le faut.

Newell évoqua ensuite les médicaments administrés à Cinnamon, en insinuant que c'était elle qui les lui avait fait absorber, mais elle répliqua :

— Je ne lui aurais rien donné sans l'autorisation de son père.

— Ah ! merde, à la fin ! s'énerva Newell. Vous avez bien tenté de la tuer, cette nuit-là !

— Absolument pas ! gronda Patti, manifestant de l'hostilité pour la première fois

— Pourtant, nous allons le prouver !

Comme Newell haussait encore le ton, Patti marmonna entre ses dents serrées :

— Si vous voulez faire le méchant, moi, je veux un avocat.

L'interrogatoire était terminé.

Patti Bailey, prisonnière n° 105 088 du comté d'Orange, fut écrouée dans la maison d'arrêt pour femmes. On l'habilla d'une blouse grise de détenue arborant son matricule en chiffres jaunes, et elle posa pour la photo de l'identité judiciaire.

291

Son bébé, la seule chose au monde qui lui ait jamais appartenu et qu'elle était la seule à aimer, était confié aux soins de Manuela Brown, une femme qui détestait Patti. David, l'homme qu'elle adorait depuis l'âge de douze ans, l'avait trahie pour sauver sa propre peau. Linda était morte. Tout n'était que cendres.

Arthur Brown, l'air épuisé, pénétra dans la salle d'interrogatoire à 14 h 30, au cours de cet interminable jeudi. Jay Newell entreprit de le questionner au sujet de l'excursion dans la montagne à laquelle le grand-père avait participé la veille du meurtre de Linda :

— Cinnamon était là aussi ?

— Oui.

— S'est-elle mêlée à la conversation ?

— Non...

— David a-t-il cherché à l'entraîner dans la conversation ?

— Il n'a pas prononcé plus d'une demi-douzaine de mots de toute la soirée, quand nous sommes allés dans la montagne.

— C'était Patti qui parlait ?

— Surtout Patti, oui, qui ne cessait de jacasser. Je croyais que ce n'était que du bluff, et puis ça s'est vraiment passé.

Arthur se souvenait que, à l'approche du week-end, un barbecue avait été envisagé, mais qu'on avait dû annuler ce projet à cause d'une « très sale tempête ». Il s'agissait de l'unique discussion au cours de laquelle il avait entendu évoquer la mort de Linda. Il avait rétorqué à Patti qu'il devait exister de meilleurs moyens de faire face à la situation, mais en vain :

— Ça n'a servi à rien. Elle est comme ça : tout ce qui lui entre par une oreille ressort par l'autre... J'ai essayé de la corriger, mais c'est sans espoir, vu que David prend toujours son parti.

Son hostilité envers Patti sautait aux yeux. Il pensait que la luxueuse réfection de la maison de Chantilly Street n'avait été destinée qu'à la séduire. Il était presque heureux que son fils ait été arrêté avec elle :

– C'est ce qui pouvait arriver de mieux à David. Voilà qui l'engagera à s'amender et à remettre de l'ordre dans sa vie.

Il était clair que le grand-père considérait Patti comme l'unique meurtrière, et qu'il allait donc finir par récupérer son fils en même temps que sa petite-fille préférée.

Le grand-père Brown avait travaillé avec David dans son entreprise, mais avait été mis au courant de peu de choses.

– C'est top secret, souligna-t-il.

– Parce que vous travaillez pour le gouvernement ou parce que c'est l'affaire de David ?

– Parce que c'est l'idée de David et son boulot. Personne d'autre n'est au courant comme lui.

Arthur Brown confirma qu'Alan Bailey, le frère de Linda, était tombé en disgrâce et n'avait plus de rapports avec l'entreprise. Il ne connaissait d'ailleurs qu'une partie du « procédé ». Seule Linda aurait pu faire marcher Data Recovery sans l'aide de quiconque.

Il ne savait pas au juste de quoi souffrait son fils. Tout récemment, c'était de la vésicule biliaire, mais le médecin n'avait jamais été fichu d'établir un diagnostic précis. David ne buvait pas, bien que des dizaines de clients reconnaissants lui aient envoyé des alcools pour Noël, spécialement du cognac.

– Et qui donc avale tout ce cognac ?

– Personne, à moins que ce ne soit Patti. Il y a toujours une bouteille à côté du lit.

– Quel lit ? jeta Newell.

– Celui de David.

Newell ne sourcilla pas. Selon lui, que David et Patti fussent amants était une certitude, mais il doutait qu'Arthur admît que son fils chéri couchait avec celle qu'il venait de désigner comme meurtrière.

– Je ne souhaite pas sa mort, reprit le père de David. Je veux simplement voir cette fille quitter cette maison.

Jeoff Robinson entra alors pour demander à Brown :

– David n'a-t-il pas parlé lui aussi d'éliminer Linda ?
– Non.

Tout désignait Patti Bailey, qui se retrouvait sans allié. David avait ses parents pour le défendre et le présenter comme un excellent jeune homme détourné du droit chemin par une créature machiavélique. Cinnamon avait le soutien de sa mère et de Newell, McLean et Robinson. Patti n'avait plus que la petite Heather, et les pièces du puzzle commençaient à se raccorder.

Pourtant, Newell et Robinson hésitaient : que manquait-il ?

Jay Newell voulait prévenir Cinnamon que son père et Patti avaient été arrêtés, avant qu'elle ne l'apprenne par la radio ou la télévision. Il eut au téléphone un surveillant et le pria d'annoncer à la jeune fille que la nouvelle allait être diffusée par tous les médias.

Du *Los Angeles Times* à l'*Orange County Register* et au *Weekly World News*, sans parler de la presse à scandale, l'affaire fit la une avec des titres à sensation : « L'assassin oblige sa fille à avouer », « Interpellation d'un homme accusé du meurtre de sa femme, pour lequel sa fille est incarcérée », « Une enfant s'incrimine à la place d'un père sans scrupule ». La dépêche de l'Associated Press était intitulée : « L'adolescente revient sur ses aveux d'assassinat. »

Les habitants du comté ne furent guère surpris. La plupart se rappelaient à peine la jeune fille au prénom bizarre qu'on avait condamnée pour le meurtre de sa belle-mère, quelques années plus tôt.

David Arnold Brown et Patti Bailey étaient restés détenus sans possibilité de liberté sous caution. Une semaine avant Noël 1988, chacun attendait dans sa cellule la prochaine confrontation avec la police. David avait engagé Joel Baruch, un avocat local renommé et médiatique. Son affrontement avec Jeoff Robinson promettait d'autant plus que le procureur l'avait déjà emporté deux fois sur l'avocat aux assises et que ce dernier jurait de ne pas se laisser battre une troisième fois. Patti Bailey était représentée par Donald Rubright, un grand et bel avocat tout aussi réputé. David assumait les honoraires des deux défenseurs, tout comme il avait payé celui de Cinnamon en 1985.

David fut mis en accusation le lundi 26 septembre 1988, devant Dennis S. Choate, juge au tribunal de West Orange County. Il plaida l'innocence mais le juge le maintint en détention. Patti dut attendre l'audience pour savoir si elle serait jugée en tant qu'adulte ou renvoyée devant le tribunal pour enfants.

Il y eut une brève trêve avant le procès, au cours de laquelle Newell évita de s'exprimer devant la presse. Robinson se contenta de déclarer aux journalistes de manière énigmatique :

– Le nom de la personne qui a pressé la détente importe fort peu en la circonstance. Car nous estimons que nous avons appréhendé toutes les parties en cause.

Jay Newell gardait le contact avec Cinnamon. Pendant la semaine précédant Halloween, il récapitula avec Robinson quelques doutes qui les titillaient. Il subsistait des passages, dans les entretiens de Cinnamon avec la police en 1985, qui ne concordaient pas avec ses récentes déclarations. Or le moindre mensonge autoriserait les avocats de la défense à la citer à la barre des témoins.

Le 27 octobre, Newell annonça à Cinnamon que l'audience préliminaire aurait lieu dès décembre. Au moment où l'on allait prendre la décision de garder ou non David et Patti en détention jusqu'au procès, il était vital que la jeune fille dise la vérité absolue. Si son témoignage était controversé, aucune révision ne serait possible. Newell lui apporta donc des copies de ses premiers enregistrements, en lui conseillant de les écouter et d'en relire les transcriptions sans y apporter la moindre modification :

– Je laisse mon numéro à votre surveillant, qui pourra toujours me joindre. Si vous vous apercevez que certaines choses que vous avez dites n'étaient pas exactes, alertez-moi aussitôt.

Le lendemain fut une journée chargée pour lui et il n'eut pas le temps d'écouter le répondeur téléphonique où était enregistré un appel du surveillant de Cinnamon.

Chez les Newell, les week-ends étaient consacrés aux enfants et aux chiens. Le 29 octobre, Jay Newell se préparait à emmener tout son petit monde à la parade de Halloween quand son téléphone sonna.

C'était de la part de Cinnamon. Il dut attendre un moment qu'on aille la chercher. À entendre sa voix, on lui aurait donné dix ans, et il s'inquiéta :

– Qu'est-ce qui se passe ?

– Vous m'avez dit d'appeler... Qu'est-ce que vous fabriquez, en ce moment ?

– Je me préparais à emmener mes gosses au défilé. Et vous ?

– J'ai quelque chose à vous dire.

Un silence, puis :

– Avant j'avais honte de vous dire la vérité. Je n'osais pas.

– Dire quoi ?

– Jay... C'est bien moi, c'est moi qui ai pressé la détente... Je vous ai menti, je vous demande pardon.

Newell raccrocha. Au fond de son cœur, il savait qu'il venait enfin d'entendre la vérité, le terrible secret que Cinnamon avait gardé enfoui pendant des années. Ils n'auraient plus à s'inquiéter des minuscules contradictions dans son récit. Ils avaient bien pressenti que David Brown était trop pleutre pour tirer autrement que par personne interposée. Seul le rôle exact de Patti demeurait à établir.

Quand Jeoff Robinson apprit que Cinnamon avait avoué, ce fut pour lui aussi un « immense soulagement ». Il était également persuadé que David avait mis en scène le meurtre dont il avait tiré les ficelles en laissant à autrui le travail déplaisant. Il n'en était pas moins coupable aux yeux de la loi, ce que Jeoff résumait ainsi :

– Toute personne qui contribue à la perpétration d'un crime est également responsable dudit crime. Quiconque encourage au crime, en est l'instigateur ou le promoteur est autant coupable d'homicide volontaire que l'assassin en personne...

32

Quand Jay Newell prit la direction du nord, le jour de Halloween, afin de retourner voir Cinnamon une fois de plus, il pensait à ses propres enfants. Sa fille aînée avait maintenant quatorze ans, l'âge de Cinny au moment du crime. Il se rappelait le mépris qu'une petite voisine leur avait manifesté, à elle et à Patti, lorsqu'elles s'étaient déguisées quelques mois avant la disparition de Linda. Il leur restait alors peu de temps pour être des adolescentes comme les autres. Même à l'époque, Patti participait sans doute déjà aux desseins criminels de David.

Cette journée s'annonçait pénible, bien que Newell fût impatient d'entendre les révélations de Cinnamon. Il la trouva pâle et inquiète quand elle le rejoignit. Il prit le temps de déjeuner avec elle et de bavarder à bâtons rompus jusqu'à ce qu'il la sente se détendre.

— Vous avez déclaré que tout n'était pas vrai dans ce que vous nous avez raconté quand l'inspecteur McLean et moi sommes venus vous parler ici, le 10 août. Nous avez-vous dit des choses vraies, ce jour-là ? demanda-t-il enfin.

— Jusqu'au récit de la mort, oui.

Selon elle, sa belle-mère Linda était passée dans sa chambre pour prendre une douche. Elle poursuivait :

— Nous étions dans le living, Patti et moi. Mon père y est resté un petit moment à nous parler, puis il a quitté la pièce pour suivre Linda en nous laissant devant la télévision. Comme Patti s'est endormie par terre, je lui ai conseillé de s'allonger sur le canapé, puis nous avons fini

298

par aller nous coucher dans sa chambre... Dans la nuit, je ne sais pas au juste quand, il est venu nous réveiller.

— Qui est venu ?

— Mon père, bien sûr... Il est entré et nous a dit : « Il faut que ce soit fait ce soir. » Il a répété que, si je l'aimais, je ferais ça pour lui.

— Par « ça », il faisait référence à ce dont vous aviez discuté ?

— Oui. Il disait la même chose et il répétait que ce devait être fait ce soir-là. Quand je lui ai demandé pourquoi, il a simplement répondu : « Autrement, je vais disparaître. Linda va me tuer. »

— Vous êtes restés dans la chambre, tous les trois ?

— Non.

David et Patti avaient chuchoté entre eux et puis son père lui avait dit de le suivre sans faire de bruit. Il était allé chercher des flacons d'aspect pharmaceutique, l'avait conduite à la cuisine et lui avait dit de se servir un verre d'eau.

— Je les ai pris...

— Vous avez pris quoi ?

— Les comprimés qu'il m'a donnés. J'ai eu du mal à les avaler. Il a juste dit : « Fais ce que tu peux. » Et je lui ai dit que j'avais l'impression que tout allait me remonter...

Elle avait continué d'avaler des poignées de gélules orangées et d'autres produits qu'elle ne connaissait pas. Quand elle eut fini, il la ramena dans la chambre de Patti :

— Ce devait être fait le soir même, me répétait-il. L'une de nous deux devrait l'abattre. Il me disait que je devais tirer sur elle et ensuite sur moi pour que ça ait l'air... d'un regret.

L'étonnement de Newell troubla sa voix :

— Il vous a ordonné de vous tirer dessus ?

— Il m'a dit qu'une fois que j'aurais abattu Linda, je devais me tirer une balle dans la tête avec le revolver. Mais j'avais trop peur. Il m'a expliqué où je devrais tirer pour être juste égratignée et que ça ait l'air d'une tentative de suicide, mais j'ai refusé. Alors, il a dit : « Bon, si tu ne veux pas, on se contentera des médicaments. »

Il n'y avait aucune arme à feu en vue et Cinnamon ne savait même pas s'il en existait une dans la maison, mis à part les grands fusils enfermés dans leur vitrine. David lui avait annoncé qu'il devait quitter la maison et que, si « ça » n'avait pas été fait à son retour, il serait obligé de partir ou de se tuer. Sans quoi Linda l'assassinerait.

David avait alors tendu à sa fille un coussin tapissé de marron, lui avait montré comment le tenir sur le pistolet, puis avait donné à Patti l'arme enveloppée dans une serviette. Elle l'avait essuyée avant de la remettre à Cinnamon en chuchotant. Elle-même baissait la voix pour rapporter :

– Je ne sais pas laquelle de nous deux a armé le chien. Elle m'a dit que je n'avais qu'à appuyer sur la détente. Elle et papa m'ont répété d'y aller, de tirer...

De toute évidence, ces aveux coûtaient à Cinnamon, dont les joues se couvraient de larmes. Newell l'encouragea doucement :

– C'est bon... Dites-moi ce que vous avez fait.

– Pour ne pas que papa souffre, je suis passée dans la chambre de Linda, sans décoller le coussin du canon du pistolet. Je ne sais plus où je me tenais dans la pièce, j'avais trop peur, mais j'ai tiré, tout simplement...

Dans cette chambre obscure, elle ne se souvenait pas si elle s'était trouvée près du lit, proche de Linda, ni de quel côté exactement celle-ci dormait.

– Je suis entrée, voilà tout, et j'ai tiré dans sa direction. Le coussin s'est coincé dans le pistolet quand j'ai tiré. Je craignais de l'avoir cassé, alors j'ai regagné la chambre de Patti en courant.

Patti portait Krystal dans ses bras, comme David le lui avait recommandé. C'est donc séparées par le bébé que les deux adolescentes s'étaient débattues avec le coin du coussin pris dans le pontet.

– Et puis une détonation nous a assourdies toutes les deux. Krystal était tout près du canon de l'arme... J'ai été prise de panique.

Newell frémit en imaginant qu'il s'en était fallu de si peu. Le bébé avait été terrifié par cette explosion, mais Patti marmonnait que c'était un accident, puisqu'on n'aurait dû tirer aucun coup de feu depuis sa chambre. Quand leurs oreilles avaient cessé d'être assourdies, elles avaient perçu un autre bruit, une espèce de long gémissement aigu, une plainte animale.

C'était Linda. Linda n'était pas morte. Elle essayait de parler, mais ses gémissements étaient entrecoupés de sanglots. Patti tenait le pistolet et Cinnamon la regarda en rabattre le chien.

– Elle me l'a rendu, elle m'a dit d'aller voir et, quand je suis entrée dans la pièce, je n'ai plus entendu Linda...

– Elle ne gémissait pas ?

– Non, je n'ai rien entendu. Et j'ai juste fait ce qu'on m'avait dit : j'ai tiré une autre fois. Mes oreilles bourdonnaient. J'avais si peur que j'ai laissé tomber le pistolet.

La grande chambre était silencieuse à ce moment. Cinnamon n'y voyait rien. Elle avait simplement pressé la détente du pistolet armé que lui avait donné Patti. Avec des gestes d'automate, elle avait exécuté le reste du scénario prévu : elle était allée chercher la lettre parlant de suicide dans sa caravane, puis s'était blottie dans le chenil.

Un long silence. Assise en compagnie de Jay Newell, elle sanglota et se laissa revenir à cette sinistre nuit du 18 au 19 mars 1985. Il questionna :

– Est-ce que votre père ou quelqu'un est venu vous tirer de cette niche à chien pendant que vous vous y cachiez ?

– Non.

– C'est bon, Cinnamon. Maintenant, je dois vous demander... Quand vous m'avez dit que vous avez entendu votre papa partir en voiture, en ajoutant que vous étiez dehors quand vous avez entendu des détonations, pourquoi nous avoir raconté ce mensonge, à Fred McLean et à moi ?

– Parce que j'avais honte d'aimer mon père au point de tuer Linda. Et que je ne voulais pas l'admettre.

Avant d'appeler Newell, Cinnamon avait téléphoné à sa mère pour lui avouer la vérité en premier. Et Brenda lui

301

avait confirmé que tout se passerait mieux si elle disait toute la vérité. Newell détourna la conversation :

— Vous savez combien de ces comprimés vous avez ingurgités ?

— Non, il me disait seulement d'en prendre le plus possible. Tout ce que je pourrais avaler.

— Est-ce qu'il vous a montré comment tenir le pistolet contre votre tête pour vous tirer dessus ?

— Pas ce soir-là, non, mais avant, oui. Quand il me disait que je devais écrire une lettre de suicide. Il expliquait que je devais faire croire que j'avais tenté de me suicider en me tirant une balle dans la tête.

Newell savait que la mort de l'adolescente était une partie intégrante d'un plan conçu de façon à rejeter toute responsabilité sur elle. Mais elle était apparemment incapable d'affronter le fait que son père ait eu l'intention de la faire mourir. Beaucoup de temps s'écoulerait avant qu'elle ne l'admette.

Elle ne se souvenait pas d'avoir parlé à quiconque à l'hôpital. Elle ne se rappelait aucune conversation avec Fred McLean. Il lui revenait seulement qu'elle avait été plus malade que jamais, et qu'elle avait repris conscience à l'hôpital longtemps après. Depuis, Cinnamon Brown était demeurée prisonnière, à la fois de corps et d'esprit.

En un sens, elle venait de se libérer.

33

Ce dernier samedi d'octobre, au moment où Cinnamon avouait son secret à Jay Newell, David Brown, lui, écrivait à Patti Bailey. Sa lettre ne constituait qu'un exemple parmi les dizaines de courriers – parfois jusqu'à trois par jour – où il répétait à peu près les mêmes protestations destinées à apaiser la rancœur de Patti : missives enjôleuses, voire sirupeuses, ou cartes accompagnant des articles sur la fidélité conjugale découpés dans le *Catholic Digest*.

Si David avait un nouveau péril à affronter, celui-ci venait de Patti. Il pouvait renoncer à son influence sur Cinnamon en qualifiant sa fille de « maléfique », mais il lui restait une compagne qu'il connaissait bien, dont il savait les émotions, les espoirs, les craintes, les rêves. Il tentait d'en tirer parti au travers de missives laborieusement rédigées, notant par exemple : « J'espère que tu vas bien. Je voudrais sincèrement te voir et te parler de vive voix, m'assurer par moi-même que tu vas bien... »

Dans sa correspondance d'octobre, il recommandait vivement à Patti de lire la Bible. Surtout l'*Épître aux Corinthiens*, chapitre XIII, versets 12 et surtout 13. Il lui précisait même la page où lire : « Maintenant, donc, demeurent trois choses ; la foi, l'espérance et la charité. Mais la plus grande des trois reste la charité. » Elle ne comprit pas très bien où il voulait en venir avec ce message très gentil, très amical et très prudent, dans lequel il relatait : « Je lis beaucoup d'ouvrages religieux. Je réapprends des choses que j'ai sues il y a longtemps, quand j'étais gosse. Parce que j'ai bien été un enfant, dans le temps. Une amie m'a dit que tu ne savais pas très bien d'où sortaient certaines choses que je t'écris. Eh bien, elles viennent de mon cœur et de mon esprit. Assez triste, non ? » David concluait en demandant que Patti lui fasse savoir si son courrier l'irritait, auquel cas il cesserait d'écrire.

Pour la jeune femme, cet humble David était un inconnu. Jusque-là, il s'était révélé sous des jours divers, mais jamais humble. Elle ne demandait qu'à croire qu'il avait changé. Mais cela signifiait-il qu'elle devait lui accorder ce qu'il désirait le plus : sa liberté ?

Patti reçut de lui parallèlement une seconde catégorie de lettres, toutes signées Doug. Celui-ci se montrait un amant bon et affectueux, à mille lieues du personnage que David avait inventé comme père à Heather. Le vrai David demeurait l'homme qui s'acharnait à convaincre Patti qu'il était de son côté, qu'ils devaient se serrer les coudes, former une vraie famille, comme elle l'avait rêvé. Conscient de la méfiance qu'il pouvait lui inspirer depuis qu'elle avait entendu l'enregistrement où il lui faisait endosser la responsabilité du crime, il assurait dans une autre lettre : « Personne ne te veut du mal. Personne d'autre que Cinnamon n'a entendu ces bobards. Et tu sais bien qu'elle ne t'a jamais aimée et que nous lui avons toujours dit ce qu'elle voulait entendre. Elle a avoué le meurtre de Linda au moins six fois en ta présence. Alors, si j'ai sorti ces trucs-là, ça ne voulait rien dire : je cherchais simplement à jouer son jeu. »

David continuait sur ce ton en affirmant que Cinnamon était une voleuse. Il lui rabâcha que Cinnamon était devenue « violente » quand il avait témoigné sa confiance en Patti, la seule qui comptât, selon lui. C'était un homme aux masques interchangeables. La personne à qui il parlait ou écrivait était toujours la seule qu'il prétendait estimer et aimer, tous les autres étant des traîtres. Il se faisait aussi persuasif sur le papier que de vive voix, répétait avec insistance que leur vraie famille – composée de Krystal et de Heather – ne supporterait pas d'être séparée, alors que Cinny méritait d'être sacrifiée.

« Patti, nous t'aimons tous, ne les laisse pas gagner ! déclarait-il. Tu ne vois pas que c'est ce qu'ils attendent, Cinny et eux ? Nous séparer et nous obliger à nous faire du mal les uns aux autres... Je viendrai à ton procès et je jurerai devant Dieu et devant le monde mes sentiments pour toi, et j'expliquerai pourquoi j'ai menti à Cinny. Je me fiche que ça fasse du mal à Cinny. La seule famille qui importe, c'est la nôtre. »

Patti avait d'autant plus besoin de croire à ces mots tendres parvenus au fond de sa prison que personne ne savait officiellement qu'ils étaient mari et femme. Elle lisait avec délectation : « Doug veut aussi avoir de tes nouvelles. Il t'aime, Patti, plus que sa vie même. Oublions le passé, regardons seulement l'avenir. Mes parents savent que tu es bien plus franche et affectueuse que Cinny ne pourra jamais l'être, elle, si mauvaise... »

David encourageait Patti à nourrir des pensées positives, lui parlait des bons moments qu'ils passeraient plus tard avec leurs enfants et multipliait ses mirifiques promesses. Sachant que sa colite lui avait trop souvent servi de prétexte pour refuser les sorties qu'elle souhaitait, il annonçait qu'il saurait dorénavant dominer à la fois ses intestins et ses crises de panique. Si seulement elle lui revenait, il l'emmènerait avec les petites filles au zoo de San Diego, au Sea World et autres lieux mirobolants.

Le 3 novembre 1988, David commença à s'impatienter du peu de renseignements que les brèves missives de sa correspondante lui apportaient sur son propre état d'esprit. Il lui écrivit : « Je le jure devant Dieu, je vais faire tout ce qui est en mon pouvoir pour te disculper, pour nous disculper tous les deux. Je te supplie de me croire, je suis sincère, Patti. Je ferai n'importe quoi pour t'aider, tout ce que tu voudras. »

Comme ils étaient bel et bien mariés, elle n'aurait théoriquement pu être contrainte de témoigner contre lui et n'avait même pas à dévoiler les sujets de conversations privées. Mais la révélation de cette union risquait en

305

contrepartie de desservir gravement la cause de David. Il préférait par conséquent ne pas recourir à cet artifice juridique et plaidait : « Est-ce que tu vas accepter de témoigner contre moi ? Tu devrais te souvenir qu'aucun de nous deux n'a de mal à dire de l'autre, rien que du bien. Moi, c'est mon cas... Nous pouvons être jugés la main dans la main, si tu veux. Je me sentirais bien mieux, si tu le voulais. Demandons à nos avocats ce qu'ils en pensent. »

David promettait un nouveau départ, loin du passé. Ils iraient en Oregon, peut-être, ou en Arizona : « Une nouvelle vie serait magnifique, voir un nouveau pays, avoir une petite ferme, des animaux, les gosses qui jouent. Heureux. Nous allons nous battre de concert, nous gagnerons ou perdrons ensemble. »

De son côté, Doug concluait par un poème de son cru : « Notre Amour n'est pas le passé, Il est l'Avenir. Notre vie ensemble n'est pas le passé, Elle aussi est l'Avenir. Avec, pour Patti, tout l'Amour de Doug. »

Quand Patti ne réagit pas à un pareil billet, David prit peur. Et, un matin de novembre, ses pires craintes furent confirmées.

Ce jour-là, une comparution devait précéder l'audience préliminaire. David était irrité ; le fourgon quittait la prison d'Orange pour West Court à 6 heures du matin et il avait dû l'attendre plus de trois heures dans une cellule de garde à vue. En revoyant ensuite son épouse pour la première fois depuis leur arrestation, il la découvrit en train de bavarder avec Jeoff Robinson et Jay Newell, c'est-à-dire le diable en personne. Pour lui qui n'avait même pas voulu qu'elle soit influencée par des autorités scolaires, un entretien avec l'homme qui l'avait arrêté et avec celui qui allait sans doute le poursuivre était intolérable.

Pourtant, David espérait encore gagner par de belles paroles. Il écrivit à Patti qu'il « devenait fou » dans l'attente de ses nouvelles. Il dépérissait tant il souffrait d'être en prison. Il avait beaucoup maigri et il était sûr qu'il n'allait pas tarder à mourir. Il laissait entendre qu'il avait trouvé en prison un type qui l'aiderait à se suicider et annonça :

« Ce sera pour bientôt, maintenant. Souhaite-moi bonne chance... Je vous verrai peut-être toutes grandir de là-haut, je l'espère. Prends soin de toi et que Dieu te bénisse ! »

Il n'en était pas moins bien vivant, trois jours plus tard, pour se remettre à bombarder Patti de lettres éplorées, ignorant qu'il était trop tard.

Le 7 novembre 1988, à 7 heures du matin, Patti Bailey, assistée de son avocat Don Rubright, avait commencé à faire ce que David lui conseillait sans cesse : prendre enfin soin d'elle-même. Si ses aveux venaient corroborer ceux de Cinnamon, la cause de l'accusation s'en trouverait renforcée. Elle n'était nullement contrainte de parler aux assistants du district attorney, mais elle était une femme déchirée par une trahison inimaginable.

Selon une méthode en passe de devenir rituelle, Jay Newell commença par demander à Patti de se replacer mentalement en 1985 :

— Quel âge aviez-vous à ce moment-là ?

— Je venais tout juste d'avoir dix-sept ans.

— Cela fait parfois mal d'évoquer certaines choses ; mais il va falloir en parler quand même, d'accord ?

D'abord hésitante, elle entreprit de retracer les événements à sa façon :

— David disait qu'il avait besoin d'un coup de main pour son travail chez Randomex et il m'a proposé de quitter le collège pour poursuivre mes études à la maison, en vivant chez lui et Linda.

Elle avait vécu « normalement » pendant cinq ans chez eux avant que David se plaigne auprès d'elle : Linda changeait, elle n'était plus très drôle.

— En fait, nous restions de plus en plus entre nous trois, avec David et Cinnamon. L'histoire comme quoi il avait peur qu'il lui arrive quelque chose, je ne sais plus trop comment c'est venu... Il me semble que c'était sur l'autoroute, en rentrant de Calico. Il n'a pas sorti ça tout à trac... Je pense plutôt que Linda était partie boire un verre et qu'il l'a juste évoqué comme une blague.

307

– A-t-il parlé de tirer sur Linda en faisant croire à un accident ?

– Oui.

– Où vous trouviez-vous quand il a répété ce genre de suggestions ?

– Un peu partout... Dans la voiture... Et puis la veille de la mort de Linda. Nous devions monter nous entraîner au tir et il projetait de la faire tomber dans un précipice... Il racontait que jamais personne ne soupçonnerait rien si l'un de nous se mettait à courir et qu'elle mourait comme ça.

– Comment ça ?

– Si elle était assise au bord, à regarder le fond du précipice et qu'un de nous arrivait en vitesse, elle pouvait tomber...

– Qu'est-ce qu'il vous disait, à vous et à Cinnamon ?

– Il y avait des moments où il lui disait des choses et d'autres non. Des fois, il m'en parlait toute une journée, mais pas à Cinnamon, parce qu'elle était trop jeune, d'après lui, et qu'elle irait le répéter à tout le monde... D'autres fois, Cinnamon participait à la discussion et il me demandait de lui expliquer de quoi on causait.

Pressée de préciser des dates et des détails, Patti se souvint que, pendant de longues périodes, David n'abordait plus de projets criminels. Il avait été surtout question de se débarrasser de Linda quand ils habitaient à Yucca Valley, mais ensuite il s'était écoulé six ou sept mois sans qu'on en parle, quand ils vivaient à Brea. La véritable offensive avait pris forme à Garden Grove, dans la maison d'Ocean Breeze. De nouveau, David craignait que Linda ou Alan ne lui fassent du mal. Newell interrogea :

– Qu'est-ce qu'il en disait ?

– Qu'ils devenaient bizarres, que Linda n'était plus la même. Son père devait faire le guet pour voir où était Linda quand elle rentrait et, une fois que nous étions dans le jardin, il a remarqué : « Quelqu'un pourrait tirer et cacher l'arme dans le lierre... »

Patti était certaine que le grand-père Arthur Brown avait entendu David parler de ses projets. Elle estimait que ce plan datait d'une semaine avant la mort de Linda. Quand Newell signala que Cinnamon avait parlé de suggestions qu'elle-même aurait faites sur les moyens de tuer Linda, elle resta quelques instants silencieuse, à réfléchir. Aucun des hommes qui l'entouraient ne parvenait à imaginer cette jeune femme triste dans le rôle d'une meurtrière préméditant son crime. Elle murmura, rassemblant des souvenirs :

— Des suggestions ? Vous savez qu'ils avaient eu cette idée de cyanure ?

— Du cyanure ? Qui a émis cette proposition ?

— Je crois que c'était au journal télévisé et que nous étions tous les deux... ou nous tous. Nous nous sommes regardés en pensant : pourquoi pas ? Il a eu cette idée en regardant le journal...

— Et vous ? Vous rappelez-vous des idées particulières que vous auriez eues ?

— Une fois où David m'a posé la question, eh bien, j'ai dit que, si elle était étouffée par exemple avec un coussin, ce serait une mort facile, sans douleur... Mais, en général, il me réveillait au beau milieu de la nuit pour m'en parler et me demander de passer à l'action. Pourtant, j'en étais incapable.

Ainsi Patti avait représenté le premier choix de David pour tuer Linda.

— Vous nous avez dit que vous ne preniez pas toujours au sérieux les suggestions de David, n'est-ce pas ? lança Jeoff Robinson.

— C'est juste.

— Mais il y a bien eu un moment où vous avez fini par le prendre au sérieux, non ?

Elle regarda Robinson dans les yeux et répondit lentement :

— J'ai commencé à le prendre au sérieux quand il m'a dit que je devais aller dans la chambre avec le pistolet. Parce que j'avais l'arme dans la main, mais que je ne pouvais vraiment pas faire ça. C'est là que je l'ai pris au sérieux.

— D'accord. Et qu'est-ce qu'il vous a fait faire, concrètement ? intervint Newell.

Patti eut l'air alarmée pendant un instant, puis se détendit :

– Il m'a simplement dit : « Tu n'as qu'à entrer. Tu tiendras le coussin dans une main, le pistolet dans l'autre, tu n'auras qu'à tirer dans le coussin et personne n'entendra rien. Ensuite, tu n'auras qu'à raconter que tu as cru surprendre un cambrioleur. »

Robinson, se demandant comment Patti avait finalement accepté de participer au meurtre, reprit :

– Patti, je vais vous poser une question à laquelle il faut nous répondre par oui ou par non. D'accord ?

Elle opina.

– Vous nous avez dit qu'une de vos raisons était cette histoire qu'il vous répétait sur la nécessité de maintenir la famille soudée, que sinon, il partirait, etc. Était-ce vrai ?

– Oui.

– Très bien. Ensuite, avez-vous accepté de participer au projet de meurtre de Linda ?

C'était la question des questions. Elle regarda fixement Robinson avant de lâcher :

– Oui.

À peine prononcé cet unique mot, Patti voulut le reprendre. Mais progressivement, avec son propre avocat qui écoutait et lui apportait de temps en temps un verre d'eau, elle finit par confirmer les aveux de Cinnamon en ajoutant ou modifiant des détails mineurs. Elle leur apprit notamment que David avait replacé le coussin marron sur le dossier de son fauteuil pour soutenir sa nuque. Si elle avait souhaité la disparition de sa sœur, c'était pour garder intact le seul et unique foyer stable qu'elle ait jamais connu.

On aurait dit une secte, une secte à échelle familiale. Où Linda n'avait plus sa place.

David Brown n'avait aucune idée de ce que Robinson et Newell savaient à son sujet, mais d'instinct il reconnaissait en eux des ennemis. Quant à Patti, elle restait la clef de sa liberté. Il lui écrivit un nouveau poème, se figurant sa femme en train de le déchiffrer les larmes aux yeux :

Mon amour est une profonde souffrance
Et le feu de mon âme s'est éteint.
Chaque fois que nous sommes séparés
Toutes les fibres de mon être
Tombent en poussière...

Après l'avoir lu, Patti le remit aux collaborateurs du district attorney avec d'autres lettres de David, puis elle leur révéla une partie de ce qu'elle avait gardé secret :

– Il n'est pas juste un père pour moi. Nous sommes mariés depuis deux ans.

McLean téléphona à un ami de la police de Las Vegas, qui rappela pour confirmer que David Arnold Brown et Patricia Ann Bailey s'étaient bel et bien mariés le 1er juillet 1986. Toutefois, Patti leur dissimulait encore autre chose.

34

Le jour où la prison du comté d'Orange servait la traditionnelle dinde de Thanksgiving, David Brown comprit enfin qu'il n'aurait plus d'emprise sur Patti, malgré ses poèmes, ses lettres d'amour, ses menaces de suicide. Quelque chose avait changé, quelqu'un l'avait montée contre lui. En parlant trop, elle risquait de sombrer en même temps que lui, mais il l'estimait trop bête pour le comprendre.

Il ne lui était plus possible de prévoir quels dégâts ses révélations allaient causer.

On avait toujours tendance à sous-estimer David Brown. Sa physionomie et sa corpulence ne payaient pas de mine, il manquait d'élégance et commettait des fautes de langage, mais rien de tout cela ne comptait. Ce qu'il avait accompli en dix ans prouvait au contraire qu'il obtenait toujours ce qu'il désirait. Ce qu'il voulait à présent, c'était sa libération ; cela ne le différenciait pas de ses codétenus, mais peu d'entre eux se sentaient prêts à aller aussi loin que lui pour atteindre ce but. En vue d'y parvenir, il nouait rapidement des camaraderies de cellule et profitait de ses possibilités de téléphoner à l'extérieur ou de recevoir des visites.

Patti ne savait que trop comment il excellait à manipuler les gens, et certaines des femmes qu'elle côtoyait contribuaient à la terroriser. Elles revenaient de leurs propres parloirs en disant qu'elles avaient vu l'avocat de David, qu'il les avait interrogées sur elle, qu'il voulait savoir pourquoi elle allait témoigner contre lui. Elles semblaient se délecter de sa détresse. Informé de cette situation, Jay Newell tenta de s'entretenir avec l'une d'elles. Elle lui confirma que l'un des avocats de David tentait de lui faire dire ce que Patti allait dévoiler pendant l'audience préliminaire ; mais elle avait réagi.

— Je lui ai répondu qu'il était là pour parler de *mon* affaire, pas de la sienne. Et on en est restés là.

Le lundi 28 novembre, jour du retour du long week-end de Thanksgiving, Newell rencontra Patti en présence de son avocat, Don Rubright. Il l'interrogea sur les innombrables secrets que David lui avait confiés en lui ordonnant de n'en parler à personne. Au sujet du prétendu Doug, qui reparaissait constamment dans leurs lettres, c'est avec un demi-sourire qu'elle raconta :

— En juin 1986, quand David m'a demandé si je voulais devenir la maman de Krystal, j'ai accepté et j'ai signé le contrat prénuptial sans le lire. Il n'y a jamais eu de Doug. C'est seulement quand j'ai dit à David que je pensais être enceinte, un mois plus tard, qu'il l'a inventé. Il m'a ordonné de m'y tenir, puisque je refusais de me faire avorter comme il le voulait.

Patti reconnut qu'elle-même et David avaient eu des « rapports physiques » avant l'assassinat de Linda. Comme le sujet la troublait, Newell n'approfondit pas la question. Elle se montrait plus prolixe quant à la panique de David après que Cinnamon l'eut convoqué au centre de Ventura. Cette dernière, insistait David, devait continuer de taire la vérité. En fait, durant les quarante-quatre mois qui avaient suivi le drame, il n'avait cessé de rabâcher à Patti la même antienne :

— Tu sais bien que, en réalité, ce sont Alan et Larry qui ont tué Linda. Moi, je n'ai jamais voulu que ça arrive.

L'idée de l'échange entre les deux jeunes femmes venait de lui, au même titre que l'ordre d'inventer une histoire qui ne le mettrait pas en cause.

Une autre chose inquiétait Patti. Elle était parfois appelée au parloir par un certain Wallace Elmore DuPree, un vieil ami de David, qui faisait partie des visiteurs officiels. À l'instar des avocats et des prêtres, il n'avait pas besoin de respecter les horaires et pouvait prolonger les entretiens aussi longtemps qu'il le souhaitait. Elle se souvenait que cet homme était venu voir David quand ils habitaient à Summitridge pendant qu'elle était enceinte de Heather. Elle avait l'impression que c'était un vendeur de voitures d'occasion qui s'occupait aussi d'informatique, mais elle n'en était pas sûre, car David la congédiait systématiquement quand il arrivait.

Elle eut la surprise d'apprendre que DuPree se présentait comme un pasteur mormon et qu'il était supposé les aider en sa qualité d'homme de Dieu. Très grand, mesurant plus de 1,85 m, ce quinquagénaire aux yeux bleus et au regard pénétrant s'exprimait avec une mine empreinte de sincérité et de compassion.

– Il m'a répété que David sera probablement condamné à la chaise électrique, mais qu'il ne témoignera jamais contre moi, et il m'a demandé comment, dans ces conditions, je pouvais envisager de témoigner contre lui...

Le prétendu « frère Wallace » était maître dans l'art d'instiller à autrui un complexe de culpabilité tout en lui promettant monts et merveilles. Il exhiba devant Patti une épaisse liasse de billets en lui annonçant que David l'avait chargé d'acheter une voiture pour Mary Bailey, le seul membre du clan Bailey qui la soutenait encore.

– Il m'a dit qu'il était également autorisé à déposer de l'argent à mon compte de la prison, car David avait fait de lui son fondé de pouvoir.

Newell fut intrigué par l'irruption inopinée de ce personnage, sachant David catholique et non mormon. Il découvrit que le frère Wallace n'était nullement pasteur, mais traînait un casier judiciaire chargé, depuis 1958. Ce soi-disant révérend avait en effet été arrêté pour cambriolage, vol qualifié, vol avec effraction, défaut de comparution, voies de fait, coups et blessures, résistance à la force publique, recel d'objets volés, fraude fiscale, déclaration de revenus frauduleuse, ainsi que pour trois affaires de violences contre enfants. Il se révéla capable d'évoquer des détails de la mort de Linda que seuls Patti et David connaissaient, et chercha à entraîner celle-ci dans un plan très compliqué qui permettrait enfin à David de lui parler au téléphone.

Cela, elle le refusa. Avec ses belles paroles, David était trop à même de la retourner comme un gant. Elle ne voulait donc même plus entendre le son de sa voix. Mais il était persévérant.

35

Les fêtes de Noël de 1988, qui ne devaient pas être gaies pour Patti ni Cinnamon, furent plutôt pénibles pour David Brown. Le 19 décembre, son avocat, Joel Baruch, affronta pour la première fois Jeoff Robinson, substitut du district attorney, lors d'une audience préliminaire devant le juge Floyd Schenkel. Robinson avait beau avoir déjà battu Baruch par deux fois, ce dernier était confiant, car il venait de gagner une affaire de meurtre au terme de laquelle les jurés n'avaient pas hésité à venir fêter l'acquittement de son client en sa compagnie. À l'inverse, Robinson venait de perdre sa première affaire criminelle depuis des années et tenait d'autant plus à gagner la suivante.

Reconduite à Santa Ana pour témoigner, Cinnamon Brown eut alors droit à son premier aperçu du monde extérieur depuis près de quatre ans. Les changements lui parurent si impressionnants qu'elle se cramponnait à Fred McLean et à Jay Newell comme une enfant à son premier jour d'école.

Quand elle fut invitée à raconter son histoire devant la cour, elle avoua qu'elle avait menti quatre fois à propos du drame : la première fois pour protéger son père et Patti ; les autres fois parce qu'elle avait honte. Et elle jura de ne plus dire que la vérité, en essuyant ses larmes.

Impassible, David, l'allure très soignée, en costume et cravate noirs, restait enchaîné par ses menottes à sa chaise, derrière la table réservée à la défense. Il scrutait fixement Cinnamon, mais elle se refusa à se tourner vers lui. Elle raconta toute l'histoire comme à Newell et à Robinson, harcelée par les interruptions de Baruch, qui affirmait qu'elle parlait trop bas ou que Robinson lui soufflait ses réponses. Robinson ripostait en accusant Baruch de chercher à troubler son jeune témoin et à plastronner au bénéfice des caméras et des journalistes logés aux premiers rangs.

— M. Robinson lui-même est bien connu en sa qualité de bouffon ! répliqua l'avocat.

Le juge Schenkel lui fit des remontrances en le menaçant d'une amende. Les propos échangés dans la salle d'audience paraissaient pourtant anodins en comparaison de ceux des couloirs, où Baruch lançait :

— Vous allez vous faire sauter vous-même avec vos pétards mouillés !

— Vous êtes l'avocat le plus malhonnête et le plus retors que je connaisse, rétorquait Robinson.

Le *Los Angeles Times* rapporta ces passes d'armes, en soulignant que cette rixe entre juristes finissait par éclipser le fond de l'affaire.

Cinnamon eut à affronter un impitoyable contre-interrogatoire de l'avocat, qui mit en doute sa stabilité, voire sa santé mentale, en rappelant les amis imaginaires qu'elle s'inventait naguère sous les noms d'Oscar, de Maynard et de Tante Bertha. Le juge ayant retenu l'objection de Robinson à ce sujet et prié Baruch de se dominer, celui-ci se mit à brailler :

— Flanquez-moi donc en prison, pendant que vous y êtes !

Il se plaignait de n'avoir aucune possibilité de présenter sa défense, cependant que son adversaire lui reprochait de vouloir intimider le juge :

— C'est sans doute là le seul moyen que Me Baruch ait trouvé pour obtenir une décision en sa faveur...

La coupe déborda lorsque, le substitut passant devant lui, Baruch glapit :

— Retournez donc vous asseoir, Robinson !

Le juge Schenkel se leva de son banc dans un froufrou de toge noire, toisa l'avocat, et lui notifia son inculpation pour outrage à magistrat.

– Quoi que vous pensiez, ce n'est pas vous qui présidez cette cour, maître. Vous avez dépassé les bornes.

David Brown pâlit, songeant sans doute qu'il n'avait peut-être pas choisi le meilleur conseil possible. Il payait pourtant sa défense autour de 200 000 dollars, somme qui aurait dû lui assurer les services d'un avocat qui ne ferait pas sortir le juge de ses gonds. En fait, la stratégie de défense de Baruch consistait à incriminer Cinnamon et Patti comme seules initiatrices de l'atroce complot ; il présentait son client comme les ayant averties « que rien ne devait arriver » ce soir-là, pendant qu'il irait à la plage. Cinnamon, ébranlée par ses efforts répétés pour la prendre au piège par des questions obscures, répondait de plus en plus souvent :
– Je ne sais pas.

Elle était nerveuse, effrayée par le solennel appareil de justice. Mais elle imputait moins son malaise à l'avocat qu'à son père, qu'elle évoquait en admettant :
– Il m'impressionne, à me regarder comme ça.

David, cependant, se demandait ce que Patti allait dire. Il essayait d'accrocher le regard de sa femme, mais elle ne se tournait jamais de son côté. Il n'était pas trop anxieux, car il s'était bien attendu que Cinny le cloue au pilori sous l'influence de Robinson et de Newell. Mais Patti, c'était une autre paire de manches : elle l'adorait. Même si elle ne répondait pas à ses lettres et ne s'était pas confiée à DuPree, jamais elle ne le quitterait, faute de savoir quoi faire et où aller.

Ce qu'on remarquait le plus chez Patti pendant qu'elle se dirigeait vers la barre des témoins, c'était son épaisse chevelure claire, avec une lourde frange et une masse de boucles tirées en arrière par une barrette. En pull-over bariolé, cette jeune femme à la mâchoire volontaire tremblait comme si son système nerveux était poussé à bout.

David tenta, par sa seule volonté, de la forcer à tourner les yeux vers lui, mais elle ne céda pas. Pendant qu'elle répondait aux questions de Robinson, il rougit de colère, la fixa en lui ordonnant par la pensée de se taire. Mais elle poursuivit d'une voix mal assurée :

– Nous parlions tout le temps des moyens de tuer Linda. Nous en discutions tous les deux.

Assise dans les premiers rangs du public, Mary Bailey, chez qui Linda avait vécu pendant des années, écoutait d'un air horrifié Patti raconter comment David avait peaufiné son projet de meurtre et chargé Cinnamon de le mettre à exécution :

– Il disait qu'il valait mieux tuer Linda avant qu'elle ne le tue, mais il n'avait pas le courage de le faire lui-même.

Patti affirma qu'elle n'avait pas réellement voulu tuer sa sœur. Elle aurait même cherché à éviter le pire en suggérant de la faire « écraser sous une voiture », afin de la laisser en vie, quoique impotente :

– Comme ça, elle aurait été obligée de rester toujours au lit. Elle n'aurait plus pu se lever, mais on serait quand même restés tous ensemble.

Tout à coup, Patti ouvrit la porte secrète qu'elle avait gardée verrouillée pendant la moitié de sa vie. Elle avoua en fin de compte qu'elle avait bien toujours été fascinée par son beau-frère, l'aimant comme un père jusqu'à l'âge de onze ans, après quoi ses sentiments étaient devenus moins purs. Elle rappela que David se plaignait aussi des changements survenus chez Linda. Il avait achevé de séduire cette fillette qui n'avait jamais pu compter sur rien ni sur personne, en lui promettant qu'il l'épouserait et qu'ils demeureraient ensemble à jamais. Robinson demanda :

– C'était quand, ça ?

– Il a commencé quand j'avais onze ans et continué jusqu'au jour de notre mariage.

Elle ferma les yeux en révélant que David l'avait sexuellement agressée dès le premier jour où elle s'était réfugiée chez lui pour échapper aux coups qu'elle subissait chez sa mère. David était moins brutal et il lui assurait que tous les hommes adultes aidaient les petites filles à grandir en leur apprenant l'amour. Quand elle avait constaté qu'en effet ses

319

seins s'épanouissaient et qu'elle avait eu ses premières règles, elle avait cru voir la preuve que David disait vrai.

Lorsque Patti avait atteint ses quinze ans, elle était devenue la maîtresse attitrée du mari de sa sœur. Chaque fois que Linda s'absentait si peu que ce soit, ils avaient un contact physique d'une façon ou d'une autre. Cinnamon ne s'était donc nullement trompée en rapportant l'incident du baiser passionné au supermarché. Patti expliquait :

– J'aimais bien ma sœur, mais j'aimais beaucoup plus David.

L'intéressé l'écoutait sans la quitter des yeux, la bouche entrouverte, secouant légèrement la tête pour se donner l'air abasourdi.

Le deuxième jour, Patti en vint aux derniers préparatifs qui devaient aboutir à l'assassinat de Linda :

– Nous avions décidé que c'était Cinnamon qui devait le faire parce qu'elle était très jeune et ne serait donc pas condamnée à une longue peine... Nous pensions qu'on lui ferait juste consulter un psychiatre avant de la renvoyer à la maison... David a dit qu'il devait sortir pour que le moteur de sa voiture soit chaud, ce qui lui fournirait un alibi.

Sa déposition confirmait entièrement celle de Cinnamon, sans exprimer de douleur, ni même d'émotion. En revanche, dès que Robinson la pria de parler de Heather, ses yeux débordèrent de larmes. Elle défia David du regard en proclamant qu'il en était le père, car elle n'avait jamais eu d'autre amant. Elle le décrivit comme un homme dominateur et fanatique, voulant contrôler sa vie au point de lui interdire de rendre visite à ses amies ou à sa famille.

– Je portais un bipeur en permanence, pour qu'il puisse m'appeler à chaque instant en cas de besoin. Si je ne me signalais pas tous les quarts d'heure, il devenait furieux.

Au cours de son premier contre-interrogatoire, l'avocat Joel Baruch insinua que Patti mentait sur le comportement de David parce qu'elle était en colère. Les hommes du DA ne lui avaient-ils pas raconté qu'il l'avait dénoncée comme meurtrière ? Il ajouta qu'elle répétait ce qu'on lui avait soufflé en espérant sortir de prison et reprendre Heather. Soutenant son regard, elle riposta d'un ton posé :

– C'est faux. Si je vais en prison, au moins, j'aurai la conscience tranquille...

Patti n'avait pas vu son père biologique depuis qu'elle avait un an. Enfant, elle avait tenté de s'étouffer avec un coussin. Plus tard, David l'avait convaincue qu'il l'avait achetée à sa mère en lui versant les 10 000 dollars qu'Ethel aurait gagnés si elle avait envoyé sa fille faire le trottoir. Quand il l'avait accueillie chez lui, elle n'avait plus eu l'impression d'être une « brebis galeuse » mais, au contraire, pensait « avoir trouvé une vraie famille ». Dans une interview au *Los Angeles Times*, elle essaya d'expliquer l'emprise que David exerçait sur elle :

– Il me faisait asseoir sur ses genoux, s'occupait de moi, me disait que j'étais une gentille petite... Il m'achetait des robes et me donnait une meilleure opinion de moi-même. S'il m'avait dit que le ciel était violet, je l'aurais cru... David était tout pour moi.

Il lui restait à révéler la multitude de scénarios qu'ils avaient élaborés pour supprimer Linda. Plus tard, elle devait se rappeler en particulier que David avait suggéré d'écraser Linda dans le désert avec une tout-terrain, ou de retirer brusquement le cric de la voiture pour que le véhicule lui tombe dessus, ou encore de l'assommer par surprise avec un démonte-pneu.

Patti ne s'était jamais permis de réfléchir à ce que signifierait la mort de Linda. David n'avait jamais voulu la laisser consulter un spécialiste sans être lui-même présent. Même lorsqu'elle avait tenté de se suicider en avalant trois boîtes de tranquillisants, puis en se tailladant les poignets, il avait refusé de la laisser hospitaliser. Elle lui avait appartenu, corps et âme, pendant dix ans. Il était pratiquement la seule personne avec qui elle ait été en contact. Était-il étonnant qu'elle ait accepté n'importe quoi pour plaire à David ?

Le 19 janvier 1989, le juge Schenkel ordonna que David Brown passe en jugement pour homicide volontaire et conspiration. Il décida que les pièces à conviction seraient suffisantes pour soutenir la thèse de l'assassinat à des fins crapuleuses. Ce chef d'accusation impliquait qu'il devenait passible de la peine de mort.

Le 2 février, le juge Myson S. Brown fixa la date du procès proprement dit au 2 mars 1989, tout en précisant que Patti Bailey répondrait de ses actes le 29 mars suivant devant le tribunal des mineurs, puisqu'elle n'avait que dix-sept ans au moment des faits, ce qui la mettait à l'abri de la peine capitale. Jeoff Robinson annonça cependant qu'il demanderait qu'elle soit jugée comme une adulte.

36

Dans le meilleur des cas, un Noël en prison est sinistre. À trente-cinq ans, Richard Steinhart, alias Yahtahey dans les bas-fonds où il évoluait d'ordinaire, avait déjà passé les fêtes dans bon nombre de lieux variés, moins fastueux que glauques. Mais il n'avait pas passé un réveillon à domicile depuis des années. En décembre 1988, il avait été arrêté et incarcéré à la prison d'Orange sous prétexte de violation des conditions de sa liberté sur parole. En réalité, on l'avait surtout appréhendé pour le mettre à l'abri des accusés dans le procès d'une bande de motards néonazis et de contrefacteurs où il devait apparaître comme témoin capital.

Steinhart était particulièrement précieux aux yeux du substitut du district attorney, Rick King. Il avait de lui-même révélé des faits qui renforçaient l'accusation. Les malfaiteurs avaient donc de bonnes raisons de se débarrasser de lui, et il avait les meilleures raisons de disparaître au milieu de l'anonymat d'une grande ville de Californie. Il se trouvait néanmoins en prison pour témoigner contre ses anciens amis.

À vrai dire, Steinhart était un personnage déplaisant. Il avait plus d'une fois subi la détention et en connaissait donc le protocole mieux qu'une duchesse invitée à un thé chez la reine. Il aurait pu être un superbe athlète, car il mesurait 1,82 m et paraissait encore plus grand avec ses épaules massives et ses pectoraux musclés. Il portait ses cheveux noirs longs et plaqués en arrière, une petite moustache et une barbiche, de nombreux tatouages. Il s'habillait généralement d'un gilet de cuir noir et d'un tee-shirt Harley Davidson. Quand il gardait le silence, il semblait hors d'atteinte ; quand il parlait, c'était à toute vitesse et il ne fallait pas l'interrompre. Il y avait en lui quelque chose d'électrique. Il ne manquait pas d'un certain charisme, se révélait souvent spirituel et, en certaines occasions, plutôt intimidant.

Il excellait aux arts martiaux. Il en était le plus jeune grand maître certifié des États-Unis, deux fois champion national de karaté, champion de l'Association mondiale de kung fu, ceinture noire troisième *dan* au moins dans six disciplines de combat. Il avait travaillé comme videur de boîte de nuit dès l'âge de dix-sept ans, avant de devenir très recherché en qualité de garde du corps. Il était par conséquent réputé chez les flics de l'État comme presque impossible à maîtriser. Il en plaisantait lui-même :

– Je me souviens d'une fois où ils m'avaient mis à quatre pattes et qu'un des poulets s'est amené pour me sortir : « Monsieur Steinhart, nous savons qui vous êtes et, si vous bougez, je m'en vais vous coller une balle dans la tronche. » Et moi je lui ai répliqué : « À votre place, c'est bien ce que je ferais, parce que je me connais... »

La veille de Noël, Steinhart avait été incarcéré dans le bloc cellulaire de David Brown. À ce moment, David y était installé depuis trois mois et en avait soudoyé tous les gardiens corruptibles. Les autres prisonniers, qui usaient de sobriquets, avaient rebaptisé Steinhart « Goldie ». En revanche, ils appelaient Brown « Dave » par-devant et, dans son dos, « Hunchy » (le Bossu), à cause de ses épaules voûtées et de sa posture maladroite quand il jouait au handball, son éternelle cigarette aux lèvres. D'autres détenus répondaient aux délicats surnoms de Blatte, de Rat ou d'Ombre.

– Je me rappelle la première fois que j'ai parlé à Dave, devait raconter Steinhart. C'était pendant le repas de Noël et j'étais resté peinard à une petite table, mais les autres mecs bavassaient d'arts martiaux comme s'ils y pigeaient quelque chose, si bien qu'à la fin j'en ai eu marre, je me

suis levé et je leur ai lancé : « Voilà comment on fait ! »
J'ai empoigné un type qui s'est écroulé et Dave a crié :
« Hé ! voilà un mec comme je les aime ! » Et il m'a invité
à la grande table...

Steinhart avait pelé une mandarine en observant le petit
homme replet qu'il venait d'impressionner par sa démonstration de force. Ce type-là n'avait rien d'un athlète. Steinhart avait tout de suite vu que Brown était un « cave »,
ignorant des manières des « taulards », mais qui rêvait de
faire partie de « la bande ».

– J'ai compris qu'il n'avait pas un seul véritable copain
et n'en avait sans doute jamais eu. Il paraissait à la fois très
vulnérable et déterminé comme personne.

Steinhart cherchait justement un pigeon à plumer et le
bruit courait que Brown était plein aux as. Il mettait de
l'argent sur le compte de plusieurs prisonniers en échange
de privilèges, comme de recevoir des cigarettes quand il
avait épuisé sa ration. Il persuadait cependant ses parents
que sa vie était en danger et qu'il lui fallait acheter la « protection » d'autres prisonniers. À l'apparition de Steinhart,
David crut avoir trouvé son homme de confiance.

– David m'a fait des confidences, à moi qui n'étais pas
grand-chose sur le plan professionnel. Il faut bien monter
ou descendre pour être à la hauteur des circonstances et
obtenir ce qu'on veut. C'est ça qui vous maintient !

Un autre prisonnier, Irv Cully, réputé pour être un
« mouton », rôdait obséquieusement autour de Brown.
Quand Steinhart vint se mêler à leur petit groupe, il sentit
qu'ils « mijotaient quelque chose ».

En janvier suivant, lorsque Patti Bailey fit sa déposition,
noyant David sous le flot de ses tragiques aveux, il était
prêt à des mesures désespérées. Pour la première fois peut-
être, David comprenait qu'il risquait de ne pas être acquitté,
lui qui avait toujours recommandé à Cinnamon et à Patti :

– Ne me mêlez jamais à rien !

David n'avait aucune envie de comparaître en justice ni
d'affronter le contre-interrogatoire de Jeoff Robinson. Il ne
voulait pas non plus que Jay Newell continue de renifler

autour de sa vie privée, qu'il avait tellement protégée. Il se dit que son nouveau copain pouvait prendre soin de lui et résoudre ses problèmes. Steinhart l'avait en effet convaincu qu'il allait être libéré d'un jour à l'autre, qu'il était capable de faire n'importe quoi moyennant finance et que ce qu'il ne pourrait pas accomplir par lui-même, il saurait le faire exécuter par quelqu'un d'autre.

– Dave n'était pas vraiment un ami, simplement une connaissance. Mais il parlait de gros fric, d'argent sérieux... Et je n'allais pas cracher sur 300 000 dollars !

Malgré Cully qui écoutait aux portes, David expliqua à Steinhart qu'il avait besoin d'un homme de confiance à l'extérieur.

– Il m'a d'abord parlé d'incendie criminel, dit Steinhart. Il voulait que je mette le feu à sa caravane et à la maison. Et puis il s'est lancé dans un plan d'évasion pendant qu'il serait chez son dentiste. C'était faisable avec l'aide gratuite de quelques potes, mais, comme je suis sérieux, j'ai évalué la chose dans les 50 000 dollars...

Chaque fois que Steinhart approuvait l'un des scénarios compliqués de son commanditaire, les plans devenaient plus fous. Bientôt, David élabora un programme en plusieurs étapes. Le remboursement par les assurances de l'incendie de sa caravane et de sa propriété ne devrait pas seulement rapporter de quoi financer l'évasion de chez le dentiste ; il devrait en outre payer l'exécution, par des hommes de main, de trois à cinq gêneurs.

Tout cela étant accompli, David enverrait Steinhart sur un site dans le désert où, à l'en croire, il avait enfoui 3 millions de dollars. Ensuite, tous deux partiraient pour l'Australie, où il disait posséder une terre de douze hectares. Enfin libres, ils arpenteraient le pays à moto, et se gaveraient de pizzas et de bières.

Le plan d'évasion tomba à l'eau, mais David jugea bon de passer à la phase suivante. Son intention était que Jeoff Robinson et Jay Newell soient les premiers à mourir. Ensuite viendrait le tour de Patti, la traîtresse. Il gardait sur une liste d'attente d'autres victimes potentielles, Brenda notamment et le second mari de celle-ci. Il avait en effet interdit à la mère de Cinnamon de concevoir des enfants avec un autre. Or Penelope était née de cette deuxième union, et David ne l'avait pas pardonné. Les cibles suivantes seraient les deux frères Bailey, selon Steinhart :

– Je devais me charger de ça moi-même, ce n'était pas un boulot pour amateurs... Les professionnels effectuent ça de la manière que vous voulez, le maquillent en règlement de compte par une fusillade au passage d'une bagnole ou l'arrangent comme un coup de gang. On peut faire porter le chapeau à des Noirs, des Skins, à qui on veut.

Richard Steinhart se sentait prêt à faire tout ce qu'il faudrait pour gagner ne seraient-ce que les premiers 300 000 dollars promis par David. Mais l'éducation religieuse que lui avait inculquée sa mère lui avait laissé un vieux fond de moralité dont il ne parvenait pas à se débarrasser. Il ne pouvait considérer son commanditaire avec détachement, il le trouvait répugnant, ce qu'il devait commenter en ces termes :

– Le jour où j'ai acheté un journal et lu ce qu'il avait fait, détournement de mineure et tout le bastringue, ça m'a flanqué un coup. Ça m'a vraiment fait froid dans le dos. J'avais la ferme intention de le traîner dans l'arrière-pays australien, de le laisser à manger aux alligators et de m'en retourner aux États-Unis avec assez d'argent pour n'avoir pas besoin de visa ni de passeport...

Plus Steinhart lisait d'articles sur Brown, plus sa répulsion augmentait. Mais ce fut alors que leurs bizarres projets prirent un tour inattendu :

– J'étais dans la cour et je racontais à Irv Cully ce que je ressentais envers David quand il m'a dit : « Je suis content que tu le voies comme ça, parce que j'avais presque décidé de te laisser tomber. »

Cully, ce gros mouchard, s'apprêtait à les dénoncer. Tout le monde savait qu'il rencardait les flics et qu'il ne manquerait pas de balancer David Brown. Un mouton reste un mouton.

Cully avait prévu de faire passer un mot à un gardien demandant à être « appelé à l'extérieur » pour un rendez-vous chez le dentiste. Une fois hors du bloc, il annoncerait qu'il avait une information urgente à communiquer. Prévenu, Jay Newell le rencontra le 13 janvier 1989. Même en tenant compte de la tendance des indicateurs à en rajouter, il eut froid dans le dos en entendant Cully :

– David dit qu'il garde de grosses sommes en espèces, enterrées dans le désert. Ce seraient des revenus non déclarés provenant d'importantes commandes. Il paraîtrait que le gouvernement dispose de plus d'un milliard de dollars de fonds secrets pour ce genre de choses et paierait moins cher, mais au noir...

Cully était certain que Brown avait assez d'argent de côté pour acheter n'importe quoi. Il ajouta que David avait promis un boulot à son amie Doreena Pietro, un logement, même, dans sa maison de Summitridge, si elle acceptait de se faire arrêter auparavant, afin d'être incarcérée pendant quelques jours dans le même bloc que Patti Bailey. Ensuite, Doreena devrait témoigner en faveur de David en donnant une mauvaise impression de sa compagne de cellule. David avait déjà fait expédier à Doreena un mandat de 600 dollars par la société de Chicago chargée de ses affaires pendant son emprisonnement. L'amie de Cully refusait de se faire arrêter pour rejoindre Patti, mais elle s'était engagée à trouver une autre femme qui accepterait, naturellement contre un bon prix :

– J'ai annoncé à David qu'il faudrait ajouter 500 dollars d'arrhes et prévoir un total de 5 000 dollars si la fille témoignait. Je lui ai raconté que Doreena avait trouvé quelqu'un qui s'appelait Smiley.

L'apprenant, Newell décida donc de fournir une Smiley pour accréditer l'histoire imaginée par Cully. Si les mouchards de prison sont souvent utiles dans une enquête, leur valeur comme témoins reste médiocre. Il fallait donc trouver une femme qui rende visite à David Brown en se présentant comme la fameuse Smiley, tout en étant équipée d'un micro. D'autant que ce n'était pas la seule révélation apportée par

Cully : il finit par ajouter que David pensait avoir trouvé une solution pour résoudre le problème de Patti.

— Je crois qu'il a proposé 50 000 dollars à notre codétenu Richard Steinhart pour la tuer dès qu'elle sera libérée sous caution... Et il l'a acheté aussi pour les faire évader et pour tuer les hommes du DA.

Lorsque Cully eut dévoilé l'ampleur des intrigues de Brown, Newell songea que, si David parvenait à ses fins, beaucoup de gens risquaient de disparaître.

Le 18 janvier, alors qu'il cherchait parmi les femmes policiers celle qui conviendrait le mieux pour le rôle de Smiley, Newell reçut une nouvelle surprenante. Richard Steinhart en personne demandait à lui parler, espérant être relâché immédiatement si l'affaire paraissait « assez importante ». Dès le lendemain, Newell obtint de « Goldie » tous les détails du plan d'évasion de David Brown, confirmé en ces termes :

— Il a promis qu'il me procurerait une bagnole et une planque quand je sortirais... Il s'est mis à m'appeler son « protecteur » et il a versé de l'argent sur mon compte. Je toucherais 50 000 dollars de plus si je le faisais sortir de prison et davantage si Patti et vous étiez tués...

— Qu'est-ce qu'il offrait pour nos têtes ?

— Des bijoux en or, 500 000 dollars enterrés dans le désert, plus ses collections de monnaies et de timbres.

— Avez-vous envisagé à un moment quelconque d'exécuter ces plans ?

Après un long silence, Steinhart opina :

— Je ne vous aurais pas abattu personnellement, mais j'aurais arrangé ça... Brown avait dégoté de l'argent en espèces et une bagnole pour faire démarrer nos affaires.

Au début de janvier, tout en demandant à ses parents de ne pas lui poser de questions, David leur avait donné l'ordre de conduire sa Ford Escort à Summitridge et d'en laisser les clefs derrière la maison. Ils devaient en outre cacher dans la boîte à gants une enveloppe contenant 600 dollars. Quinze jours plus tard, quand son frère Tom et son père Arthur vinrent nettoyer la piscine, la voiture avait été déplacée, elle avait un pneu à plat, les clefs sur le contact et l'enveloppe avait disparu.

Cela faisait un drôle d'effet d'entendre décrire les préparatifs de son propre assassinat. Parmi toutes les situations scabreuses où s'était trouvé Jay Newell, celle-ci était la plus surréaliste. Steinhart lui racontait les choses avec une telle simplicité qu'il était enclin à le croire et, bizarrement, n'arrivait pas à lui en vouloir. Pour ce professionnel, Jay Newell, Jeoff Robinson et Patti Bailey n'étaient jamais que des « contrats ». Et pourtant, Newell sentait chez cet homme une espèce de soulagement, comme s'il était heureux que le projet ait avorté.

Il n'en subsistait pas moins un problème : si Steinhart faisait maintenant faux bond à David Brown, on risquait de ne pas savoir qui serait désigné comme tueur à gages de remplacement. Pour le moment, le mieux consistait donc à laisser David penser qu'il tenait toujours son homme de main. Et Newell annonça à Steinhart qu'ils se reverraient dès que possible.

Trois jours plus tard, Jay Newell, le substitut Tom Borris, le shérif adjoint Dan Vazquez et l'avocat de Richard Steinhart, Andy Gale, allèrent voir celui-ci. Borris devait procéder à une enquête préliminaire au sujet du projet d'assassinat, tandis que Jeoff Robinson continuerait de travailler sur l'affaire Linda Brown. Le choix se révéla d'autant plus heureux que Borris et Steinhart se reconnurent pour avoir usé quinze ans plus tôt leurs fonds de culotte sur les bancs de la même école, avant de prendre des directions opposées.

Borris dut convaincre Steinhart de la nécessité, pour confronter ses dires avec ceux de Brown, d'être équipé d'un magnétophone.

– Si je voulais bien jouer le jeu, il me fallait le jouer à fond... Le pire qui pouvait ensuite m'arriver était de me retrouver en isolement comme mouchard, mais j'aurais su me défendre !

Borris lui dit qu'il fallait que ce soit David qui aborde le sujet de leur machination, de façon qu'ils obtiennent de quoi étayer une accusation d'« incitation au meurtre ». Steinhart les avertit :

— Maintenant, Dave dit qu'il est prêt à régler 100 000 dollars d'avance pour faire buter Patti Bailey en taule. Il veut qu'elle sache qu'il peut l'avoir n'importe quand et qu'il peut s'en prendre à sa mère et à ses frères.

Avec la collaboration de plusieurs autres services, Newell et Borris se débrouillèrent pour que Steinhart quitte la prison d'Orange. Ils obtinrent du juge Carter une ordonnance de transfert aux bons soins de la police de Huntington Beach, qui acceptait de l'héberger une semaine ou deux.

David Brown considérait Richard Steinhart comme le meilleur ami qu'il ait jamais eu. En apprenant que Steinhart devait être relâché le 2 février 1989, il pensa que celui-ci allait beaucoup lui manquer. Mais il restait convaincu qu'ils se retrouveraient très bientôt.

Il crut à une coïncidence quand il se retrouva dans le « poulailler », la cellule des gardes à vue située au sous-sol du palais de justice, à midi, le jeudi même où Steinhart devait s'en aller. Ayant un interrogatoire ce jour-là, David avait été relégué dans cette cage exiguë pour l'heure du déjeuner. Steinhart y avait été enfermé, le but étant de favoriser une conversation dûment enregistrée.

Le poulailler était constitué d'une double cellule fortement grillagée et si souvent repeinte au fil des années que sa couleur n'avait plus de nom. Depuis son dernier ravalement, elle était d'une sorte de jaune terne et écaillé. Chacune de ses moitiés contenait un lit, ou plutôt un bat-flanc arrimé au mur. Les prisonniers ne pouvaient rien faire passer à travers le grillage ; en revanche, glisser un billet par l'interstice au pied de la grille de séparation était un jeu d'enfant. Les détenus attendaient là d'être conduits dans la salle d'audience ou ramenés dans leur prison.

Dans cet endroit bruyant, la conversation enregistrée entre David et Steinhart était ponctuée de cris, de rires, de jurons, de claquements de portes. Steinhart commença par annoncer que David pourrait lui téléphoner chez « Jackie », la mère de l'« Animal » que Richard comptait employer pour le « boulot ». Ils usaient d'un langage codé. David paraissait aux anges, s'attendant que tout soit exécuté comme il l'avait combiné. La seule chose qu'il n'avait pas encore réglée, c'était « ce qu'il fallait faire avec l'autre gonzesse ».

— Tu veux dire Brenda ? questionna Steinhart.

— Ouais. C'est la seule sur laquelle j'aie encore des doutes.

— Donc, c'est clair pour Bailey et les deux flics ?

— Ouais, tu peux y aller pour tous les autres...

— OK. Une fois la première liquidée, comment est-ce que je vais toucher le fric ?

— Je m'en occupe. J'ai déjà un chèque de 17 000 dollars chez mon avocat.

David expliqua que Joel Baruch devait remettre de l'argent à Arthur, Manuela ou Tom Brown sans savoir à quoi il était destiné. Steinhart précisa :

— Je pense que nous nous en servirons d'abord pour te sortir de chez le dentiste...

— Mais la fille ?

— Son tour viendra... Est-ce qu'il y a autre chose que tu voudrais que je fasse ?

— Non, ça ira pour le moment, répondit David.

— Donc tu as déjà 17 000 talbins pour moi... Tu t'occupes des dix sacs restants ?

— Je ne fais que ça.

— Tu veux toujours que j'aille foutre le feu à la caravane et à ta baraque ? Est-ce qu'il ne faut pas trente à quatre-vingt-dix jours pour toucher l'assurance ?

— Pas si c'est complètement détruit, non.

— D'accord, admit Steinhart. Alors, tu tiens à ce qu'on ait d'abord Bailey ?

— Je pense que oui.

— Pour ça, il va falloir que je voie comment je peux faufiler une taupe dans sa taule pour la buter, et ça va me coûter encore un paquet. À propos, tu vas me donner la carte pour que j'aille chercher le pognon là où tu l'as planqué ?

Face à la réticence de David, Steinhart changea de sujet. Il demanda en qui il pourrait avoir confiance. David lui assura qu'il pouvait se fier à son frère Tom, qui prenait Steinhart pour un garde du corps payé afin de protéger David et Krystal de la redoutable Patti Bailey. Ses parents, Arthur et Manuela, avaient avalé la même histoire. Steinhart pourrait loger sans problème dans la luxueuse maison de Summitridge, sous prétexte de veiller sur la propriété. Mais pas pour longtemps : David était pressé de faire exécuter ses crimes et de s'évader. Steinhart l'avertit qu'il restait pas mal de choses à mettre au point, surtout s'il s'efforçait de réduire les frais.

David réclama des précisions sur les « contrats de tes potes ». Quel serait le meilleur endroit pour qu'ils tendent une embuscade ? Une rumeur prétendait que Newell et Robinson sortaient constamment du palais de justice pour faire de la marche et du jogging... Il ne manquait pas de passages isolés, entourés d'arbres ou de buissons derrière lesquels il serait aisé de se cacher.

– Il n'y aura pas de problème, n'est-ce pas ? s'inquiéta David.

– Pas de problème pour leur faire la peau...

– Ne me mets surtout jamais dans le coup !

– T'en fais pas pour ça.

– Donc, ça, c'est pour le numéro un. L'incendie et... euh... je crois que les deux flics et la fille devraient se faire en même temps ou être très rapprochés.

Une fois Robinson et Newell éliminés, David aurait à affronter une nouvelle équipe du service du district attorney, moins au courant de l'affaire. L'accusation serait très désavantagée, à moins qu'on ne parvienne à cuisiner Patti. Donc, celle-ci ne devait pas survivre à Robinson et Newell plus de quelques heures.

David se plaisait à penser que ses ennemis allaient mourir

333

et qu'il avait Richard Steinhart à sa botte... Il prolongea la conversation en discutant de la chronologie et des divers lieux des crimes. L'idée qu'on pouvait lui refuser une nouvelle visite chez le dentiste après la mort des deux principaux enquêteurs ne semblait pas lui traverser la tête, ni celle qu'un incendie criminel serait facile à reconnaître comme tel. Alors que Steinhart s'inquiétait de l'homme qu'il pourrait trouver pour s'en charger, David ne se souciait guère des personnes qui seraient dans la maison embrasée. Selon lui, la piscine empêcherait les flammes de se propager et sa famille aurait tout le temps de se sauver. Il avertit néanmoins Steinhart :

— J'ai installé plusieurs systèmes d'alarme perfectionnés. Alors, dès que la fumée sera détectée, ce sera directement signalé à la caserne des pompiers.

— Bon, je ferai la maison à l'essence, c'est ce qu'il y a de plus facile.

David décrivit à Steinhart le chemin de repli : il pensait que Steinhart n'aurait aucun mal à escalader le mur du fond.

— D'accord, mais quelle est la hauteur ? Deux mètres ?

— Par là, oui...

— Alors, ce sera du gâteau. Ensuite, après la caravane et la maison, tout dépend de l'ordre. Où je range l'autre gonzesse ?

— Brenda ? On la laisse en stand-by pour le moment.

— Bien. Il ne me manquera plus que de quoi acheter les flingues.

— Et pourquoi pas les pizzas ?

David plaisantait, mais Steinhart le prit au mot :

— Oui, tout à fait. J'ai besoin de fric pour mon usage personnel.

Un gardien s'approcha et leur proposa d'aller aux toilettes. Pendant que David s'y rendait, le « gardien » chuchota à Steinhart :

— Nous avons besoin d'en savoir plus sur l'évasion de chez le dentiste. Et il faut qu'il précise s'il veut faire tuer ses cibles ou simplement les blesser.

Un vrai pigeon, se dit Steinhart en voyant Brown revenir,

tellement à sa place dans le poulailler. Pas méfiant pour deux sous, alors qu'il s'était retrouvé au trou à cause des micros que portait sa fille. David avait gravé dans sa mémoire tous les détails relatifs à sa première expédition chez le dentiste. Il décrivit à Steinhart l'emplacement exact du cabinet, de son accès principal, des passages couverts, du parking... Le passage étant invisible de la rue, personne ne s'apercevrait que la fusillade éclaterait. Il avait tout prévu :

— Tu connais leurs habitudes. Les deux adjoints sont assis à l'avant de la voiture de patrouille et moi à l'arrière. Avant que les autres m'accompagnent jusque dans le cabinet du dentiste, le conducteur descend, va à pied au parking et inspecte tout pour confirmer que tout est OK.

— Donc, quelqu'un reste à faire le guet.

— Exact. Les deux autres m'encadrent pour traverser le hall de l'immeuble, mais l'autre jour, à la sortie, le dentiste m'a ramené directement au lieu de rappeler mes gardes.

— Dans ce cas, il n'y a pas de lézard. Je voulais simplement que tu saches que, moi, je risque d'avoir à flinguer un flic ou deux...

— C'est vrai, mais mieux vaut que ce soient eux que moi.

— C'est comme si c'était fait ! Sauf pour les deux autres, les hommes du DA : tu les veux morts ou juste blessés ?

— Morts.

David souriait, préoccupé par des questions plus importantes. Il tenait à vérifier que Steinhart comprenait bien pourquoi il voulait s'évader :

— C'est pour ma petite fille et je ne vois pas d'autre solution...

— D'accord, je vais te tirer d'ici !

— Tu es sûr ?

— C'est juré... sur leurs têtes ! Toi, tu ne t'occupes plus que de la tienne !

David rit.

— Moi, je vivrai très vieux, mais pas eux !

— On dirait que ça te fait plaisir.

– Pas du tout, mais il faut ce qu'il faut, et je pense que je vaux plus qu'eux.

Sur ces entrefaites, on leur apporta des plateaux repas. David se montra ravi de recevoir quatre paquets de biscuits. Ensuite, son très cher ami et lui bavardèrent de pizzas, de musique country et d'une visite à Disneyland. À la fin, ils parlèrent de l'Australie.

37

David Brown faillit s'étrangler d'émotion en disant au revoir à Richard Steinhart. Que son attachement fût ou non sincère était difficilement discernable. Au cours de leurs conversations ultérieures, en tout cas, il lui exprimerait de l'affection en lui parlant comme à une femme dont il se serait épris. Il ne se consolait de leur séparation qu'en pensant que son ami agissait pour son compte à l'extérieur. Quand Steinhart l'appelait, David ne pouvait soupçonner qu'il lui téléphonait de la cellule de Huntington Beach où on l'avait transféré à titre provisoire.

Jay Newell était grand et fort, mais le paraissait plus qu'il ne l'était réellement. Il marchait toujours à grands pas et très droit, comme un authentique rancher de son Oklahoma natal, et se déplaçait sans effort, sans hâte, sans bruit. Par cette nuit d'hiver, il doutait qu'on puisse le remarquer alors qu'il traversait le Service des eaux du comté. À une centaine de mètres de lui, le petit bâtiment isolé au bout d'un chemin de terre était depuis longtemps déserté par les employés. De toute façon, si quelqu'un l'avait abordé et interrogé sur le motif de sa présence en ces lieux, il portait sur lui des papiers propres à endormir toute curiosité. Mais, pour cette mission, il préférait rester anonyme, ne pas se faire remarquer. Par nature autant que par profession, il était avant tout un observateur, un auditeur attentif, un homme posé.

Il avait rejoint une zone lugubre d'Anaheim en marchant

vers l'ouest le long de Ball Road, sur l'autre rive de la rivière Santa Ana, dans un univers de parkings de revendeurs de voitures. Maintenant, il continuait en inspirant à fond un air nocturne et presque printanier. Il était en avance et il avait déjà repéré les lieux dans la journée, mais seulement de loin, et la pénombre changeait leur aspect. Comme dans ses souvenirs, le chemin à moitié jonché de dangereux blocs de béton et de rochers concassés descendait vers l'eau en pente douce. Il savait qu'il allait devoir escalader un talus de trois mètres avant d'arriver dans le jardin derrière la maison.

Ses yeux commençaient à s'adapter à l'obscurité quand l'endroit se dressa devant lui telle une forteresse, une enceinte protégée comme si on s'était attendu à un assaut. Il était pourtant à Chantilly Street South, une artère résidentielle. De jour, il avait contemplé la façade du numéro 1166, une bâtisse trapue et sans intérêt ; mais il lui fallait maintenant considérer la dernière acquisition de David Brown en tant que théâtre des exploits de Richard Steinhart et tenter de la repérer ainsi que celui-ci l'aurait vue avant de la décrire à David.

Selon le plan prévu, Steinhart était censé s'approcher par-derrière. De là, Newell voyait que presque toutes les maisons du côté est de la rue étaient cachées par des arbres et des buissons, protégées des intrus par une haute clôture. Brown avait poussé la prudence jusqu'à faire doubler par un mur de parpaings l'intérieur du grillage d'acier. Mais tout homme possédant un minimum de muscles pouvait les escalader pour s'introduire dans le jardin.

Newell examina la propriété depuis son poste d'observation. Il remarqua que le pavillon réservé aux parents de David Brown était invisible de la rue. Presque toute la superficie du jardin était occupée par une piscine entourée d'un carrelage de ciment et flanquée de deux statues de jeunes Grecques laiteuses sous le clair de lune. Derrière une rangée de cyprès de Californie, il distingua quelques tables avec des parasols et des fleurs fanées dans des urnes d'argile.

Les lieux paraissaient déserts. Quand l'unique lampe

338

s'éteignit dans le pavillon, il ne distingua plus qu'une vague lueur au fond de la maison principale. Cherchant comment l'endroit aurait été abordé par un incendiaire, il détermina un point d'accès et un chemin de repli vraisemblables. Brown était si suspicieux qu'il ne se laisserait pas abuser par Steinhart si celui-ci hésitait dans ses descriptions.

Malgré l'aspect abandonné de la propriété, Newell était sûr que Manuela et Arthur y habitaient encore avec Krystal et peut-être aussi Heather. Une luxueuse caravane était garée contre le pavillon ; il estima que, si elle avait flambé, ses parois tapissées de moquette imbibée d'essence auraient embrasé la moitié de la rue. Mais, si tout disparaissait, Brown n'en ferait pas une maladie. Au cas où l'incendie se serait révélé impossible à juguler, il aurait perçu une somme considérable pour une propriété qui ne lui était plus d'aucune utilité.

Une bouffée de vent frais rida la surface de la piscine et Newell, en grelottant, accéléra son repérage. Il compta deux voitures, alors qu'en principe il aurait dû y en avoir trois. Cela signifiait-il que la maison était inhabitée pour le moment ? Newell se demanda jusqu'à quel point Brown se souciait que l'incendie emportât sa mère, son père et ses deux filles cadettes. L'argent de l'assurance semblait avoir davantage d'importance à ses yeux.

Il se faisait tard. Même sur la voie express voisine, les voitures se raréfiaient, la circulation devenait plus fluide. Newell revint sur ses pas, entre les lauriers-roses desséchés, jusqu'à l'endroit où il avait laissé sa voiture. Il allait tout de suite rendre compte de ses observations à Steinhart, qui attendait un nouvel appel de David Brown pour le lendemain matin.

Newell se retourna vers la maison bleue et frémit à la pensée de ce qui aurait pu arriver. Si Cully n'avait pas mouchardé, si Steinhart n'avait pas flanché, la propriété se serait embrasée comme un bûcher, les jeunes Grecques incandescentes se seraient noyées dans la piscine, et la cible numéro un – Newell lui-même – aurait reposé, inerte, terrassée d'une balle dans la nuque.

Richard Steinhart n'avait reçu aucune promesse des services du district attorney. Jusqu'ici, il n'avait fait qu'échanger une cellule contre une autre. Mais il avait pris son rôle tellement à cœur qu'il devait se révéler peu à peu un excellent acteur. Quand il s'entretenait au téléphone avec David Brown, il parlait du ton d'un homme en liberté, suggérant qu'il revenait d'un rendez-vous galant, qu'il était en train de dîner, de parler du fond de son lit, ou feignant de traîner derrière lui le fil du téléphone pour aller à la cuisine chercher une bière imaginaire dans un réfrigérateur qui n'existait pas.

David l'appela dès le lendemain de sa « sortie », le 3 février 1989. Le fait d'avoir reconnu l'indicatif de Huntington Beach l'avait rendu méfiant et il s'inquiéta :

— Qui est-ce qui m'a répondu au téléphone ?

— Hein ? Oh... c'était seulement la vieille d'Animal. Je suis chez lui, c'est un mec bien.

— Ça m'a un peu flanqué la frousse.

— Allez, fais pas le con, vieux, tu sais bien que je suis chez le fils de Jackie... Dis-moi plutôt ce qui se passe !

David avait à se lamenter. L'imminence d'une audience au sujet de la garde de Krystal s'ajoutait aux tourments que lui infligeait le « mec du DA ». Steinhart compatit :

— Tu veux que je fasse quelque chose de particulier ? Refiler un petit supplément de ta part à qui tu sais pour que ce salaud te fiche la paix ?

— Non, mais je te remercie : rien que d'y penser, je me sens mieux...

L'enregistrement de la conversation entre Steinhart et Brown permit de constater que ce dernier avait perdu tout sens de l'humour, lui qui se vantait d'être amusant, qui se targuait de sa vocation de clown, lui le boute-en-train, l'irremplaçable comique. En fait, ses blagues se résumaient en général à des histoires de pizzas et de bières, parfois pimentées de quelques allusions salaces d'un niveau plutôt faiblard. Steinhart avait ri consciencieusement à sa première allusion à la pizza, mais demandé aussitôt plus sérieusement où en étaient les « coupures ». Comme David lui assurait qu'il s'en occupait, il annonça :

— Je suis tombé sur un os en visitant le coin... La caravane que tu dois me prêter, elle se trouve tout contre la maison. Et puis la maison des vieux n'est qu'à une quinzaine de mètres. C'est risqué, si tu veux que je fasse un feu de Dieu !

David le rassura en précisant qu'il aurait éloigné sa famille dès le lendemain. La voix de Steinhart exprima un certain soulagement et il continua de décrire ce qu'il prétendait avoir repéré la veille au soir :

— J'étais juste en face du réservoir, en passant par-dessus le petit grillage.

— C'est parfait, ça.

David se détendait à mesure qu'il vérifiait que son acolyte s'occupait de son affaire. Il énuméra les voitures qui devaient être garées devant la maison :

— Un break argenté, une Nissan Maxima et une Taurus aux vitres teintées... C'est mon dernier joujou, celle-là, mais si l'une ou l'autre disparaît, ce n'est pas grave.

— Qui habite là, en ce moment ?

— Rien que papa et maman, pour surveiller la baraque et prendre soin de ma gosse.

Jay Newell s'étonna de la maladresse des projets de David. Il était désormais capable d'imaginer ce que cela pouvait donner avec Cinnamon et Patti : l'homme de leur vie était toujours pressé que les choses arrivent, mais incapable ensuite de les maîtriser. Plus astucieux, Steinhart finit par aborder un point jusque-là négligé :

— Dis donc, je me disais... J'ai pas la plus petite idée de la tronche qu'ils ont, nos clients !

— Il y a peut-être un vieux truc professionnel qui peut marcher comme au cinéma : tu te pointes à la bibliothèque et tu recherches leurs photos dans les vieilles coupures de presse. Je crois bien que j'en ai vu dans l'*Orange County Register*, un papier qui parlait de l'« enquêteur de l'année » à propos du petit mec... Il n'est pas petit, mais un peu minable...

Entendant ce commentaire, Steinhart couvrit le combiné de sa main et étouffa un rire avant de reprendre :

– Et l'autre ?

Jeoff Robinson était encore plus facile à repérer, assura David, car son portrait figurait très souvent dans les journaux. Steinhart n'aurait donc aucun mal, ce qui ne l'empêcha pas d'insister pour obtenir un signalement physique. Faisant un effort, David décrivit les « deux flics » comme étant grands, plus de 1,80 m, le premier avec des yeux marron – qu'il n'avait pas –, une moustache d'allure soignée, la carrure d'un sportif commençant à bedonner – ce qui était une calomnie ; le second, plus vieux, la moustache plutôt vilaine, « pas du tout bien sapé... », une espèce de rat géant, laid comme le péché.

Apparemment, Newell n'était pas du goût de David, qui suggéra de chercher leurs coordonnées respectives dans l'annuaire. Steinhart demanda également des précisions au sujet de Patti.

– Nez-Rond, ils l'ont déménagée en cellule K 14...

– C'est qui, Nez-Rond ?

– On dirait qu'elle a des billes fourrés dans le bout de son nez... C'est une de ces blondes délavées... Ce qu'elle a de mieux, c'est sa bouche : de grosses lèvres qui brillent et des yeux bleus.

– Elle pèse dans les combien ?

– Pour ce que j'en sais maintenant, elle doit faire quarante-cinq kilos, quarante-six au plus.

David Brown avait aimé Patti Bailey. Mais il semblait tellement pressé de s'en débarrasser qu'il la voyait déjà morte.

38

À mesure que les projets d'assassinat de David Brown se précisaient, ses coups de téléphone se faisaient plus fréquents. Il fallut même tirer Steinhart de sa cellule, le 4 février, le temps pour lui de recevoir les dollars promis par David des mains de son frère Tom, derrière le restaurant Bennigan à Westminster. Puis il retourna en prison attendre les inévitables communications.

David appela Steinhart trois fois le 3 février, quatre fois le 4 et deux fois le 6. Il paraissait savourer le peaufinage des détails, précisait que Robinson et Newell devaient recevoir chacun une balle dans la nuque et que Patti devait être éliminée dès que la nouvelle aurait paru dans la presse. Quand Steinhart lui annonça qu'il avait tout préparé en ce sens et qu'il allait introduire une « nettoyeuse » dans la prison de femmes, David interrogea :

— Est-ce que ça pourra passer pour un suicide ?

— Non, je crois plutôt qu'elle va tomber à la renverse sur un couteau par accident.

— OK. C'est bien, très bien, tout à fait ce que je veux.

David jubilait. Steinhart en profita pour préciser qu'il avait besoin de 10 000 dollars d'urgence, afin de les montrer à sa tueuse à gages, puis de payer les deux confrères qui se chargeraient des enquêteurs. David prit donc ses dispositions pour faire parvenir à son frère Tom un autre chèque de Joel Baruch. L'argent était censé couvrir l'achat de pièces rares pour la collection de David. Extrêmement irrité de devoir attendre qu'un téléphone discret se libère dans la salle commune, il se plaignait :

– J'ai horreur que ma vie soit contrôlée par d'autres gens !

Désireux de conserver les bonnes grâces de Steinhart, il se sentit obligé de lui confier :

– J'ai dit à tout le monde que mon magot était du côté de Barstow...

– Oui. C'est ça.

– Eh bien, non, ce n'est pas ça. On ne fait que passer vers Barstow. Tu sais où est Yucca Valley ?

– Sûr !

– Bon. Et la route qui monte pour y aller, tu connais ?

– Je crois...

David précisa qu'il fallait suivre Flat Land près des générateurs électriques alimentés par les grandes roues éoliennes. Après le supermarché, on repérait un bowling sur sa gauche et une « espèce de monument marqué 29 palmiers, ou arbres de Josué », puis :

– Là, tu tournes à gauche et tu y es.

Steinhart attendait les derniers détails, mais David se garda de les donner pour le moment.

Newell et Borris jugèrent qu'il était temps de penser sérieusement à faire sortir Steinhart de prison. Jusque-là, il s'était montré coopératif et loyal au point que Newell plaidait :

– Ce type a un bon fond, même s'il l'a toujours caché.

Le 7 février, Steinhart comparut donc devant le juge Carter avec l'appui du DA adjoint Rick King et, dans le cadre du programme de protection des témoins conforme à la loi californienne, on le relâcha réellement. David, lui, demeurait incarcéré, mais il comptait bien ne plus le rester longtemps.

En apparence, il ne manquait plus à David et à Steinhart que deux femmes à la fois dociles et résolues : l'une pour poignarder Patti dans le dos, l'autre pour témoigner au cas où, même morte, Patti risquait de faire du tort. David eut l'impression de mettre lui-même les choses en branle du fond de sa cellule le 8 février.

Ce jour-là, à 15 heures, son frère Tom livra 10 000 dollars dans le parking du restaurant Bennigan. Lui était resté derrière son volant tandis que deux types s'approchaient pour encaisser et vérifier la somme. Toute l'opération fut dûment enregistrée par un caméscope caché.

À 18 h 30, David reçut enfin la visite de la fameuse Smiley et constata avec satisfaction que Cully lui avait trouvé le faux témoin idéal. Équipée d'un émetteur miniaturisé et niché dans son soutien-gorge, l'agent de la brigade des stupéfiants qui jouait le rôle lui expliqua avec un sourire timide qu'elle connaissait déjà vaguement Patti, pour l'avoir côtoyée en prison. Elle remercia vivement pour les 500 dollars, tombés à pic afin de payer son loyer. David était enchanté de découvrir que c'était une fille plutôt jolie. Alors qu'elle lui réclamait des détails sur le sens qu'elle devait donner à son témoignage, il lui servit des commentaires qui se voulaient enjôleurs et finit par laisser nonchalamment tomber qu'il possédait plus de 5 millions de dollars :

– Pour le moment, chacun de ces millions est en espèces. Vous comprenez, je ne voulais pas me remarier avant de trouver quelqu'un qui me plaise vraiment. À ce que j'ai entendu dire, vos propres goûts sont assez semblables à ceux de mon épouse...

– Vraiment ?

– Oui, notre union, c'était de la dynamite !

Il parlait manifestement de Linda et non de Patti, qu'il niait avoir épousée :

– Celle-là, quelle fieffée menteuse ! Elle a forcé ma fille aînée à tuer ma femme et elle s'en va raconter que c'est moi qui les ai poussées toutes les deux. Bien sûr que ce n'est pas vrai, puisque j'aimais ma femme.

Smiley approuva en jouant les idiotes. Parlant comme une femme qui aurait passé plus de temps en prison qu'à l'école, elle lui demanda de bien lui réexpliquer ce qu'elle devrait faire. Quand elle parut enfin avoir compris, elle répéta :

– D'accord, je raconterai que, lorsque j'étais en taule, j'ai causé avec Patti et qu'elle m'a dit que vous étiez innocent et qu'elle avait menti.

– C'est ça !

– Et je ne risque pas de me faire prendre ? S'ils me faisaient passer au détecteur de mensonges ?

– Ce n'est pas recevable en justice. Vous n'avez qu'à refuser.

Smiley prétendit avoir peur que leur conversation ne soit enregistrée. Mais David éclata de rire.

– Ils n'ont aucune raison de faire ça : je me suis spécialement arrangé pour que ma mère m'amène ma petite Krystal, dit-il en désignant de la tête Manuela, qui attendait de lui parler avec la fillette dans les bras. Ils n'iraient tout de même pas enregistrer une conversation entre un papa et sa petite chérie !

Krystal n'avait que quatre ans, mais son père se servait déjà d'elle. Et il ne demandait qu'à se rapprocher de la prétendue Smiley, à laquelle il suggérait :

– Si vous acceptiez de faire un peu mieux connaissance avec moi, je pourrais veiller sur vous toute votre vie... Je prends bien soin des gens, c'est comme ça que j'ai réussi...

Smiley feignit de le quitter à regret, laissant David croire qu'elle reviendrait. Il était aux anges d'avoir enflammé une nouvelle conquête. Dès le lendemain, il téléphona à Steinhart pour se vanter :

– Je crois bien que j'ai tapé dans l'œil d'une sacrée gonzesse !

La chose semblait lui tenir plus à cœur que le fait que ladite « gonzesse » était censée anéantir le témoignage de Patti.

Steinhart se récria d'admiration comme de juste, puis annonça que la seconde femme, la tueuse, venait d'entrer à la prison d'Orange. En ce moment même, dans le bloc cellulaire de Patti, elle se tenait prête à honorer son contrat dès l'annonce de la mort des deux enquêteurs. Pour David, l'assassinat programmé relevait presque de l'histoire ancienne et il avait davantage envie d'évoquer sa visiteuse :

— Elle est vraiment superbe, tu sais ?

— Alors, ne la rate pas !

— Tu verrais cette bouche et ces lèvres...

— Faudra que tu me montres ça quand tu auras été libéré.

Dans leurs conversations, Steinhart donnait l'impression que tout marchait bien pour lui. En réalité, dès sa relaxe, il s'était remis en ménage avec son ancienne compagne, une fille magnifique mais droguée jusqu'aux cheveux. Il resta trois jours et trois nuits avec elle sans cesser ses coups de téléphone enregistrés avec David, ni ses rapports auprès de Newell. La fille devenait toutefois impossible à contrôler, et les malfrats qui voulaient régler son compte à « Goldie » venaient de retrouver sa trace. Newell en conserva un souvenir amer :

— Son boulot avec David était presque fini. On a dû le déménager du motel, car il était sur le point de se faire attraper par les motards. Placé en lieu sûr, il nous a appelés au secours. Quand nous sommes arrivés, il y avait du sang sur les murs de la salle de bains et de la chambre. C'était celui de sa copine qui se shootait à l'héro et à la coke. Il nous l'a livrée pour lui sauver la vie. Il en était malade et j'ai passé la journée dans la voiture et dans un café avec Steinhart, qui pleurait sur mon épaule, en essayant de le persuader qu'il avait bien fait...

Le 10 février, Steinhart s'installa avec Newell et Borris dans un motel de la Pacific Coast Highway à Newport Beach. Ils occupaient deux chambres contiguës et le standard avait reçu l'ordre d'accepter et de facturer les appels en PCV. Voilà qui s'appelait fraterniser avec son chasseur, se dit Newell, troublé à l'idée de cohabiter avec celui qui avait promis de le faire descendre. Mais Steinhart se révéla un compagnon fort agréable, qui régalait les policiers de récits truculents.

— On n'y croyait pas toujours, expliqua Newell, mais on passait de bons moments. Il nous a même raconté qu'il avait été le garde du corps de Jerry Lewis, ce dont Borris et moi doutions. Et puis un dimanche matin, dans la salle à manger de l'hôtel, un gars couvert de diamants a fait à Steinhart de grands signes de la main. Après quelques accolades bruyantes, le type a sorti de son sac une pile de photos de Richard Steinhart au côté de l'acteur !

Les deux enquêteurs jouèrent si bien le rôle d'acolytes de Steinhart que Tom Borris se vit un jour proposer d'acheter les « meilleurs bâtons thaïs sur le marché ». Newell, ancien adjoint de la brigade des narcotiques, manqua de s'étouffer sur le coup, mais se fit violence et n'inquiéta pas le dealer.

Il était temps de resserrer les mailles du filet. Le 10 février 1989 était un vendredi.

Tout serait consommé le lundi 13 ou au plus tard le lendemain, promit Steinhart à David. Tom Brown lui apporterait les 11 000 dollars du supplément prévu par le contrat après l'annonce que la première partie du « travail » avait été exécutée. Le tueur partirait alors se planquer pendant que Steinhart se mettrait en quête de passeports et de papiers. Sur un ton de demi-plaisanterie, il lança à David :

— Je ne serai pas fâché qu'on se retrouve !

— Toi aussi, tu me manques beaucoup, Richard. Je n'aurais pas cru que je pourrais m'attacher à toi à ce point-là...

— Je ne suis pas sûr que nous aurons besoin de fric en plus... Je pense que si nous nous débarrassons des deux flics, de Patti et de tes autres problèmes, tu vas sortir gagnant de tout ça.

— J'y compte bien... Je me sens déjà un homme libre.

Il vécut donc sur des charbons ardents pendant tout le week-end et le lundi matin, dès 8 h 30, il appela Steinhart d'une voix altérée.

— Allô ?

— Ah... c'est toi ? Eh bien, c'est fait, mon vieux, c'est fait !

— Répète voir un peu...

— Je te dis que c'est fait. Tout ! Mon gars a réussi. Il est en ce moment dans le garage, à brûler des trucs.

— Vous avez été bien...

— Bien ? C'est tout ce que tu trouves à dire ?

– Il y a du monde et ils peuvent entendre...

Apparemment rasséréné, Steinhart décrivit avec complaisance la mort de Jay Newell et de Jeoff Robinson. Quand il annonça qu'ils avaient pris des Polaroïd, David exigea qu'ils les brûlent tout de suite. Ensuite, Steinhart réclamant des précisions pour aller déterrer le trésor, il chuchota :

– Bien sûr ! Tu te souviens d'où tu dois tourner à gauche ?

– Ouais...

– Tu ne peux tourner qu'à gauche, d'ailleurs, à moins qu'ils aient foutu là un nouveau lotissement, mais ça m'étonnerait. Tu passeras le long d'un ravin, droit au nord, d'accord ? Tu suis le ravin sur un kilomètre ou deux environ, et sur la droite, il y a une côte... Bon. Tu cherches le sentier, là-haut, et tu tomberas pile sur mon rocher. D'après le compteur de ma Nissan, c'était à exactement 2,8 km. Ensuite, tu repars vers le nord. Tu devras peut-être emporter une petite boussole, parce que je suis sûr d'être allé plein nord.

– Plein nord.

– Exactement. Deux kilomètres huit cents. Et là, tu verras un gros rocher et un yucca. Une pierre monstre qui doit faire un mètre cinquante de tour. Et c'est juste dessous, dans une terre qui était à moi...

– Et c'est tout ce que j'ai besoin de savoir ?

– Oui, c'est tout...

Il tombait une pluie mêlée de grêle sur le parking presque désert de Bennigan's. Richard Steinhart et le policier Bob « Animal » Moran, chargé d'incarner le tueur à gages, patientaient à bord d'une Camaro. La Ford Escort bleue de Tom Brown apparut à 10 h 30. Sans quitter son volant, le frère de David remit 1 100 dollars, le solde de la somme dont David seul savait ce qu'elle achetait, lui qui faisait cavaler Tom en tous sens sans jamais lui expliquer de quoi il s'agissait. Aussitôt, surgissant de nulle part, une foule de policiers envahirent le parking, pointant des pistolets vers les trois hommes. Ahuri, Tom ne descendit de sa voiture que pour se retrouver plaqué contre le capot, menottes aux poignets, en entendant un agent clamer :

– Vous êtes tous les trois en état d'arrestation pour assassinat !

– Pour quoi ? s'écria Tom.

– Pour homicide volontaire.

Tom Brown n'y comprenait rien. Il savait seulement que David l'avait envoyé se jeter au milieu d'un nid de vipères.

David Brown avait réglé un total de 23 400 dollars en échange de trois meurtres qui n'avaient pas été commis. Conduit dans une salle d'interrogatoire du siège de la police de Huntington Beach, son frère y demeura assis, seul, entravé, abasourdi. Il attendit une demi-heure avant que Jay Newell et Fred McLean ne viennent lui expliquer :

– Plusieurs personnes ont été tuées et, pour l'une d'elles au moins, il y a eu erreur sur la personne.

Tom Brown avait l'air à la fois incrédule et affolé. Tout ce qu'il savait des deux hommes rencontrés dans le parking était qu'ils étaient censés protéger son frère. Il admit sans rechigner :

– Il m'avait téléphoné la semaine dernière pour me dire de porter 1 100 dollars à ces types.

Tom reconnut avoir également remis 10 000 autres dollars aux deux mêmes gardes du corps huit jours plus tôt. Il raconta que son père et lui se rendaient assez souvent au cabinet de Joel Baruch, l'avocat de David, pour y chercher des chèques à remettre à ceux qui l'aidaient.

– David ne m'a rien expliqué du tout, simplement que sa vie et celle de Krystal étaient en danger et qu'ils avaient besoin de protection.

Le bon frère rappela aussi une précédente livraison de 1 700 dollars au sujet de laquelle il n'avait pas posé de question. Il n'était au courant d'aucun crime, ne voulait pas entendre parler d'une histoire pareille, répétait-il sans réprimer sa rage.

– Qu'est-ce que vous diriez si je vous annonçais que deux hommes ont été tués, dont un par erreur ?

– Rien ! Je ne suis au courant de rien !

Tom fut gardé quatre heures avant d'être libéré. S'il était clair qu'il était la dupe de son frère, il n'était pas moins évident qu'il risquait de se précipiter pour tout raconter à David. Mais Newell disposait maintenant de vingt-six cassettes audio et vidéo accusant David Brown d'incitation au meurtre.

En fait, Tom Brown fila droit chez ses parents, qui ne savaient rien de plus que lui. Plus tard dans l'après-midi, Tom Borris reçut un coup de fil de l'avocat associé de Joel Baruch, qui questionna :

– Est-il vrai que Jeoff Robinson est mort ?

– Je ne peux pas vous répondre, protesta Borris. C'est couvert par le secret de l'enquête.

En réalité, Robinson se trouvait dans le bureau voisin de celui de Borris, mais celui-ci préférait ne rien dire tant qu'ils n'auraient pas fini de rassembler toutes les pièces du puzzle.

À 21 h 30, au soir du 13 février, David Brown reçut une visite officielle de son avocat. L'auxiliaire Dan Vazquez ne put surprendre que des bribes de leur échange, mais il vit Baruch lever les bras au ciel. David grillait cigarette sur cigarette sans se soucier de l'interdiction de fumer. Son défenseur à peine reparti, il se précipita dans la cellule de Cully en piaillant :

– Cully ! Cully ! Goldie a déconné !

Après s'être rongé les sangs toute la journée, il venait d'apprendre que son homme de main n'avait pas fait abattre le type qu'il fallait.

39

Le 14 février 1989, jour de la Saint-Valentin, David Brown apprit que son homme de main ne s'était pas seulement trompé de victime, mais qu'il s'était bel et bien abstenu d'abattre quiconque. Jeoff Robinson, Jay Newell et même Patti Bailey, ses ennemis mortels, restaient tout à fait vivants. Le maestro de la brillante exécution prévue s'était laissé jouer par la virtuosité de Richard Steinhart.

Quand David se résigna à consulter son avocat, il n'y trouva aucun réconfort, car Joel Baruch était parti en Floride pour y fêter son anniversaire de mariage. Même son associé Jack Early ne put venir que le lendemain pour préciser les chefs d'inculpation retenus contre le prisonnier : trois complicités de crimes, respectivement pour incitation au meurtre, pour subornation de témoin et pour tentative d'incendie criminel. Early devait se souvenir que l'accusé en eut l'air stupéfait et hébété.

Patti Bailey ne fut pas moins choquée quand elle apprit que son bien-aimé mari avait tout fait pour qu'elle meure au crépuscule de la fête des amoureux. Elle refusa d'abord de le croire. Mais le lendemain, quand Jay Newell vint lui préciser les détails, elle fondit en larmes, secouée d'irrépressibles soubresauts.

– Il fallait s'y attendre. Avec lui, il faut s'attendre à tout et à n'importe quoi. Il aime que l'histoire se répète...

Elle éprouvait une amertume nouvelle, ayant assez relu la cinquantaine de lettres de David pour prendre conscience qu'elles étaient chargées d'hypocrisie et de mensonges destinés à la persuader de le protéger. Désabusée, elle admit :

– Maintenant, je comprends... Après avoir participé au meurtre de ma propre sœur, il m'est dur de vivre avec de tels souvenirs.

Paradoxalement, elle raconterait ensuite aux journalistes qu'elle en retirait une espèce de soulagement. Elle était liée à David depuis si longtemps que la trahison lui donnait l'impression de s'appartenir pour la première fois. Elle en tira parti pour reprendre ses études secondaires malgré sa détention.

– Je peux enfin accomplir ce que je veux. Je me sens beaucoup plus libre en prison qu'auparavant !

Une liberté très relative, puisqu'elle tenta de se pendre aux barreaux de sa cellule.

Un autre personnage malheureux restait Richard Steinhart. Réduit à jouer le rôle de témoin clef dans deux grands procès, ce célibataire sans domicile fixe était désormais un homme à abattre, que les gens de son propre milieu considéraient comme un « mouton des matons ». À servir contre sa vocation la cause de la justice, il n'avait rien gagné et beaucoup perdu, ce qui força Newell à l'aider :

– Je lui ai trouvé un logement dont tout ce qu'on pouvait dire, c'était qu'il était en lieu sûr. Hôtels et motels même minables étant trop chers, je lui ai loué une sorte de bunker. Ce n'était pas le grand luxe, mais il y avait quand même une fenêtre et cela ne coûtait que 600 dollars par mois...

La chambre forte en question se trouvait dans les anciens locaux d'une banque qui avait fait faillite. Bon gré, mal gré, Steinhart y établit son foyer. Comme le printemps commençait à radoucir le désert, il décida de partir à la recherche du fameux monument baptisé « aux arbres de Josué » dont David lui avait parlé. Il emmena un copain et ils partirent à bord d'une camionnette d'emprunt, chargée d'outils de terrassier. Suivant les indications données par David, ils tournèrent où il fallait, longèrent le bon ravin et trouvèrent un rocher correctement flanqué d'un yucca. Puis ils firent comme les enfants du laboureur dans une fable de La Fontaine :

– Nous avons creusé, creusé... J'ai foré un trou sous le rocher que mon pote maintenait étayé tant bien que mal avec des barres à mine. Je sapais juste dessous quand les barres ont glissé dans le sable...

En tombant, le rocher lui écrasa un doigt.

– Il a aplati mon majeur comme une peau de banane épluchée... Mon pote voulait continuer la prospection, mais le rocher avait bouché notre forage et j'ai préféré aller me faire soigner.

Les chirurgiens du service des urgences parvinrent à suturer son doigt, mais son enthousiasme pour la chasse au trésor s'était envolé.

Steinhart ne s'était jamais tout à fait débarrassé de la toxicomanie. Le 14 mars 1989, l'agent Reinhart, de la police de Huntington Beach, était en faction près d'un rendez-vous des revendeurs de drogue quand il avisa une camionnette qui roulait lentement, conduite par une jeune femme. Alors qu'il regardait le véhicule contourner la place, il vit un jeune homme très brun s'en approcher et montrer deux sacs en plastique transparent pleins de poudre blanche, en échange desquels un passager barbu lui glissa de l'argent. L'agent ne connaissait pas l'acheteur, mais savait reconnaître une vente de drogue. Steinhart, arrêté une fois de plus, retourna à la prison d'Orange, où rien n'était plus comme avant :

– Mon placement en isolement total a changé ma vie.

Il bénéficiait toujours de sa réputation de costaud, mais ne voulait plus être considéré en qualité de « gros bras » ni d'homme de main. Au soir du 22 juin 1989, il finit par trouver ce qu'il cherchait sans le savoir à l'aumônerie de la prison. Il allait bientôt pouvoir s'en émerveiller :

– Je me rendais à la chapelle surtout pour échapper à ma solitude, apprendre ce qui se passait dans les autres blocs cellulaires, ou même piquer des chocolats et des cacahuètes aux petits voyous. Mais, à force d'y aller, j'ai fini par entendre ce qu'on y disait... Quand le révérend Will Barr a demandé si quelqu'un voulait accepter Jésus-Christ, ma main s'est levée sans même que je m'en rende compte. Tout le monde en a bêtement déduit que j'avais un plan pour me faire la belle, mais je suis retourné dans ma cellule, j'y suis tombé à genoux, j'ai pleuré et j'ai imploré Dieu en lui demandant pardon... Quand je me suis relevé, j'étais un autre homme.

Le lendemain, au petit déjeuner, Steinhart suggéra à ses codétenus de dire le bénédicité. Comme ils n'osaient pas trop le contrarier, il les entraîna autour de la table en chantant un cantique. La plupart des prisonniers en conclurent qu'il était devenu fou, d'autres crurent que cela faisait partie d'un nouveau plan. Mais il n'avait désormais pas plus de projet d'évasion que d'intérêt pour le trésor de David.

Patti Bailey, au contraire, croyait toujours au magot caché dans le désert. Elle n'y était jamais allée avec son mari, mais elle l'avait vu plusieurs fois quitter la maison avec des sacs pleins de billets. Il lui avait expliqué qu'il allait enterrer cette somme pour échapper aux agents du fisc.

Le procès de David Brown n'eut pas lieu comme prévu en mars 1989, car instructions et réquisitions exigeaient un ajournement.

Pendant la deuxième semaine de mai, en revanche, Patti Bailey fut autorisée à plaider coupable du meurtre de sa sœur et le juge à la cour du comté d'Orange, C. Robert Jameson, la condamna à la réclusion sous l'autorité de la Protection de la jeunesse de Californie jusqu'à son vingt-cinquième anniversaire.

Patti était maintenant l'un des principaux témoins à charge contre David Brown. Elle avait à peine vingt et un ans. Si elle avait été jugée comme adulte, elle aurait été passible d'une peine de prison à vie ; mais à titre de mineure au moment des faits, elle serait libérée assez vite. Elle-même ne comprenait pas très bien tout cela. Elle croyait qu'elle allait rester quatre années avec des délinquants juvéniles, avant d'être transférée dans un établissement pour adultes où elle resterait recluse jusqu'à la fin de ses jours. Elle ne s'en indigna pas :

– J'ai plaidé coupable parce que je savais que ce que j'avais fait était mal... On ne se rend pas compte à quel point on tient à quelqu'un avant que cette personne ait disparu. Et je donnerais tout au monde pour que ma sœur me revienne. Je dois vivre avec ça toute ma vie.

De son côté, Jeoff Robinson déclara à la presse :

– Nous n'avons négocié aucun marché avec elle.

Il souligna que l'affaire passerait devant le tribunal pour enfants puisque Patti n'avait que dix-sept ans au moment des faits, qu'elle n'avait pas elle-même pressé la détente et qu'elle avait sans doute subi des abus sexuels et un lavage de cerveau. L'avocat de David, Joel Baruch, ne manqua pas de vitupérer :

– Voyez comment procèdent les hommes du DA : ils se sont bel et bien acheté un témoin !

Baruch soutint qu'il prouverait au cours du procès que son client n'avait jamais voulu la mort de Linda et qu'il était victime des perfidies de sa sixième femme, Patti, et de sa fille Cinnamon.

La défense et l'accusation se chamaillèrent tout l'été. Le procès était inscrit au 2 août 1989, mais aucune des parties n'avait l'air de penser qu'il commencerait à la date prévue. De fait, le 29 juillet, Joel Baruch abandonna la défense de David Brown. La procédure devait donc être ajournée au moins jusqu'au 11 août. Les controverses entre juristes n'en reprirent pas moins dès que David se fut assuré les services d'un nouveau conseil.

Richard Schwartzberg, brillant juriste, allait bientôt se trouver renforcé par Gary M. Pohlson, l'un des plus grands avocats d'assises du comté. Si le premier était une bibliothèque de droit ambulante, le second avait un style chaleureux qui plaisait aux jurés. En y mettant le prix, David Brown avait recruté une équipe de défenseurs de haut niveau.

Les frais de justice de David Brown approchaient le demi-million de dollars avant même le début de son procès. Mais c'était un client exigeant, qui téléphonait à tout instant au cabinet comme au domicile de ses défenseurs.

Pohlson était un homme d'une trentaine d'années, solide, musclé, avec une bonne figure franche d'Irlandais. Il était gentil et cela se voyait. Il aurait pu défendre Judas sans déplaire au public. En 1989, il avait plaidé six affaires difficiles et en avait gagné quatre. Le plus souvent, il avait des coups de cœur en faveur de ses clients, dénichait ce qu'il restait de bon au fond d'eux et excellait à l'exposer au jury. Il avait fait ses études au séminaire Saint-Jean de Camarillo et s'était initialement destiné à la prêtrise. Mais il y avait fait la connaissance de son futur beau-frère, en compagnie duquel il avait finalement choisi de retourner à l'état laïc. Chacun des deux hommes s'était ensuite marié et avait eu trois enfants.

Au procès de David Brown, Pohlson plaiderait pour la sixième fois contre Jeoff Robinson, ce qui ne les empêchait pas d'être en bons termes. Pendant les heures de déjeuner, ils jouaient souvent au basket avec d'autres avocats et des adjoints du district attorney. S'ils s'appréciaient l'un l'autre dans les prétoires, cela n'excluait nullement la possibilité de vifs affrontements lors des procès.

De toute façon, il était devenu évident que David ne serait pas traduit en justice avant le printemps suivant. Les porte-parole du district attorney accrurent le suspense quand ils annoncèrent :

— Nous ne pouvons pas entrer dans les détails, mais nous avons eu connaissance d'un certain nombre d'éléments qui nous ont fait revenir sur notre intention de réclamer la peine de mort.

Le phénix s'apprêtait à renaître de ses cendres.

QUATRIÈME PARTIE

LE PROCÈS

40

Il était possible que David Brown soit jugé à deux reprises : une première fois pour l'assassinat de sa cinquième femme et une seconde fois pour la tentative d'assassinat contre sa sixième épouse. Mais le premier des deux procès avait d'ores et déjà été programmé pour le 20 février 1990 à l'audience de la cour présidée par le juge Donald A. McCartin, au huitième étage du palais de justice d'Orange. La défense ayant d'abord obtenu un ajournement au 28 mars, l'accusé sollicita un nouveau report. Cela lui fut refusé malgré ses menaces de l'imposer par un renvoi de ses nouveaux avocats. La cour se déclara résolue à entamer la procédure dès le 25 avril.

À plus de soixante ans, le juge McCartin était resté un bel homme grand et mince, qui paraissait redoutable quand il toisait les prévenus du haut de sa chaire. Il se montrait tantôt spirituel et persifleur, tantôt paternel et bienveillant, tantôt irascible. Il semblait parfois somnoler alors qu'il écoutait attentivement. Son caractère imprévisible décontenançait la plupart des jeunes avocats.

Lorsque le procès Brown commença, les séquelles d'une récente blessure sur un terrain de sport le faisaient souffrir du dos. Or l'atmosphère du tribunal qu'il présidait reflétait autant ses sautes d'humeur que la multiplicité de ses centres d'intérêt. La pièce avait un décor farfelu, avec des éléments cocasses, susceptibles d'aider les esprits à se détourner des drames qui s'y jouaient. Sur le mur de droite, derrière un bureau, une collection de gravures et de photos représentait des chiens hilares et revêtus de chemises de nuit. Le juge, qui adorait les chiens, avait un jour dépensé 4 000 dollars pour doter d'une prothèse la hanche de l'un de ces quadrupèdes.

Entre le drapeau américain et celui de la Californie, l'écusson portant l'emblème de cet État surplombait le fauteuil du juge. Le box du jury était à sa gauche, séparé de la salle assez vaste pour accueillir deux cents personnes sur des banquettes rembourrées de coussins. Ceux-ci couinaient chaque fois que leurs occupants avaient le malheur de tousser ou de chercher quelque chose dans leurs poches. Des chaises plus discrètes et confortables étaient à la disposition des avocats, et l'accusé restait enfoncé dans un siège en bois massif qui lui interdisait tout geste trop vif.

Ayant déjà manifesté quelque penchant pour l'évasion, c'est menottes aux poignets et fers aux chevilles que David Brown fut amené du sous-sol. Pendant les suspensions d'audience, il lui faudrait attendre dans une cellule contiguë, avec la permission de fumer.

Les décisions du juge McCartin en réponse aux motions préliminaires ne furent pas favorables à la défense. Mᵉ Pohlson plaida qu'il ne pouvait « concevoir de pièces à conviction plus nocives » que les enregistrements de Steinhart étayant l'accusation de complot pour assassiner Jay Newell, Jeoff Robinson et Patti Bailey. Il sollicita leur exclusion, ce qui lui valut de s'entendre répliquer par Robinson :

– Dans cette affaire, il y a eu tentative d'entrave à l'accusation. Quand David Brown se livre à ce genre d'activités, nous devons garder le droit de le prouver aux jurés.

– À ce compte-là, autant nous jeter par terre pour que le jury puisse nous fouler aux pieds !

McCartin concéda que les bandes magnétiques incriminées constituaient de sérieux préjudices, mais arbitra :

– Je ne vois pas comment interdire leur présentation sans perdre tout bon sens.

Convoqué à la barre, l'accusé fut ensuite interrogé par

son propre avocat au sujet des échanges qu'il avait eus avec Jay Newell et Fred McLean le matin de son arrestation. La défense voulait également faire supprimer tout rappel de cet entretien qu'elle estimait abusif. Expliquant qu'il était alors fatigué et abruti par les médicaments qu'on lui avait prescrits, David protesta :

– Je n'ai rien compris à ce qui se passait et ce n'est qu'à la fin de l'entrevue que j'ai réalisé que j'étais en état d'arrestation. Je n'avais pourtant rien à cacher, pas plus que maintenant...

McCartin se fit projeter le début de la vidéo litigieuse enregistrée à cette occasion et vérifia que Newell avait clairement lu ses droits et signifié son arrestation à l'accusé. Il décréta par conséquent que cet enregistrement devait être pris en compte.

N'importe quel procès relève du théâtre, mais celui-ci, dès son lever de rideau, s'annonçait comme un mélodrame.

Le 30 avril 1990, à 9 h 30, l'huissier Miller était encore seul dans la grande salle silencieuse. Il faisait frais. Chose exceptionnelle, les fenêtres s'ouvraient sur une plaine qui s'étendait sur des kilomètres avant de disparaître dans une brume bleue. Les protagonistes arrivèrent ensuite, Robinson et Pohlson, vêtus de costumes gris clair à fines rayures, presque de rigueur. Fred McLean vint s'installer au fond de la salle :

– Si Newell et moi nous étions assis avec Robinson derrière la table de l'accusation, nous aurions fait l'effet d'une meute déchaînée contre l'accusé. Je vois et j'entends tout aussi bien d'ici.

La presse occupait le premier rang, juste derrière l'accusation et la défense. Eric Lichtblau, du *Los Angeles Times*, qui avait écrit des dizaines d'articles sur l'affaire, avait demandé à la suivre jusqu'au bout. Jeff Collins, de l'*Orange County Register*, rentré au bercail après avoir travaillé pour un journal du Texas, s'efforçait pour sa part de se mettre au courant d'un sujet nouveau pour lui. Barney Morris, de la télévision régionale Canal 7, était accompagné d'un cadreur, tout comme Dave Lopez, du réseau national CBS. Les tribunaux de Californie autorisent les prises de vue et de son, à condition que les reporters se cantonnent à au moins deux mètres de la barre et n'emploient ni spot ni flash.

En entendant un bruit de chaînes, le public fit silence. Il attendait avec impatience celui que les journalistes avaient surnommé le « génie de l'informatique », le « grand patron des données retrouvées », le « Barbe-Bleue d'Orange ». Une exclamation de surprise déçue fusa de la foule quand pénétra dans la salle un personnage en forme de poire, insignifiant et voûté. Le prétendu séducteur se révélait très petit et très gros, le teint blême et grêlé par l'atmosphère des cachots. En un an et demi de détention, il avait perdu l'essentiel de ses cheveux, même s'ils persistaient à ne pas grisonner. Il portait une chemise blanche et un pantalon en polyester gris, privé de ceinture pour prévenir toute tentative de pendaison. David avait maintenant trente-sept ans, mais il en paraissait au moins cinquante.

Un nombre considérable de personnes présélectionnées pour faire partie du jury le suivirent. Le juge commença par renvoyer ceux qui déclarèrent ne pouvoir demeurer plus d'un mois à la disposition de la justice, car le procès risquait de durer davantage. La sélection des jurés donna ensuite lieu aux plaisanteries de circonstance. Pohlson avoua sa préférence en faveur des chauves « pour juger un autre chauve ». Robinson prédit que « cette audience allait ressembler à un film de science-fiction ». McCartin ironisa sur les « dons de prophétie » revendiqués par le procureur. Et quand celui-ci protesta, la défense fit mine de se rallier au point de vue de l'accusation contre le juge, qui affecta l'indignation :

— Je vois qu'il serait bon que je descende tout à l'heure me défendre à la place de Me Pohlson !

Robinson objecta :

— Ils sont déjà deux, Votre Honneur, alors que moi, je reste tout seul !

– C'est vrai. Nous allons donc étudier la possibilité d'autoriser votre maman à venir vous réconforter...

Cette fois, Pohlson objecta :

– Vous ne pouvez pas faire ça à cette femme ! Elle n'a déjà supporté son fils que trop longtemps !

Le public se tenait les côtes, mais pas David, qui trouvait manifestement saumâtre de voir son avocat plaisanter avec le ministère public. Plus sérieux que l'assistance et moins nerveux que l'accusé, les jurés pressentis pénétrèrent dans le box pour y subir l'interrogatoire de leur seconde sélection, résultat d'un étrange mélange d'intuition, d'expérience, d'arbitraire et de longueur de temps.

Chaque fois qu'un choix paraissait acquis à l'observateur profane, la défense ou l'accusation semblaient jouer aux chaises musicales. Des jurés à l'air souvent ébahi s'entendaient inviter sans explication à quitter le box. Quand la plupart d'entre eux se trouvèrent écartés, la partie reprit pendant des heures avec de nouvelles fournées d'autres jurés potentiels. En définitive, il fallut près de trois jours pour que douze jurés et trois suppléants soient acceptés vers 13 h 45, le 2 mai.

Le jury comportait plusieurs femmes au foyer, une secrétaire de direction, un dépanneur de téléphones, un électronicien, un acheteur de grande surface, un éducateur pour handicapés mentaux et un ingénieur. En tout, sept femmes pour cinq hommes, plus deux femmes et un homme en qualité de suppléants. Presque tous avaient des enfants.

Aucun d'entre eux ne connaissait David. Ils ne savaient de lui que ce qu'ils avaient pu lire s'ils avaient parcouru un entrefilet dans le journal.

Le 5 mai 1990, week-end de la fête hispanique du Cinco de Mayo, il faisait un temps superbe, clair et chaud, et la ville de Santa Ana retentissait d'échos joyeux. Lancées par un défilé dans Main Street, musiques et explosions de pétards se prolongèrent jusque tard dans la nuit. Deux jours après, le procès de David Brown allait enfin démarrer.

L'accusation était déjà mieux armée que la défense, mais une surprise l'attendait en coulisse.

La veille, Jay Newell avait reçu un appel de Dan Coston, un détenu de la prison d'Orange. Intelligent et s'exprimant bien, ce n'était qu'un petit délinquant, mais plutôt fier de son importance comme délateur. Lors de leur première rencontre, Newell l'avait trouvé beaucoup moins intéressant qu'Irv Cully et Richard Steinhart.

Vers le mois de mars 1989, Dan était entré dans la vie de David au moment où, trahi par Steinhart, celui-ci avait eu besoin d'un autre homme de main. Coston songea que leur association pourrait se révéler fructueuse puisque Brown passait pour multimilliardaire. De plus, ce dernier était déjà devenu une vedette médiatique et Coston s'intéressait beaucoup à la presse. Quand il aurait tiré le maximum de son nouvel ami, il lui resterait à le « balancer » auprès du DA pour négocier une réduction de peine. Adorant ce genre de double jeu, il voyait en Brown à la fois un partenaire et un adversaire aussi manipulateur que lui-même.

Le 12 juillet 1989, David Brown lui avait dicté une lettre qu'il devait envoyer sous la signature de Dan Coston aux célèbres magazines *Time, Playboy, Penthouse, Esquire, Life, Newsweek, People, US News and World Report*, aux talk-shows ainsi qu'aux principaux quotidiens et chaînes de télévision de Los Angeles et de San Francisco. Il semblait tenir spécialement à être lu par les responsables du *Los Angeles Times,* car il détestait Eric Lichtblau, le jeune journaliste qui ne rédigeait sur lui que des articles défavorables. Le texte de sa missive était le suivant :

Messieurs,

J'écris cette lettre aujourd'hui pour vous informer d'un événement qui aura lieu bientôt et qui, je crois, devrait beaucoup vous intéresser, vous et les parties que vous représentez – qu'il s'agisse de votre société ou simplement de vos lecteurs.

L'événement dont je parle est le procès d'une importante personnalité, un magnat, M. David Brown, injustement accusé d'incitation au meurtre, ce qui sera prouvé par des témoins n'être qu'une fable imaginée par le bureau du district attorney du comté d'Orange, le département du shérif du même comté et des agents à leur solde : deux mouchards de prison.

Avec l'aide de ces vils indicateurs, l'accusation tentera de prouver que M. Brown aurait conspiré pour tuer le procureur de son procès initial au sujet d'une autre accusation de meurtre.

L'accusé cherchera à prouver que non seulement les dépositions des témoins à charge sont fallacieuses et constituent des parjures, mais encore que ce témoignage a été fabriqué, conçu et exécuté par le bureau du district attorney, sous la direction du département du shérif.

Si je crois à l'importance médiatique de ce procès, c'est par ma connaissance des intentions de la défense de ne pas dénoncer la conspiration de faux témoignage et de parjure, pratique contraire à la déontologie mais utilisée dans un certain nombre de grands procès d'assises.

À mes yeux, indicateur de police moi-même depuis dix-huit ans, grâce à ma connaissance de première main des pratiques délictueuses employées par les procureurs et leurs séides, la question est de savoir si oui ou non le témoignage d'un indic est recevable et digne de foi. Moi-même témoin de la défense de M. Brown, dans ce prochain procès, la question la plus importante à mon avis est d'éviter toute possibilité d'erreur judiciaire.

Si jamais vous désirez en savoir davantage, prenez donc contact avec mon avocat...

Ni le palmarès de Dan Coston comme informateur ni la prose tarabiscotée de David Brown n'impressionnèrent les médias, puisque personne ne vint les solliciter pour une interview. Par la suite, le premier imprima laborieusement des documents « officiels » que lui dicta le second, répétant que le complot contre les hommes du DA avait pris naissance dans l'imagination malade d'Irv Cully et que lui-même, Dan Coston, était prêt à en témoigner en justice. Coston avait tiré tout ce qu'il pouvait de Brown et, estimant la source tarie, il avait ensuite changé de stratégie.

Le 4 mai 1990, quand il téléphona à Newell, il commença par s'excuser, de la manière la plus obséquieuse, mais sur un ton familier, d'être resté évasif lors de leur précédente rencontre :

– Je ne voulais pas vous raconter ce qui se passait parce que ça aurait fait de moi un agent du DA. Je préférais me rapprocher davantage de Brown pour obtenir des preuves.

Avec Robinson à l'écoute sur un poste annexe, Newell joua encore une fois son rôle d'enquêteur à l'esprit lent en demandant à Coston de répéter ses propos. Plus il donnait l'impression de ne rien comprendre, plus son interlocuteur multipliait les détails en s'efforçant de se présenter comme un grand ami du DA qui ne travaillait que pour le bien de l'humanité :

– Dès que David a été transféré chez nous après avoir été inculpé de conspiration pour vous tuer, il m'a demandé de dire que j'avais toujours été au courant de la conspiration. Il m'avait fait un contrat me garantissant un million de dollars pour dire ce qu'il voulait, et me demandait de raconter qu'Irv Cully m'avait contacté...

Newell l'arrêta :

– Attendez, vous allez trop vite pour moi ! Pourquoi refusez-vous son million de dollars ?

Coston répondit de manière vague.

– Il voulait que je dise que Steinhart l'avait approché et avait même menacé sa famille au cas où David n'aurait plus respecté sa part du contrat.

David était sensible à l'aide que Dan Coston paraissait susceptible de lui apporter. À en croire celui-ci, dès août 1989, il avait reçu de Brown un coupon au porteur d'une valeur de 1 800 dollars, puis cinq mandats de 1 000 dollars

368

chacun, expédiés à une parente de Coston en règlement de dix peintures à l'huile. Lesdites œuvres existaient bel et bien, car Manuela et Arthur les avaient chargées dans leur voiture devant la prison d'Orange, mais Coston précisa :

— Les parents de David ne savaient pas ce que signifiaient ces mandats qu'il leur fallait remettre à d'autres prisonniers. Ils obéissaient à ses instructions sans poser de questions.

David lui avait aussi promis un emploi à San Diego, un appartement et une Mustang dernier cri dès sa sortie de prison. Et Coston avait un accent de sincérité en constatant :

— Quand je suis sorti, je n'ai rien trouvé du tout.

Coston ajouta que sans doute une demi-douzaine d'autres détenus avaient reçu de David des promesses de subsides s'ils acceptaient de témoigner qu'il avait été attiré de force dans le complot contre Newell et Robinson. Si Coston disait la vérité, c'était parfait, mais s'il jouait au plus malin... Newell questionna :

— Vous n'avez rien d'écrit de sa propre main ?

— J'ai des reçus. Et la photo d'une bague en diamant sur laquelle il a écrit pour dire qu'il allait me donner 100 000 dollars... J'ai même la bague en diamant, que j'ai fait estimer à 40 000 dollars et qu'il m'a donnée comme avance sur le million promis pour après ma déposition.

Ni Pohlson ni Schwartzberg, les deux avocats de David Brown, ne se doutaient que leur client persistait à comploter en promettant des fortunes pour camoufler ses précédentes machinations. Coston récapitula :

— Ce qui est prévu pour le moment, c'est que, après les réquisitions, Me Pohlson va prendre quinze jours de congé.

— Ce seront en fait les vacances judiciaires.

— Bon, mais ensuite, ils vont m'appeler à la barre dans le but de créer l'impression d'une ingénieuse machination tramée par vous autres. Voilà dans quel sens je suis censé témoigner.

— Et pourquoi y avez-vous renoncé ?

— Quand Pohlson m'aurait demandé si j'avais été payé

pour témoigner, je l'aurais reconnu de toute façon. De fait, j'ai toujours été de votre côté.

L'allié qui s'offrait était moins ridicule qu'il ne pouvait le paraître. Car Dan Coston détenait bien les éléments qu'il prétendait. Le seul ennui restait que, conformément à la loi, l'avocat de la défense était en droit d'avoir connaissance de toutes les pièces réunies contre son client. Lui aussi allait donc voir la photo du fameux diamant, accompagnée par David de diverses mentions : couleur, poids et taille (4,2 carats, taille émeraude, sans défaut). David avait également noté des instructions à propos de ce que la parente de Coston devrait dire quand elle porterait la bague chez un expert : « C'était celle de papa et je voudrais en faire faire une pareille. Soyez gentil de m'indiquer combien cela me coûterait. » Quant au contrat, rédigé de la main de David, il stipulait :

En réponse à la demande de Dan Willard Coston, je lui propose une avance de 40 500 dollars sous forme d'une bague évaluée officiellement à ce prix et remise ce jour, plus 949 500 dollars restant à payer après la fin des procès en cours. Ce solde lui sera fourni directement ou à tout agent de son choix, sous réserve que je devrai être libéré de prison et disculpé de toute accusation auparavant. Par la présente, je m'engage à fournir ultérieurement à Coston le solde des 949 500 dollars qui lui resteront dus... Ceci ne constitue nullement pour autant un aveu de pratiques illégales, mais simplement un accord de remboursement et de paiement au bénéficiaire pour services rendus et frais ou inconvénients occasionnés. Je jure de ce qui précède à la date actuelle du 4 mai 1990. D. A. B.

Un contrat analogue avait apparemment été établi pour les 2 700 dollars déjà payés à un autre prisonnier nommé Billy Calixo, à valoir sur les 97 400 dollars supplémentaires promis après la libération de David.

David Brown, qui avait engagé deux avocats compétents et parfaitement honorables, avait donc essayé de les entraîner à leur insu dans ses machinations coutumières. Malheureusement pour sa défense, quand Pohlson découvrit ce que David avait manigancé, il n'envisagea plus un instant de citer Dan Coston. Lequel conserva sa bague.

41

Les journées de sélection des jurés furent plaisantes, mais le ton vira au drame quand Jeoff Robinson présenta son réquisitoire introductif. Il annonça aux jurés qu'il allait citer de nombreux témoins pour étayer toutes ses hypothèses et que, en conclusion de ce qui menaçait d'être un interminable procès, il résumerait les faits dans son réquisitoire final.

Il y avait près de deux ans qu'il attendait ce moment. Il avait étudié à fond les moindres aspects de cette affaire et des sordides existences de Linda, Cinnamon et Patti. Ce fut à peine s'il jeta un coup d'œil à ses notes, tant l'histoire était gravée dans sa mémoire. Derrière lui, sur un chevalet, d'énormes agrandissements de portraits des principaux protagonistes étaient affichés : David Brown en tête, sa fille, et les deux sœurs qu'il avait épousées juste en dessous. L'accusation avait pris soin de choisir des photos les montrant tels qu'ils étaient au début du printemps de 1985.

D'une façon concise, Robinson retraça la séquence des événements qui avaient commencé par le rapport d'un officier de police appelé dans une maison d'Ocean Breeze Drive, à Garden Grove, au sujet d'une femme blessée par balle. Il passa rapidement sur les années 1985, 1986 et 1987 pour souligner :

– L'accusé est fort intelligent, pas du tout un imbécile. C'est un virtuose de la manipulation et des manœuvres tortueuses qui manque parfois de bon sens, mais qui jouit d'un talent quasi surhumain pour forcer les gens à accomplir ses quatre volontés.

Robinson proposa aux jurés deux mobiles simples pour expliquer pourquoi il avait tué :

– En premier lieu, pour avoir Patti à la place de Linda. En second lieu, pour s'adjuger d'importantes sommes d'argent.

Prévoyant que Cinnamon et Patti ne constituaient pas d'excellents témoins, il prépara les jurés en les décrivant sans indulgence :

– Patti a un caractère faible de suiveuse, qui tremble autant qu'elle bavarde. Elle avait des relations très particulières avec David Brown, qui lui avait laissé espérer, alors qu'elle n'avait encore que onze ans, qu'il l'épouserait un jour. Entre lui et sa propre sœur, au moment de choisir, elle n'a pas hésité.

Remarquant la moue des jurés qui le regardaient d'un air incrédule, il insista :

– Le pire est que David Brown avait prévu de la faire assassiner en prison. Avec la complicité d'un codétenu, il s'était arrangé pour qu'une femme se fasse arrêter et incarcérer dans le même bloc cellulaire que Patti, afin de la poignarder...

Le jury n'apprit pas en revanche que lui-même et Jay Newell devaient également compter au nombre des victimes. Par souci d'impartialité, leurs noms ne devaient jamais être prononcés au cours du procès et les cassettes qu'on allait présenter avaient été censurées à cette fin. Robinson se contenta de conclure :

– Cette triste affaire contredit les vertueuses dénégations de David Brown. Il s'y est révélé un manipulateur machiavélique. Linda devenant moins docile, il désirait une nouvelle marionnette. Il ne s'est pas contenté de commettre cet assassinat pour escroquer 835 000 dollars. Pour couvrir ce premier crime, il est allé jusqu'à organiser un guet-apens contre un enquêteur et un représentant du ministère public.

Au passage, Robinson avait habilement relevé les points faibles de sa propre thèse. Le connaissant bien, Pohlson s'y était attendu. Il se leva pour promettre au jury des témoins non définis par avance, mais qui viendraient confirmer sa propre version, celle de l'affolement bien compréhensible d'un innocent. Seul un homme au bout du rouleau avait pu donner son accord à des projets de meurtres aussi insensés et l'avocat laissa entendre que la raison de David avait chancelé. Son seul autre système de défense consistait à charger Cinnamon et Patti, dont il énuméra complaisamment les nombreux mensonges. Selon lui, la première n'agissait ainsi que dans l'espoir d'échapper à une sanction méritée. Quant à la seconde, elle ne valait guère mieux :

– Patti n'a même pas voulu admettre que sa sœur est effectivement morte. Elle prétend la sentir à son côté dans la voiture qu'elle conduit. Mais elle aussi a beaucoup à gagner à son petit jeu : au lieu de purger une peine de prison à perpétuité, elle compte se retrouver libre...

L'avocat en vint alors à l'aspect le plus délicat. Jusqu'à la veille du procès, il avait fait l'impossible pour que le projet d'assassinat de Patti, de Newell et de Robinson ne soit jamais évoqué. Faute d'y être parvenu, il lui faudrait tenter de justifier l'inadmissible par des raisonnements acrobatiques :

– Pourquoi un innocent aurait-il voulu faire tuer quiconque ? La déposition de mon confrère Me Joel Baruch vous montrera que David Brown a été pris de panique, parce que Baruch lui-même l'avait terrifié, exactement comme ce même Baruch était terrifié par le procureur Jeoff Robinson, au point de se faire remplacer.

Si un courageux avocat était impressionné par le procureur, comment un homme aussi pusillanime que son client n'aurait-il pas craqué ?

– Cet innocent se croyait persécuté par cet accusateur impitoyable et ne savait plus comment s'en tirer quand l'absurde projet d'assassinat lui a été soufflé par un mouchard invétéré répondant au nom d'Irv Cully. Ne comptez pas sur nous pour ergoter au sujet de ces faits, mais laissez-nous en dégager la signification. Ne perdez jamais de vue qu'il persiste un doute raisonnable.

C'était manifestement son mot clef. Si son point de vue paraissait vraisemblable, le jury verrait en Cinnamon et Patti deux horribles petites pestes, prêtes à tout pour obtenir ce qu'elles désiraient : des bijoux, des voitures, des cadeaux, voire des caresses...

Au fond de son box, David se détendit.

Derrière la table de l'accusation, Robinson et Newell n'avaient pas l'air plus surpris qu'ils ne l'étaient. Ils se sentaient rassurés : les jurés allaient maintenant revivre toute l'affaire à travers les regards et les récits de ceux qui l'avaient vécue.

— Que l'on fasse entrer le premier témoin, l'agent Alan Day !

42

Un défilé de policiers commença, la plupart consultant leur bloc-notes, même s'ils conservaient des souvenirs vivaces de la nuit du 18 au 19 mars 1985. Cette affaire les avait troublés dès le commencement, comme l'expliqua d'emblée l'agent Day :

– M. Brown avait l'air hagard. Il fumait cigarette sur cigarette et ses mains tremblaient quand il les allumait. Il était très lucide, mais pas précis sur la chronologie des faits. Il transpirait énormément.

David lui avait dit où il était à l'heure du crime et ce qu'il avait fait en rentrant chez lui, où il avait trouvé Patti au bord de la crise de nerfs. David expliquait avoir vu Linda dans une position « anormale », un bras pendant hors du lit, mais affirmait paradoxalement avoir eu peur d'entrer dans la chambre. Selon lui, il se serait assuré que Patti allait bien, puis il aurait téléphoné à son père pour lui annoncer que Cinnamon avait tué Linda. Gary Pohlson contre-interrogea brièvement le policier :

– Où, selon vous, devait se trouver Cinnamon ?

– La caravane était le seul endroit que je pouvais imaginer.

Suivant à la barre, Fred McLean témoigna à sa manière laconique, avec son accent traînant du Kansas. Il gardait un souvenir photographique de la petite maison et, en fermant les yeux, revoyait jusqu'au revolver de calibre 38 sur la descente de lit de la chambre. Robinson lui demanda de décrire comment il avait trouvé Cinnamon :

— M. Brown pensait qu'elle pouvait être chez sa mère ou chez une copine. Par acquit de conscience, je suis allé voir dans le jardin, que d'autres policiers avaient inspecté sans succès. Parce que, de la porte de la cuisine, on ne peut pas voir ce qu'il y a derrière le garage.

Robinson fit passer des clichés des deux niches peintes en rouge, dont la plus grande avait un plancher souillé de vomissures, puis reprit :

— Comment avez-vous eu l'idée d'aller au fond du jardin ?

— C'était le seul endroit où pouvait encore se trouver la jeune fille. Trois petits chiens s'excitaient dans un enclos et, quand j'ai compris qu'ils n'étaient pas dangereux, je suis entré. En regardant par la porte de la plus grande niche, j'ai distingué une silhouette menue, blottie au fond. J'ai appelé Cinnamon, mais sa réponse était inintelligible. J'ai allongé le bras à l'intérieur et elle est sortie en chancelant. Elle était couverte de vomi, prononçait des mots sans queue ni tête et serrait dans sa main un mot écrit sur du bristol.

— Que disait ce billet ?

— « Mon Dieu, je vous en supplie, pardonnez-moi. Je ne voulais pas lui faire de mal. »

McLean avait baissé la voix. Lors de son contre-interrogatoire, Pohlson lui demanda si on avait relevé des empreintes sur les fioles pharmaceutiques vides.

— Non, je les avais malencontreusement déjà touchées moi-même pour les porter à l'hôpital. De toute façon, elles n'avaient pas trop d'importance.

— Veuillez appeler Cinnamon Brown !

Tous les yeux se tournèrent vers la gauche du juge McCartin. Quelques jours plus tôt, Jay Newell et Fred McLean étaient allés chercher la jeune fille, ainsi que Patti Bailey, et les avaient provisoirement placées dans des ailes séparées du quartier de sécurité du tribunal pour mineurs. Ils expliquèrent :

— Nous pensions qu'elles y seraient plus en sûreté qu'en prison...

– ... Parce que David était encore capable de trouver un moyen de les éliminer avant leur déposition !

Tous deux escortèrent Cinnamon à la barre des témoins. Elle était encore menue, à peine plus d'un mètre cinquante-cinq, mais elle était devenue ravissante pendant ces quatre ans et demi. Ses cheveux blonds, ondulés et fournis, lui tombaient en boucles brillantes dans le dos, jusqu'à la ceinture. Peu maquillée, elle portait une robe rose au col montant et des escarpins crème à talons hauts.

Cinnamon regarda Jeoff Robinson et pinça nerveusement les lèvres. Elle n'eut pas un regard vers la table de la défense, derrière laquelle son père baissait les yeux. Le public allait apprendre à juger des émotions de David Brown à ses changements de couleur, virant de l'écarlate qui lui montait du cou pour envahir ses joues, à un blanc crayeux qui pâlissait jusqu'au bout de ses oreilles. Robinson se tenait aussi loin d'elle que possible, sans cesser de lui donner le sentiment de la protéger, afin de lui éviter le pire lors du sévère contre-interrogatoire.

– Cinnamon, questionna Robinson, avez-vous jamais menti avant de venir témoigner ici aujourd'hui ? Avez-vous raconté des mensonges au sujet de la mort de Linda ?

– Objection, Votre Honneur ! Le témoin n'a pas à s'incriminer pour des questions sans rapport direct avec les faits...

– Objection retenue.

– Cinnamon, avez-vous beaucoup menti ?

– Un peu.

Elle soufflait, d'une voix d'enfant.

– Allez-vous mentir aujourd'hui ?

– Non.

– Objection : l'interrogatoire revient sur des questions hors de propos !

– Veuillez approcher, messieurs.

À cette demande du juge McCartin, Robinson et Pohlson vinrent débattre avec lui et se mirent d'accord avant que Robinson ne reprenne :

– Où habitez-vous ?

– Au Centre de protection de la jeunesse de Ventura.

– S'agit-il d'un centre de détention ?

– Oui.

– Depuis combien de temps y vivez-vous ?

– Depuis quatre ans et plus de six mois.

– Pourquoi êtes-vous emprisonnée ?

– Parce que j'ai tué Linda.

C'était dit. Robinson était allé au cœur de la question que se poseraient automatiquement les jurés. Cinnamon reconnaissait avoir menti dans le passé, elle pouvait désormais avouer qu'elle n'avait pas dit la vérité au sujet de l'assassinat.

– Qui était Linda ?

– Ma belle-mère.

– Revenons au mois de mars 1985, s'il vous plaît. Vous vous rappelez le soir où le crime a été commis ?

– Oui.

– Qui habitait alors dans la maison ?

– Moi, Linda, mon père, Patti et Krystal, ma petite sœur.

– Quel âge avait Krystal ?

– Je ne sais plus très bien, mais elle était tout bébé.

– Comment se fait-il que Patti ait vécu dans votre famille ?

– Je crois que la maison s'y prêtait et qu'alors elle est venue chez nous, mais je ne suis pas sûre...

– Revenons maintenant sept mois plus tôt. Étaient-ce les mêmes personnes qui vivaient dans cette maison ?

– Oui.

– Avez-vous par hasard surpris quelque chose entre Patti et votre père ?

Malgré les objections de la défense, elle fut autorisée à répondre par un simple oui de la tête.

– Le 18 mars 1985, souffriez-vous de troubles mentaux ?

– Non.

– Vous n'aviez aucun projet de suicide ?

– Non.

– Savez-vous ce que veut dire le mot dépression ?

– Oui.

– Étiez-vous déprimée ?

Sa dénégation, comme toutes ses réponses, restait laconique. Elle ne disait que ce qu'on lui demandait. Mais Robinson avait tout son temps pour lui soutirer la vérité sans brusquerie. En lui traduisant par des mots usuels chaque terme difficile, il mettait en relief l'enfant qu'elle avait été :

– Quel âge aviez-vous en mars 1985, Cinnamon ?
– Quatorze ans.
– Quel âge avez-vous aujourd'hui ?
– Dix-neuf ans.
– Six ou sept mois avant la nuit du 18 au 19 mars, vous vous entendiez bien avec votre père ?

Silence.

– Aimiez-vous votre papa ?
– Oui.
– Aimiez-vous Linda ?
– Oui.
– Aviez-vous des difficultés avec elle ?
– Tous les jours. Par exemple lorsqu'elle voulait me faire faire la vaisselle ou nettoyer les niches des chiens.
– Vous la détestiez ?
– Non.

En réponse aux questions de Robinson, Cinnamon décrivit son curieux foyer de l'époque, où les plus vives discussions n'empêchaient pas de s'apprécier. Elle s'entendait bien avec tout le monde et considérait Patti Bailey comme une sœur. Elles ne se chamaillaient que pour des bêtises, comme de savoir laquelle s'assiérait à l'avant de la voiture. Cinnamon ne se disputait sérieusement qu'avec son père, par exemple lorsqu'il l'envoyait laver la voiture et qu'elle ne voulait pas.

Elle parlait d'une voix si basse qu'il était difficile de déduire ses sentiments, mais des larmes débordaient de ses yeux et ruisselaient le long de ses joues.

– Cela vous fait mal de parler de votre père ?
– Oui.

Elle se tamponna les yeux et baissa la tête.

– Cinnamon, aimez-vous toujours votre papa ?

La réaction de Cinnamon fut plus nette que si elle avait dit non. Se redressant, elle accepta un mouchoir en papier mais déclina l'offre d'une suspension d'audience. Changeant de sujet, Robinson l'orienta vers sa détention :

– Cinnamon, inventez-vous des choses sur le compte de votre père, dans le but de sortir de prison ?

– Non, je voulais...

Pohlson formula une objection et le juge fit supprimer le reste de sa réponse. Robinson revint doucement à la charge :

– Cinnamon, avez-vous commis ce meurtre ?

Elle ne répondit pas.

– L'avez-vous fait ?

– Oui...

Elle raconta qu'elle avait été terrifiée quand on l'avait mise au courant du projet d'assassiner Linda. Son père et Patti lui répétaient que Linda et Alan désiraient voler l'entreprise de David et qu'ils le tueraient pour s'en emparer.

– Papa disait qu'il devrait s'en aller avant qu'ils ne le tuent. Moi, je lui ai demandé pourquoi il ne divorçait pas, tout simplement, et il m'a répondu que ça ne suffirait pas...

– Que ressentiez-vous quand votre père vous affirmait qu'il allait vous quitter ?

– J'avais peur... je pleurais.

– Vous le croyiez ?

Oui, elle l'avait cru.

À ce moment crucial, la porte de la salle battit et un groupe d'une centaine de lycéens fit irruption à grand bruit, venus en visite pédagogique. Saisie, Cinnamon scruta leurs visages. Robinson et Pohlson se précipitèrent vers le juge, qui, malgré leurs requêtes, refusa de la tête : l'audience étant publique, les adolescents étaient en droit de rester. D'autant que, s'étant rendu compte que leur agitation avait perturbé la séance, ils se calmaient.

L'interrogatoire reprit donc, mais la voix de Cinnamon était désormais si ténue que le juge lui-même, bien que tout proche d'elle, ne parvenait plus à l'entendre. Il la fit sursauter quand il ordonna :

– Que l'on donne un micro au témoin. Merci ! Question suivante ?

– Vous rappelez-vous des discussions particulières, Cinnamon ?

– Oui, plusieurs. À la plage, mon père m'a dit que cela devait être fait.

– Qu'est-ce qui devait être fait ?

– Trouver un moyen de tuer Linda.

Elle s'en remémorait certains, le pistolet ou l'électrocution dans la baignoire, comme elle-même l'avait proposé.

– Et vous parliez sérieusement ?

– Oui.

– Pourquoi ?

– Parce que je souhaitais sa mort. Je voulais garder mon père.

– Est-ce qu'il a décidé qui devait s'en charger ?

– Oui. Il disait que ce devrait être l'une de nous, les filles, parce que lui n'en aurait pas le courage. Il avait des crampes d'estomac rien que d'en parler.

– Il s'était déjà plaint de l'estomac ?

– Oui, il était tout le temps malade.

Robinson bombarda son témoin de questions, sachant que Pohlson ne lui laisserait aucun répit le lendemain. Il préférait lui faire dire lui-même pourquoi elle avait cédé :

– J'ai accepté parce que j'aimais mon père et que j'avais peur de le perdre.

Pohlson émettait une objection chaque fois qu'il estimait que Robinson soufflait ses réponses au témoin, cherchant en particulier à démontrer qu'elle n'avait rien à gagner à la mort de Linda. Agacé par leur manège, McCartin grommela à Robinson :

– Vous voulez que je vous fasse prêter serment pour déposer personnellement à la barre ? Non ? Alors, plus d'ingérences dans le témoignage, je vous prie !

Robinson parvint néanmoins à demander :

– Vous est-il arrivé de projeter quelque chose contre Linda, de votre propre initiative ?

– Non... Papa répétait : « Si tu m'aimes, tu le feras. Si

tu ne veux pas, je m'en irai ; il faudra bien que je m'en aille. » Je sentais que ce serait ma faute.

– Avez-vous eu l'impression qu'il disait certaines choses pour que vous vous sentiez coupable ?

– Oui.

– Étiez-vous jalouse de Linda ?

– Non.

– Même pas envieuse de ses bijoux ?

– La seule chose qui m'intéressait, c'était d'aller à la plage. Pour le reste, mon père me donnait tout ce que je voulais, comme ma radio et mon Walkman.

Certains jurés observaient Robinson, d'autres baissaient les yeux, mais très peu contemplaient Cinnamon, comme s'ils trouvaient cruel de la dévisager. Quant à elle, elle ne quittait pas des yeux Robinson et finissait par avoir confiance en lui. Avec son aide, il lui revenait des souvenirs précis, et elle se détendait. Maintenant, peu à peu, Robinson l'incitait à évoquer des détails troublants :

– Pensiez-vous qu'il était bien de tuer quelqu'un ?

– Objection !

– Retenue.

– Que pensiez-vous de ce que vous aviez fait ?

– Que c'était bien, puisque papa me le disait. Pourquoi m'aurait-il demandé de faire quelque chose de mal ?

Elle s'était remise à pleurer, s'étant souvent posé cette question. Inexorablement, Robinson la poussait vers le soir du crime. C'était au cours d'un de leurs nombreux trajets en voiture que David s'était tourné vers elle :

– Mon père m'a dit que j'étais la plus jeune et que j'étais trop jeune pour avoir de gros ennuis à cause de ça. On me ferait voir un psychiatre et puis on me renverrait à la maison. Il n'a jamais été question de prison. Alors, j'ai promis que je le ferais. Il a dit qu'après le crime je devrais tenter de me suicider en me tirant une balle dans la tête, mais que ça ne ferait que m'égratigner. J'ai répondu que je préférais prendre des médicaments et que ça donnerait assez l'impression que j'avais essayé de me tuer.

Après un bref conciliabule des trois hommes en aparté,

Robinson interrogea Cinnamon sur la lettre annonçant son suicide, qui résultait de plusieurs brouillons :

– Mon père m'a expliqué ce que je devais écrire : que je regrettais ce que j'avais fait. J'ai écrit les mots et je les lui ai montrés. Il en a choisi un et je devais me débarrasser des autres.

Ils étaient parvenus au soir du 18 mars. Auparavant, restait à lui faire préciser s'ils avaient eu des conversations pour déterminer qui ferait quoi. Réponse :

– Papa a dit qu'il serait absent et que, comme ça, il n'aurait rien à voir avec tout ça. Je savais que j'irais à la niche après avoir tiré.

Enfin, les jurés eurent droit au récit de la nuit tragique.

– Nous étions déjà endormies depuis je ne sais pas combien de temps. Il est entré dans notre chambre et il a dit : « Levez-vous, les filles. Il faut que ce soit fait ce soir. » Il nous a dit de le suivre. Je suis allée avec lui jusqu'à sa chambre, où il m'a dit d'attendre à la porte sans faire de bruit...

La voix de Cinnamon était enrouée.

– Je suis allée chercher un verre à la cuisine et il a pris les flacons de gélules pour les apporter à l'office. Il m'a dit de les avaler tout de suite, puis d'en prendre davantage, mais je lui ai répondu que je n'en pouvais plus et nous avons laissé le verre et les flacons.

– L'idée vous est-elle venue que vous pouviez en mourir ?

Subitement, elle en prit conscience. Une expression d'atroce tristesse se peignit sur son visage. Elle affrontait la vérité à ce moment : son père lui avait fait avaler des cachets non pour lui forger un alibi, mais pour l'éliminer. Il avait voulu sa mort ! Elle eut une crise de sanglots, mais se calma en toisant David Brown avant que Robinson ne poursuive :

– Que s'est-il passé ensuite, Cinnamon ?

– Nous sommes allés dans le living. Il a pris l'un des coussins de sa chaise longue et m'a dit de le tenir sur le revolver comme Patti me le montrerait. Il n'y avait pas d'arme, mais je savais que j'allais bientôt en avoir une. Patti était là avec nous. Mon père se préparait à partir, il avait déjà ses clefs et il était à côté de la porte. Alors, il a dit : « Nous pouvons remettre ça à une autre fois, mais, si tu m'aimes, il vaut mieux maintenant... » J'avais affreusement peur. Je suis allée dans notre chambre, où Patti était en train d'essuyer le revolver avec une serviette de toilette. Je lui ai demandé comment ça marchait et elle m'a montré comment presser la détente. J'ai porté l'arme dans la chambre de papa. Il faisait très noir. J'ai tiré en direction du lit, du côté où je savais que dormait Linda. Il y a eu un bruit abominable et j'ai senti une secousse très violente. Le coussin s'est coincé dans le revolver et je suis retournée en courant dans la chambre de Patti, je lui ai pris le bébé et je lui ai donné l'arme à la place. Un autre coup est parti et Linda a crié. Patti m'a dit que je devais retourner là-bas et elle m'a rendu le revolver...

Médusée, l'assistance fixait Cinnamon, qui continua :

– Je suis retournée parce que Linda était encore en vie et que moi aussi, je voulais sa mort, à présent. Je suis entrée, j'ai tiré encore une fois et je me suis rapprochée en braquant l'arme là où je savais qu'elle était...

– Ensuite, qu'avez-vous fait ?

– J'ai laissé tomber le revolver. La tête me tournait. J'ai couru dehors pour prendre le billet de suicide dans la caravane, puis j'ai couru jusqu'au chenil. C'était ce que j'étais censée faire.

– Saviez-vous vraiment ce que vous veniez de commettre ?

– Je le savais.

– Comment vous sentiez-vous ?

– J'avais froid et peur. Un policier m'a trouvée là et m'a conduite au poste de police.

Cinnamon se souvenait d'avoir commencé à se confier aux psychologues, mais son père était venu la voir et lui avait dit de feindre l'amnésie. Elle avait menti à son instigation pendant plus de trois ans. Chaque fois qu'elle devait comparaître devant la commission de remise en liberté, il lui fallait mentir.

— Je leur disais que je ne me rappelais rien, mais ce n'était pas vrai.

— Pourquoi avez-vous persisté à mentir ?

Pohlson protesta :

— Il déstabilise son propre témoin, Votre Honneur !

— Objection rejetée. Répondez à la question.

— Je croyais que mon père allait me faire relâcher.

— N'avez-vous pas senti, à un moment, que votre père n'était pas net ?

— Si. Quand je téléphonais à la maison, il prétendait qu'il était malade, mais ma grand-mère répondait qu'il était allé faire des courses... Quand papa est enfin venu me voir, je l'ai questionné à propos de Patti et il m'a raconté qu'il n'y avait rien entre eux, qu'elle était juste là pour s'occuper de Krystal...

— Votre père vous a-t-il parlé d'assurances ?

— Non.

— Pourquoi vous êtes-vous décidée à dire la vérité ? Qu'est-ce qui vous a contrariée ?

— Je pensais avoir été loyale envers mon père et je me suis rendu compte qu'il mentait.

Robinson devança les autres questions de Pohlson :

— Est-ce que le fait de dire la vérité augmente vos chances de libération sur parole ?

— Je crois que oui.

— Pensez-vous que vous allez être libérée après ce témoignage ?

— Non. Il va encore falloir que je repasse devant la commission et ils peuvent décider de me garder jusqu'en 1992.

— Nous avez-vous dit quoi que ce soit d'inexact aujourd'hui ?

— Non. J'ai menti avant, mais jamais sous serment.

— Vous avez menti à Jay Newell ?

— Oui. Je lui ai dit la vérité, sauf que j'avais tiré sur Linda. J'avais honte de l'avouer...

– Pourquoi ?

– Parce que j'aimais bien Linda.

– Vous est-il jamais arrivé de la haïr ?

– Non.

– Pourquoi dites-vous la vérité à présent ?

– Parce que je n'ai plus honte.

– Savez-vous ce que c'est qu'un parjure ?

– Oui. C'est mentir sous serment.

– Est-ce que cela vous a beaucoup gênée de raconter votre histoire en présence de votre père ?

Cinnamon jeta un nouveau coup d'œil à David. Son expression répondait pour elle : sans même s'en rendre compte, elle avait frémi.

43

C'était la fin du deuxième jour du procès, il était tard, mais Cinnamon n'était pas parvenue au bout de ses épreuves. Il lui restait à affronter le sévère contre-interrogatoire des avocats de son père.

La mission de Me Gary Pohlson n'avait rien d'enviable. Harceler de questions les enfants, les personnes âgées ou les victimes pitoyables, chose souvent indispensable à la défense, reste toujours délicat. S'il se révélait trop indulgent à l'égard d'un témoin, il risquait de torpiller sa propre cause ; s'il se montrait trop dur, le jury se rangerait au côté de la partie adverse. N'empêche que Cinnamon et Patti comptaient parmi les principaux témoins à charge et qu'il devait s'attaquer à leur crédibilité.

Il demanda d'abord à Cinnamon quels étaient ses sentiments en prison, l'interrogea sur ses perspectives de liberté. Elle le regardait dans les yeux, sans ciller, figée comme un petit animal surpris à découvert. Elle admit que, naturellement, elle rêvait d'être libre. Elle avait commencé par placer tous ses espoirs en son père, puis avait compris qu'il ne l'aiderait pas. David Brown la dévisageait, le regard vitreux, stupéfait qu'elle puisse parler de lui en pareils termes.

– J'ai été plus étonnée que bouleversée quand j'ai entendu la commission m'annoncer que j'allais sortir à l'âge de vingt-cinq ans. Chaque fois qu'on se présente devant eux avec une bonne conduite, on obtient normalement une réduction de peine, à condition de reconnaître son crime. Pour moi, cela revenait à accepter ce que j'avais fait à Linda.

– Alors ? Vous avez accepté ce que vous avez fait à Linda ?

– Oui. Au moins depuis un an et demi.

– Était-ce avant ou après avoir parlé à Jay Newell ?

– Après.

Pohlson continua sur les mensonges qu'elle avait proférés devant Newell, quand elle s'obstinait à nier avoir tiré. Mais le ton de l'avocat effleurait à peine l'ironie et s'abstenait de tout persiflage. Car la journée touchait à sa fin et mieux valait remettre à la fraîcheur du lendemain les joutes les plus rudes.

Le jour suivant, Cinnamon parut un peu plus à l'aise. Elle portait un ensemble bleu roi avec une petite pèlerine et une jupe plus courte que ne l'aurait souhaité Robinson. Pohlson entendait démasquer l'une de ces belles-filles diaboliques que la tradition se représente trop fardées et vêtues de façon aguichante, mais la voix fluette de Cinnamon suffisait à en démarquer le personnage qu'il apostropha :

– Vous êtes-vous préparée à témoigner ? Avez-vous relu la transcription de votre audience préliminaire et regardé les vidéocassettes où vous étiez ?

À cette mise en cause classique de supposées manœuvres préalables, elle répondit paisiblement qu'elle s'y était préparée comme n'importe qui l'aurait fait à sa place. Mais l'agressivité de l'avocat ne fit que croître tout au long de la matinée, jusqu'à ce qu'il crache presque :

– Avez-vous eu honte d'avoir tué Linda ?

– Sur le moment, non... Mais il y a deux ans, quand j'ai pris conscience que j'avais supprimé une vie humaine...

– Vous pensiez vous en tirer comme ça ?

Pohlson devenait brutal, mais elle restait ferme, reconnaissait chaque mensonge passé et annonçait clairement quand elle ne se souvenait pas.

– Vous aimiez Linda Brown ?

– Oui.

– Et pourtant, vous vouliez la tuer ?

– J'étais plus attachée à mon père qu'à elle.

– Le soir du crime, combien de versions différentes en avez-vous donné, Cinnamon ? Êtes-vous capable de les résumer ?

Elle préféra les énumérer :

– D'abord, j'ai dit que c'était moi qui avais tiré ; ensuite, j'ai prétendu que je ne me souvenais pas ; à la fin, j'ai raconté que j'étais dehors. Ça doit faire trois versions.

Pohlson en récapitulait sept : les histoires différentes qu'elle avait débitées à Fred McLean, à Pam French, au docteur Seawright Anderson et à Kim Hicks, plus les trois réservées à Jay Newell. Elle ne le contesta pas. L'élément le plus accablant pour elle apparut quand il lui demanda d'être plus précise sur le déroulement du projet d'assassinat. Elle répéta que tout s'était enclenché peu à peu, par une première allusion dans le living-room, puis une autre en allant chez le chiropracteur et ainsi de suite.

Elle ne contesta nullement avoir suggéré des moyens de tuer Linda, mais eut quelques mots de trop :

– Quand j'ai proposé de l'électrocuter dans la baignoire en y jetant un appareil électrique, nous avons eu des fous rires parce que nous savions qu'elle ne prenait que des douches...

– Vous avez ri ? À propos de son assassinat ?

Les derniers mots restèrent longtemps en suspens dans la salle d'audience, fébrilement notés par les journalistes.

– Non, nous avons ri à l'idée de lui faire prendre un bain.

Le silence s'attarda. Puis, brusquement, Pohlson jeta :

– Qui est Maynard ? Qui est Oscar ?

Pour la première et unique fois, Cinnamon sourit à l'évocation de ces noms qui lui rappelaient des jours meilleurs :

– C'était une blague entre papa et moi. Si j'étais maladroite et laissais tomber quelque chose, on disait que c'était Maynard qui l'avait cassé. C'était pour rire...

– Aviez-vous des amis imaginaires ?

– Non, nous plaisantions simplement là-dessus.

L'interrogatoire se poursuivit sur le même mode. Mais il ne subsistait plus de doute dans l'esprit de l'assistance : Cinnamon disait la vérité.

390

— J'avais peur de perdre mon papa... En tuant ma belle-mère, je voulais lui prouver que je l'aimais.

Pour la première fois, elle tourna délibérément la tête vers son père et parla de ses découvertes de l'assurance et du mariage secret avec Patti :

— J'étais furieuse qu'ils ne m'aient rien dit, comme si je ne comptais plus pour eux. Pourtant, ils étaient tout aussi impliqués, ils avaient tué Linda tout autant que moi.

À 14 h 53, le jeudi 10 mai, Cinnamon fut enfin autorisée à quitter la barre.

Le lendemain matin, Jay Newell fit entendre le premier enregistrement, celui de la conversation du 13 août 1988 entre Cinnamon et son père. Enregistrées à son insu, ses propres paroles vinrent accabler David Brown. Sa voix grave et rocailleuse contrastait avec le timbre fluet de sa fille. Il paraissait confiant et sûr de lui pendant qu'il travaillait à maintenir sa sécurité. En l'écoutant, les jurés purent l'entendre la mettre en garde :

— Tu peux dire la vérité, à condition de ne pas dire toute la vérité. S'ils découvraient que nous savions à l'avance ce qui allait se passer, nous irions tous en prison. Il n'y a pas de raison de détruire la vie de cinq personnes pour ça. Je ne pourrais pas vivre en prison. Je me tuerais moi-même plutôt que d'agoniser lentement en cellule...

Difficile de savoir ce que les jurés en pensaient. Leurs yeux restaient fixés sur les transcriptions dactylographiées qui leur avaient été distribuées, tandis qu'ils essayaient de suivre chaque inflexion. David usait souvent d'obscénités et l'une des femmes du jury avait du mal à réprimer un petit rire gêné.

Le lundi 14 mai 1990, Cinnamon était retournée en prison et Patti Bailey devait lui succéder à la barre. Comme Cinnamon, elle fut escortée par Fred McLean et Jay Newell.

Elle ressemblait de plus en plus à sa sœur défunte, avec ses grands yeux et tout l'éclat de sa jeunesse. Elle portait une robe imprimée bordeaux et blanc qui moulait sa poitrine et soulignait la minceur de sa taille. Ses cheveux blonds étaient longs et bouclés, avec une frange frisée. Dans l'ensemble, elle dégageait une impression d'innocence et de modestie.

Elle était pourtant très nerveuse, presque tremblante. Sans doute cela venait-il en partie de ce que plusieurs de ses sœurs se trouvaient dans le public, alors qu'elles n'étaient pas appelées à intervenir. Le procureur demanda que seule Mary Bailey, qui s'occupait du bébé de Patti, soit autorisée à rester et les autres furent congédiées pour faciliter le récit de la jeune femme :

— À la maison, nous étions très pauvres et nous avions de la chance quand il y avait de quoi manger. Ma mère était alcoolique et je n'ai pas connu mon père. Je trouvais David formidable et j'étais folle de joie à l'idée d'aller vivre avec lui et Linda.

Patti raconta comment il avait procédé à son initiation sexuelle dès l'âge de onze ans et Robinson devança la curiosité du public :

— Où cela se passait-il ?

— Dans la voiture, en route pour le restaurant. J'étais amoureuse de lui.

David avait promis de l'épouser un jour. Au début, quand il parlait de mariage, elle croyait qu'il plaisantait...

— Mais il était tout pour moi. Je l'adorais !

— En êtes-vous toujours éprise ?

— Objection, Votre Honneur !

— Objection rejetée. Répondez.

— Oui, je n'ai pas oublié David.

Il était aussi impossible de douter de la sincérité de Patti que d'ignorer la similitude de ses souvenirs avec ceux de Brenda Sands, la première compagne de David. Comme cette dernière, Patti rappelait :

— Il était chaleureux, affectueux et sensible pendant que moi j'avais tellement besoin de quelqu'un ! J'étais surprise qu'il ne soit pas violent, alors que j'avais été maltraitée chez ma mère...

Ces évocations la faisaient soudain paraître plus vieille.

Exprimant une amère résignation, elle ne pouvait esquisser l'ombre d'un sourire quand Robinson l'interrogeait :

— Dans combien de maisons avez-vous vécu avec David ?

— Cinq ou six...

— Où se trouvaient-elles ?

— Deux à Anaheim, une à Brea, d'autres à Yorba Linda et à Yucca Valley...

— Est-ce que votre liaison avec David a évolué ?

— Nous avions davantage de relations sexuelles et j'étais plus souvent avec lui.

— Quels rapports entreteniez-vous avec Linda ?

— Elle était comme une mère pour moi, en même temps que ma meilleure amie. On pouvait toujours compter sur elle, tout lui confier.

Patti ne voyait aucune contradiction dans sa propre attitude. Robinson lui demanda comment elle vivait à l'époque le fait d'avoir des rapports sexuels avec le mari de sa sœur bien-aimée. Elle concéda :

— Je me sentais coupable. Je savais bien qu'ils étaient mariés, que je n'avais pas à m'immiscer dans leur couple. Mais je tenais tellement à lui...

Robinson lui demanda comment ils s'arrangeaient pour faire l'amour alors qu'ils vivaient sous le même toit. Elle reconnut avec embarras :

— Nous faisions ça quand Linda sortait faire des courses, ou bien nous nous levions au milieu de la nuit.

Et puis, en 1983, David avait commencé à se plaindre constamment des sautes d'humeur de Linda, de la manière dont elle avait changé. Robinson anticipa :

— Combien de temps avant le drame Cinnamon a-t-elle été mise au courant du prétendu complot pour tuer David ?

— Entre trois et six mois plus tôt.

Patti chaussa ses lunettes et se transforma aussitôt en une femme banale, massive, presque laide. Ses verres étaient si sales et si rayés qu'on se demandait comment elle pouvait voir au travers. Elle prévoyait que la prochaine question serait difficile :

– Avez-vous entendu de vos propres oreilles Linda fomenter ce prétendu complot contre David ?

– Non, jamais.

Patti se rappelait en revanche les perpétuels avertissements de David.

– Moi qui n'avais jamais eu d'autre famille, je n'aurais même plus eu de foyer. Il était tout pour moi et il me répétait : « Linda va briser notre famille si nous n'agissons pas avant elle. »

– Est-ce que vous vouliez la mort de votre sœur ?

– Oui.

– Aimiez-vous Linda ?

– Oui, mais j'aimais encore plus David. Il m'apportait tout ce que j'avais...

– Entre les deux, lequel auriez-vous choisi ?

– Lui.

– Pourquoi Cinnamon a-t-elle été mêlée à l'affaire ?

Patti expliqua qu'elle-même ne se sentait pas capable de tuer Linda et qu'elle pensait que Cinnamon ne serait condamnée qu'à des peines légères.

– Six mois avant la mort de Linda, y a-t-il eu des projets précis ?

– Oui, plusieurs...

– Lesquels ?

– Le couteau, l'asphyxie, le cyanure dans son Coca-Cola. David disait si c'était une bonne ou une mauvaise idée.

– Avez-vous parlé de rendre Linda paralytique ?

– Oui, c'était mon idée. David aurait bricolé une voiture et on aurait fait passer Linda dessous. Mais il disait que, même en fauteuil roulant, elle pourrait encore le tuer. Il m'a demandé de m'occuper d'elle.

– Pourquoi vous ?

– Parce qu'il ne pouvait pas s'en charger. Il n'aurait même pas supporté de le voir faire par quelqu'un d'autre...

David Brown l'écoutait, penché en avant, et l'observait, les lèvres entrouvertes. Patti n'avait pas un regard pour lui. À l'œil nu, elle ne pouvait l'apercevoir de l'autre côté du prétoire et ne le voyait guère mieux avec ses lunettes.

— Avez-vous rivalisé avec Cinnamon pour lui démontrer votre amour ?

— Objection, Votre Honneur !

— Accordée.

Robinson modifia sa formulation.

— Nous cherchions à nous surpasser l'une l'autre, pour voir qui aurait la meilleure idée aux yeux de David.

— Vous éprouviez le besoin de faire vos preuves ?

— C'est ça, oui.

— Avant la mort de Linda, étiez-vous souvent réveillée, la nuit ?

— Oui. David me réveillait pour me rappeler qu'il fallait s'occuper de Linda. Une fois, il m'a donné le revolver et m'a conseillé de me servir d'un oreiller pour étouffer le bruit, de façon à ce que les voisins n'entendent rien. Il était plus de minuit et elle dormait quand je suis entrée dans la chambre. J'ai pointé le revolver contre son dos et je suis restée là quelques minutes, mais je n'ai pas pu tirer.

— Qu'est-ce qu'il a dit ?

— Il n'était pas du tout fâché. Il a dit : « Tant pis ! »

Elle confirma que peu après minuit, en cette froide nuit de mars, David avait réveillé les deux jeunes filles en leur disant que ce devait « être fait ». Il avait remis les médicaments à Cinnamon avant de partir en lui disant que, si elle l'aimait, elle le ferait. Robinson fit préciser :

— Est-ce qu'il a tenté de la dissuader de commettre ce crime ?

— Pas du tout.

Comme Cinnamon, Patti eut la voix brisée à mesure que les questions la rapprochaient du meurtre.

— Avez-vous assassiné votre sœur ?

— Moralement, oui...

Elle s'essuya les yeux. Robinson lui montra une photo de Linda souriante et demanda à Patti si le cliché représentait bien sa sœur. Elle fondit en larmes. Quand elle eut retrouvé son calme, elle expliqua qu'elle était parvenue à chasser le meurtre de son esprit pendant des années. Depuis, elle avait fait trois tentatives de suicide.

– Par quels moyens ?

– En me tailladant les veines ou en abusant de somnifères. Je ne pouvais plus supporter ce que j'avais fait.

Elle évoqua le moment où David était revenu de sa promenade à la plage, au bout d'une heure trois quarts :

– Je lui ai annoncé que Cinnamon avait tiré sur Linda et je lui ai conseillé de ne pas aller dans la chambre. Il avait l'air étonné, mais plutôt soulagé que ce soit fini. Il n'a pas pleuré, il était très calme. Il m'a emmenée voir dans la caravane si Cinnamon y était. J'étais bouleversée et je n'ai pas imaginé qu'elle pourrait se trouver dans le chenil.

Elle raconta que David s'inquiétait d'être soupçonné par la police. Au cas où ils seraient arrêtés, il lui avait intimé l'ordre d'assumer toutes les responsabilités à sa place et de ne surtout pas le mêler à l'affaire. Pendant les trente premiers jours, il avait redouté d'être suivi.

– Il avait même peur d'assister au procès de Cinnamon, de crainte qu'elle ne nous dénonce tous les deux.

– Avez-vous menti lors de ce procès de Cinnamon ?

– Il m'avait ordonné de dire que Cinnamon était piquée et de me contenter de réponses courtes. Il prétendait que Linda et Cinnamon avaient des raisons de ne pas s'entendre et il m'a dit d'inventer des histoires de disputes entre elles. Je devais la faire mal voir, la faire passer pour mauvaise et à moitié folle.

David aurait même enjoint à Patti de raconter que Cinnamon avait tenté de la tuer, elle. Ensuite, pendant l'internement de Cinnamon, David lui avait interdit de voir sa propre famille et l'avait surveillée à tout instant. Puis il avait installé ses parents dans son domicile. En fin de compte, il avait épousé Patti sous prétexte « qu'il était mourant et que Krystal avait besoin d'une belle-mère légitime ». Mais, quand Cinnamon l'avait convoqué à deux reprises pendant l'été 1988, il avait été pris de panique :

– Il m'a dit d'assumer la responsabilité à sa place. Il allait me trouver un bon avocat, s'occuper de Heather, veiller à ce que je ne manque de rien en prison. Il était persuadé qu'il y avait des micros cachés dans toute la maison.

À bord de la voiture de police qui les emmenait le matin de leur arrestation, il avait désigné le tapis de sol en lui faisant signe qu'ils étaient écoutés.

— Il ne racontait que des bobards, faisait semblant de me demander qui était le père de mon bébé, alors qu'il savait parfaitement que c'était lui ! Or, au palais de justice, quand j'ai été interrogée à mon tour, j'ai recommencé à le couvrir.

— Avez-vous eu l'occasion d'écouter l'enregistrement de la déposition que David avait faite avant vous ?

— Oui, plus tard.

— En avez-vous été émue ?

— Oui.

— Pourquoi ?

— Parce que je ne pouvais croire ce qu'il disait sur moi !

Après une suspension d'audience, Pohlson, le principal avocat de David, se leva pour amorcer son contre-interrogatoire :

— Dois-je vous appeler madame Brown ou mademoiselle Bailey ?

— Patti Bailey.

À son invite, elle retraça ses rapports sexuels avec David. Elle rappela qu'en 1983, soit deux ans avant sa mort, Linda avait prié David de la ramener chez sa mère.

— Mais David est bientôt revenu me chercher en disant que Linda avait annoncé qu'ils allaient divorcer.

— Quels ont été vos sentiments ?

— De la reconnaissance... Il me disait que Linda menaçait tout le temps de me jeter dehors.

Pohlson lui demanda de préciser quand elle avait commencé à coucher avec son beau-frère.

— Au début de 1983.

— Combien de fois ?

— Une ou deux fois certaines semaines ou bien une semaine sur deux. Linda n'en a jamais rien su.

Patti concéda qu'il n'avait pas été son unique expérience.

— C'est un de mes frères qui m'a forcée...

— Et vous lui en vouliez ?

— Oui. Des fois.

David avait été son premier véritable amant. Même avec lui, elle s'était parfois sentie violentée. Mais elle n'en avait parlé à personne :

— J'étais aussi amoureuse de lui que peut l'être une gosse de onze ans.

— Étiez-vous jalouse de Linda ?

— Oui. Il lui accordait des attentions qu'il ne me donnait pas : il l'embrassait, la cajolait, se montrait affectueux...

— Étiez-vous déjà jalouse avant 1981 ?

Elle répondit qu'elle enviait à Linda tout ce dont il lui faisait cadeau.

— À part ça, il cherchait à nous traiter avec égalité, Cinnamon et moi.

Il était peut-être difficile d'aimer Patti, mais pas d'avoir pitié d'elle. Les questions de Pohlson la poussèrent à parler du second mariage de Linda et de David :

— Cela vous ennuyait ?

— Oui, plutôt !

— Vous auriez voulu être à sa place ?

— Bien sûr. Je voulais être la femme de David. Parce que, en ce temps-là, s'il était gentil avec moi, il ne devenait affectueux que lorsque Linda quittait la pièce. Là, il me clignait de l'œil, m'envoyait un baiser, m'enlaçait, me tenait la main. Elle ne nous a jamais surpris.

Patti avait perdu l'espoir d'épouser David quand Linda avait annoncé qu'elle était enceinte, environ un an après leur second mariage. Mais, lorsque Krystal était née, le 20 juillet 1984, Patti avait eu l'impression que son amant prenait ses distances avec sa femme :

— J'ai même eu peur que ça brise notre famille.

— Ce n'était pas ce que vous vouliez ?

— Pas du tout !

— L'idée ne vous est jamais venue que vous pourriez prendre sa place ?

– Non.

Comme l'avocat la harcelait à ce sujet, elle finit par admettre :

– Peut-être bien que j'y ai pensé une fois ou deux, mais ce n'est pas pour ça qu'elle a été tuée. C'était pour sauver David !

Complaisamment, Pohlson revenait sur les moyens envisagés. Patti finit par se souvenir d'avoir suggéré que la télévision pourrait tomber sur la tête de Linda.

– Et quoi encore ?

– À Garden Grove, j'ai conseillé de l'envoyer dans un fauteuil roulant.

– Avez-vous jamais pensé que ce serait mal d'estropier une jeune maman ?

– Qu'est-ce que vous voulez dire ?

– Ne pensiez-vous pas que ce serait grave de rendre hémiplégique la mère d'un nouveau-né ?

Il devint évident que Patti ne comprenait quand elle répondit :

– Il y avait toujours des discussions sur les moyens de la tuer... Quand elle n'était pas là, bien sûr. Une fois, nous avions émis l'idée de la pousser dans un précipice, Cinnamon ou moi.

– Il a aussi été question d'un couteau ?

– Oui, pour Cinnamon.

– L'asphyxie ?

– Je ne me souviens pas qui devait le faire.

– Auriez-vous pu l'étouffer ?

– Probablement.

À ce sujet revenait toujours un leitmotiv :

– Je voulais qu'il n'arrive rien à David. Il était tout pour moi.

Pohlson devenait parfois brutal. Il accusait Patti de ne parler que parce qu'elle pensait qu'il lui serait utile de collaborer avec l'accusation. Elle nia :

– Je ne savais même pas que j'allais devoir témoigner. Je ne l'ai appris que fin décembre dernier. J'ai demandé à mon avocat s'il fallait tout raconter et nous avons conclu tous les deux que cela vaudrait mieux.

— Vous pensiez en tirer profit ?

— Oui, j'espérais que ça m'aiderait. Mais, n'importe comment, j'allais plaider coupable.

— Est-ce que vous n'étiez pas aussi en colère contre David Brown ?

— J'avais plutôt du chagrin.

— Pourquoi ?

— À cause de la déclaration qu'il avait faite à la police en octobre, en racontant que c'était lui qui avait peur de moi. À ce moment-là, j'en ai voulu à tout le monde...

— Quand vous êtes-vous résignée à agir conformément à vos devoirs ?

— Quand j'ai compris que je ne pourrais plus vivre autrement. Ça a été un moment difficile. C'était dur pour moi d'accepter que ma sœur soit morte. Quand j'étais en voiture, il me semblait qu'elle était encore là. Je suis allée à son enterrement, mais je ne pouvais pas croire qu'elle était morte.

Sans exception, tous les mensonges qu'avait proférés Patti furent disséqués durant ce contre-interrogatoire. Chaque fois, elle répondait qu'elle s'était « embrouillée » :

— Je ne voulais pas me souvenir que j'avais été mêlée au meurtre de ma sœur.

Elle s'agitait dans son fauteuil, tremblait comme une feuille, endossait son deuil. Elle venait d'étaler tout ce qu'elle avait été, tout ce qu'elle avait pensé. Et c'était comme s'il ne lui restait plus rien.

44

Assisté de Jay Newell et de Fred McLean, Jeoff Robinson avait réglé le procès de manière que chaque témoignage se trouve confirmé ou réfuté par l'audition d'au moins une bande magnétique. C'est pourquoi il fit d'abord entendre la cassette audio du 27 août 1988, où David envisageait d'échanger la liberté de Cinnamon contre celle de Patti. Ses explications alambiquées et ses plaisanteries salaces furent donc diffusées devant le jury.

Comme l'enregistrement était très long, l'audition se poursuivit toute la matinée du lendemain, le mercredi 16. Les arguments autant que la voix de David devinrent ainsi familiers au juge, aux jurés et au public.

Quand tout le monde eut bien écouté ce qu'il avait dit au cours de sa visite à sa fille, il parut intéressant d'y confronter la vidéo de l'interrogatoire qui avait suivi son arrestation. Son visage apparut donc à son tour, tel qu'il s'était montré au matin de ce lundi 22 septembre, où Jay Newell et Fred McLean le poussèrent dans ses retranchements.

Se gargarisant d'eau minérale et fumant comme un sapeur, il se présenta d'abord comme le génial magnat de l'informatique : non seulement les sollicitudes de Coca-Cola à son égard, ses hautes relations au sein du Pentagone, ses révélations sur l'explosion de la navette spatiale et ses prodigieux sauvetages au MGM, mais aussi ses prouesses sexuelles avec la défunte. Lors de cet entretien filmé, il y avait moins de quatre semaines que le dispositif d'écoute captait ses affabulations à l'intention de Cinnamon.

Il se révéla presque aussi amnésique que prolixe et prétendait que sa visite à sa fille n'avait été justifiée que par le désir qu'elle aurait manifesté de lui confier son béguin pour un jeune voyou.

– Je ne sais qui lui avait raconté que j'avais tué Linda pour toucher les assurances sur sa vie et elle m'a demandé de lui confirmer que c'était faux. En échange, je lui ai demandé de me dire si elle-même l'avait fait. Elle m'a raconté que c'était impossible, parce qu'elle aurait été à l'extérieur au moment où elle avait entendu les coups de feu...

À partir de là, il interprétait le reste de leur dialogue :

– Elle m'a dit qu'elle voulait sortir de là à n'importe quel prix et je lui ai répondu que je tenais autant qu'elle à savoir la vérité.

À l'entendre, on percevait presque l'engrènement de ses rouages cérébraux : il parait les assauts, esquivait les coups, feintait les mouvements et fuyait dans la fiction toute responsabilité dans l'assassinat de sa femme. Éludant les questions directes de Newell, il se décrivait comme un père idéal, martyr d'injustes épreuves et animé par le seul souci d'envoyer le coupable derrière les barreaux.

Et puis, sans souci de cohérence, il changeait de tactique. Après avoir longuement insinué que Patti ou Cinnamon avait pu commettre le crime, il l'imputait aux frères de Linda, Alan ou Larry. Il se décernait un brevet de victime en proclamant :

– En tout cas, quelqu'un m'a tiré dessus pendant que j'étais au volant de ma voiture !

Irrité, Newell le ramena sèchement au sujet initial :

– Au cours de cette visite, votre fille et vous avez-vous parlé de votre participation à tous deux, avec Patti, à un plan destiné à assassiner Linda ?

– Cinnamon croyait à une conspiration de ce genre, mais je lui ai garanti que je n'en avais pas connaissance.

– En avez-vous parlé ou non ?

– Je lui ai dit que je n'étais au courant d'aucun complot visant à me tuer.

– Qui donc avait parlé d'un tel complot ?

– C'est ça le pire...

– Encore une fois, qui en avait parlé ?

– Cinnamon.

– Aviez-vous eu personnellement des conversations sur les moyens utilisables pour tuer votre femme ?

– Les deux filles me l'avaient suggéré, mais je leur ai répliqué que j'aimerais mieux mourir moi-même. Cinnamon et Patti s'entêtaient à me répéter qu'elles abattraient Linda avant qu'elle ne me fasse du mal. Mais j'ai protesté que ma vie avait été si souvent en danger que ça ne me faisait plus ni chaud ni froid.

À partir de là, il dévia pour soutenir que sa vie avait été menacée à trois reprises au moins, sans que cela ait eu le moindre rapport avec son épouse. À l'en croire, d'autres forces maléfiques s'acharnaient contre lui. Newell dut le ramener sur terre :

– Combien avez-vous encaissé à la mort de Linda ?

– À vrai dire, je n'en sais rien. C'est parti dans notre compte d'épargne.

– Pour quel montant ?

– Dans les 500 000 ou 600 000...

– Est-ce que ça ne serait pas plus près de 800 000 ?

– Je ne saurais vous dire.

Il ne savait pas non plus auprès de combien de compagnies il avait souscrit des assurances sur la tête de sa femme. Et encore moins combien lui avaient versé de l'argent. Il se souvenait juste qu'une compagnie avait refusé de le régler et qu'il l'avait laissée tomber.

Après une heure trois quarts de telles facéties, sa confiance avait à peine fléchi. Mais sa voix trahissait des signes de fatigue. Newell estima donc qu'il était temps de tirer d'une large enveloppe quatre agrandissements photographiques, qu'il posa sur la table devant un David pétrifié :

– Eh bien, David, vous voyez, nous avons des photos de vos visites comme nous avons des enregistrements de tout ce que vous vous êtes dit. Alors, nous savons parfaitement que vous ne nous racontez pas la vérité...

Pour la première fois, David resta coi. Newell reprit un ton au-dessous :

— Figurez-vous que je vous crois quand vous affirmez que vous n'avez pas appuyé sur la détente. Jusqu'à aujourd'hui, pourtant, j'avais des doutes là-dessus...

— Je suis incapable de faire du tort à quiconque.

— En tout cas, vous ne l'avez pas fait personnellement avec une arme.

Quand Newell lui demanda de préciser la vérité, il retourna huit ans en arrière pour avouer qu'il avait couché avec Linda avant leur mariage, quand elle n'avait encore que quinze ans, pour dévier vers ses activités informatiques et revenir aux tentatives d'assassinat dont il prétendait avoir été victime. Constatant qu'il ne convainquait personne, il eut le culot d'observer :

— Mais quel rapport tout cela peut-il avoir avec la mort de Linda ?

McLean intervint afin de rappeler :

— Nous avons les moyens de réfuter tous vos mensonges, Brown.

— La vérité, c'est que j'ai besoin de savoir si je dois encore avoir peur, pour Krystal et moi. Il faut me dire si je dois me faire protéger.

— Protéger contre qui ?

— Contre Patti...

Deux heures et six minutes après le début de l'entretien, il dénonçait sa complice comme principale coupable. Il déclara qu'il avait vécu jusque-là dans la terreur qu'elle les exécute, lui et sa fille cadette. Comme Newell lui représentait que, dans ce cas, il aurait été bien inspiré de prier Patti de quitter leur maison, il rétorqua qu'elle n'en serait devenue que plus dangereuse. Il couina :

— Cette fille me flanque une trouille noire !

— D'après vous, qui donc a tué Linda ?

— C'est Patti, sans l'ombre d'un doute...

Ainsi n'hésitait-il pas à se contredire, oubliant les fables qu'il avait défendues depuis le début de l'entretien. Il admettait à présent qu'il avait conseillé à Cinnamon d'endosser le crime parce que son jeune âge lui épargnerait une lourde condamnation. Il reconnaissait maintenant avoir incité sa fille à mentir pour couvrir sa belle-sœur. Il se rappelait désormais les médicaments qu'il avait prescrits à sa fille, même s'il maintenait qu'elle ne risquait aucunement d'en mourir. Il confessait dorénavant qu'il était informé du projet de tuer Linda, mais soutenait qu'il n'avait pu empêcher que Patti organise tout ce que Cinnamon allait exécuter :

— Je vous jure qu'elles sont têtues comme des mules ! Moi, je n'ai pas cru une seconde qu'elles allaient le faire. Quand j'ai dit à Cinny que j'espérais qu'elles ne continueraient pas ce petit jeu, elle m'a répondu d'un air bizarre que ce n'était plus un jeu...

— Qui leur a procuré le revolver ?

— L'une ou l'autre, je ne sais pas. J'ai répété à Cinny de ne pas faire ça, que je ne voulais plus en entendre parler, que je tenais même à ne pas rester là. Si elle osait le faire, il lui faudrait laisser une lettre d'aveux...

À toutes fins utiles, il chargea également Patti, rapportant qu'il l'avait entendue avouer pendant qu'elle dormait. Cela ne voulait pas dire qu'ils couchaient ensemble, mais simplement qu'elle était sujette à des crises de somnambulisme. Ahuri, Newell questionna :

— Pourquoi n'avoir pas raconté tout ça dès novembre 1985, alors que votre fille était incarcérée ?

— Que pouvais-je faire ?

— Certainement pas attendre septembre 1988 pour en parler !

— Mais Patti n'avait pas réellement avoué... Elle en avait juste parlé pendant son sommeil. Est-ce que ça aurait été une preuve ?

Newell rebondit, non sans laisser percer une inflexion de dégoût :

— Vous aviez des relations sexuelles avec elle ?

— Dieu du ciel ! Non !

– Vous n'avez jamais eu de relations sexuelles avec Patti ?

– Il est arrivé que nous nous embrassions, lorsque j'étais déboussolé...

McLean intervint :

– Vous êtes bien en train de nous dire que vous vous embrassiez, vous et la fille que vous supposiez être la meurtrière de la femme que vous proclamez avoir tellement aimée ?

David ne trouva rien à répondre. Newell enfonça le clou :

– Est-ce que Patti est amoureuse de vous ?

– Ça, c'est moins clair...

– Oui ou non ?

– Je ne sais pas.

Au bout de ses mensonges et de ses contradictions, David avait enfin trébuché. Son image s'évanouit de l'écran. L'interrogatoire était clos.

45

Le silence qui régnait dans la salle d'audience n'était troublé que par le raclement des semelles de David Brown, qui frottait nerveusement le plancher sous son siège. La bande vidéo que son avocat avait tant redoutée continuait à troubler l'auditoire.

La distribution de nouvelles transcriptions annonçait que les enregistrements de Steinhart devaient suivre. David Brown allait ainsi s'entendre comploter la mort de sa nouvelle épouse ainsi que d'un magistrat et d'un enquêteur. Désormais vaccinés, les jurés et le public l'écoutèrent sans broncher.

De temps en temps, David secouait la tête ou prenait des notes sur un bloc. L'assistance découvrit à la fois son plan d'évasion et sa conviction que la vie de deux hommes ne comptait pas, « parce qu'il valait plus qu'eux ». Quand Steinhart lui annonça qu'ils étaient morts, on l'entendit s'exclamer :

– C'est épatant ! Tu es un type formidable, Richard !

Jeoff Robinson tournait le dos au jury et Jay Newell baissait les yeux. Aucun des deux ne savait si les jurés pouvaient deviner que c'était leur exécution que David avait fomentée. Leurs noms avaient été omis sur les transcriptions et censurés sur les bandes. De plus, les signalements donnés par David étaient loin de leur correspondre. Par surcroît de précaution, Newell, que David avait décrit comme un « rat géant et moustachu », s'était même empressé de se raser.

Pendant ce long après-midi d'audition, Steinhart révéla

d'indéniables talents de comique. Si David ne s'en était jamais aperçu, les jurés et le public le remarquèrent avec des rires qui n'étaient pas toujours nerveux.

Le procès connut un entracte. L'avocat Gary Pohlson avait en effet réservé depuis un an des billets pour emmener sa femme en vacances à Hawaii le 20 mai 1990. Le procès de David Brown avait été si souvent ajourné à la demande de l'accusé qu'il était difficile de refuser une dizaine de jours de report.

Les audiences reprirent le 29 mai par l'audition de nouveaux enregistrements de Steinhart et de Brown jusqu'à ce que Robinson annonce qu'il avait épuisé sa réserve de cassettes. Familier des procès d'assises, l'expert toxicologue qui avait analysé le sang de Cinnamon en mars 1985 vint déclarer n'avoir trouvé ni trace d'alcool, ni de barbituriques, ni d'aucun stupéfiant, seulement des résidus d'un analgésique moins dangereux. Robinson questionna :

— Est-ce que ce produit peut quand même s'avérer nocif ?

— Il peut même faire pire...

— Quelle quantité avez-vous décelée chez Cinnamon Brown ?

— Six dixièmes de milligrammes par millilitre.

— Était-ce une quantité habituellement utilisée ?

— Non. La dose thérapeutique généralement prescrite se limite à moins de trois dixièmes de microgrammes.

— Quel effet peut en produire le double ?

— Un effet toxique ou mortel !

— Que l'on introduise Richard Steinhart !

Plus grand que nature, le témoin parut envahir la salle de sa seule présence. Il portait un jean, un tee-shirt et un gilet de cuir tout aussi noirs que ses yeux, sa moustache et sa chevelure. La seule touche de couleur était fournie par ses tatouages.

Robinson lui demanda de raconter sa première rencontre avec David Brown en prison. Fasciné, David se montrait plus attentif à son témoignage qu'aux précédents. Il l'écouta rappeler comment ils avaient lié connaissance à l'issue d'une démonstration d'art martial improvisée :

– Il m'a dit que c'était formidable. Nous nous sommes assis dans un coin et il m'a fait parler de mon passé, de mes histoires de guerre... Il m'a dit qu'il était injustement accusé et qu'il aurait voulu savoir comment contacter quelqu'un de l'extérieur... Il disait qu'il avait beaucoup de pognon, une grosse collection de timbres, des bijoux, des coffres en banque, des pièces rares... Au cas où les choses tourneraient mal pour lui, il me demandait combien ça lui coûterait d'être tiré de taule...

Quand Robinson voulut savoir si David avait présenté d'autres requêtes, Steinhart approuva :

– Il voulait en finir avec les enquêteurs. Son affaire tombait en quenouille autour de lui et il pensait que s'il liquidait le proc' et son flic, leurs remplaçants auraient plus de mal à remonter le courant...

Ravi d'être en vedette, le tatoué en rajoutait dans le genre méchant loubard. Mais il perdit soudain sa faconde, leva les bras et secoua la tête d'un air accablé. Réveillés par le début de sa prestation, les jurés se demandèrent s'il prolongeait son cinéma ou reculait devant l'abomination de ce qu'il avait à ajouter. Robinson sollicita une suspension d'audience pour soigner le témoin, et une jolie blonde en blouson de jean, coiffée d'un bandeau de plumes, accourut à son secours. Quand il parut en état de reprendre, Robinson sollicita la permission de l'interroger sur son état de santé, qu'il expliqua en ces termes :

– Je suis monté au lac Elsmore pour chanter les louanges de Jésus et je me suis marié le 20 avril. Mais je me suis senti de plus en plus mal et les toubibs ont découvert que j'étais séropositif. Il y a neuf jours, j'ai appris que j'avais même le sida...

Un air de chagrin souffla sur l'assistance. Tout le monde sembla enchanté que la pause déjeuner intervienne avant que le flamboyant et truculent motard ne revienne plus sereinement à la barre.

Pohlson peina pendant le contre-interrogatoire car Steinhart répondait affirmativement à toutes les questions.

— A-t-il personnellement évoqué un meurtre ?

— D'abord celui de Patti, je crois... Il disait qu'elle avait menti et voulait lui faire porter le chapeau. Il me semble qu'en tout premier il avait parlé de faire la belle, ensuite de buter Patti et seulement après de dessouder le DA et son enquêteur.

— Il avait peur, il était nerveux ?

— Vachement !

— Il pensait qu'il risquait la chambre à gaz pour quelque chose qu'il n'avait pas commis ?

— Tout juste !

Steinhart repassa plusieurs fois de l'accusation à la défense. En quittant la barre, il agita la main en direction du juge :

— Dieu vous bénisse !

Le jury regretta de le voir partir.

Le docteur Richard Fukomoto témoigna ensuite au sujet de l'autopsie qu'il avait pratiquée sur Linda Brown. Il déclara que la taille de la blessure ouverte dans la paroi thoracique signalait le recours à une arme de gros calibre. Il en avait extrait deux balles.

L'analyse toxicologique n'avait révélé que d'infimes teneurs en métabolites de cocaïne dans le cerveau et le foie. Lors de son contre-interrogatoire par Richard Schwartzberg, le second avocat de David, le médecin légiste déclara qu'il lui était techniquement impossible de dater la prise de drogue, mais qu'elle avait certainement précédé la mort.

Ce jour-là, Linda avait joué aux cartes, préparé un grand repas, reçu ses beaux-parents et s'était occupée de son bébé. Quand et comment aurait-elle pu prendre de la cocaïne ?

— Que l'on introduise M. Dillard Veal !

L'agent d'assurance répéta ce qu'il avait expliqué à McLean. Petit homme jovial, tiré à quatre épingles et s'exprimant avec un élégant accent du Sud, il rappela pourquoi il avait eu l'occasion d'examiner le dossier de David Brown à propos d'une police qui n'avait pas été acceptée, mais que Liberty Life avait honorée quand même, car la première prime avait été payée.

— À défaut d'autre agrément de notre part, un accord provisoire avait été conclu avec M. Brown pour limiter son dédommagement à 50 000 dollars. Lors de ma visite suivante, il m'a renvoyé vers son avocat, Me Phillips, et nous sommes convenus d'un règlement relevé à 73 750 dollars... Comme dans les autres compagnies, leurs dossiers avaient été très soigneusement étudiés. Lui-même y avait honnêtement énuméré la liste de ses ennuis de santé, à commencer par l'hypertension et la colite, ce qui lui avait valu une notification de rejet. Mais je devais découvrir que Mme Brown avait en revanche souscrit non moins de quatre contrats datant tous de treize mois avant sa mort et qu'elle n'avait jamais dûment signalé sa souscription aux trois autres compagnies.

Il expliqua qu'une jeune mère de famille sans diplôme ni profession n'aurait jamais pu s'assurer pour un million de dollars. Or, sur chacune de ses demandes de police, Brown se qualifiait d'« expert informaticien » et définissait Linda comme « femme au foyer ». Mais, sur celle de Liberty, elle avait ajouté de sa main « aide son mari dans son travail ».

La thèse de la défense était que Linda Brown avait été un « élément clef » de Data Recovery et que son décès risquait de mettre l'entreprise en péril. Ce qui était faux, puisque la société semblait avoir continué à très bien marcher après son assassinat. Le jury savait désormais que David avait perçu un total proche de 850 000 dollars à la mort de son épouse.

Au terme de onze longues journées, fin mai 1990, l'accusateur public prononça son réquisitoire. Il faudrait attendre trois jours de plus pour que la défense de David présente sa plaidoirie.

46

Les avocats de David Brown avaient perdu leur meilleur témoin : le prisonnier Dan Coston, que leur client avait tenté d'acheter en lui offrant une bague ornée d'un diamant.

Cette défection était un coup dur pour la défense. Si David tenait à témoigner, Pohlson s'y opposait, le sachant incapable de se juger à travers les yeux d'autrui. Après l'accablante cassette vidéo, par exemple, il avait trouvé qu'il s'était très bien comporté. Il n'avait pas remarqué qu'il avait changé plusieurs fois de version. S'il comparaissait, le contre-interrogatoire de Robinson le clouerait au pilori. En parallèle, il devenait évident que David était mécontent du tour que prenait son affaire. Il tirait Pohlson par la manche pour lui chuchoter des choses inaudibles, mais ses expressions laissaient deviner des récriminations. Il restait convaincu qu'il retournerait la situation si seulement on le laissait raconter à sa façon.

Pamela French, la femme policier qui avait accompagné Cinnamon à l'hôpital le lendemain du crime, fut le premier témoin cité par la défense. Elle avait recueilli les aveux de Cinnamon pendant qu'elle était assise à son chevet. Et, selon elle, l'adolescente n'avait pas été conditionnée. Coup dur pour l'accusation.

Le lundi 4 juin au matin, la défense démarra en trombe. Avant même l'entrée des jurés, Me Schwartzberg s'opposa à l'ajout de « circonstances aggravantes » dans l'acte d'accusation. Il soutint qu'il n'existait aucune preuve de relation entre le meurtre de Linda et le versement des assurances :

– Si la thèse de l'accusation était fondée, pourquoi David Brown n'aurait-il donc pas attendu que la dernière assurance entre indiscutablement en vigueur avant de tuer sa femme ?

C'était un point d'autant plus important que d'éventuelles circonstances aggravantes rendraient l'accusé passible d'une peine incompressible. Les caméras de télévision étaient revenues pour diffuser les dépositions du jour dès les informations régionales de 17 heures.

Paradoxalement, Jay Newell se retrouva en position de témoin capital pour la défense. Par son intermédiaire, Mᵉ Pohlson allait tenter de mettre en relief le nombre de fois où Cinnamon et Patti avaient menti. Mais Newell, à la fois calme et habitué à comparaître, ne pouvait être facilement poussé à trébucher. Il répondit que, les deux jeunes femmes ayant avoué leurs mensonges, les jurés n'auraient aucun mal à en dresser la liste. Lui-même n'avait usé à leur égard ni de menaces ni de marchandages. Il n'avait fait que leur apporter des éclaircissements indispensables avant qu'elles comparaissent en audience préliminaire. Il reconnut que, lors de sa première conversation avec Cinnamon, en août 1988, il avait supposé que c'était soit David, soit Patti qui avait tiré. Mais il rappela que Cinnamon l'avait spontanément appelé pour rétablir la vérité dès le 29 octobre suivant.

Quand Robinson procéda au contre-interrogatoire de son enquêteur, ils ne se retrouvèrent pas en désaccord :

– Avez-vous jamais dit un mot, ou m'avez-vous entendu en prononcer, à propos d'une quelconque transaction avec les accusés ?

– Non.

– Nous sommes-nous au contraire appliqués à l'éviter ?

– Oui.

Le docteur Seawright Anderson témoigna exclusivement au sujet des examens auxquels il avait soumis Cinnamon

Brown cinq ans plus tôt. Il rappela les aveux qu'elle lui avait faits au cours de la première consultation et sa prétendue perte de mémoire ultérieure. Dans ses autres déclarations, il n'avait relevé que de minimes entorses à la réalité.

David Brown ne devant pas être convié à la barre, il cédait la place à une brochette d'avocats. À leur tête arriva Me Forgette, le défenseur de Cinnamon, qui tenait à signifier qu'il la représentait et elle seule. David ne l'avait pas remplacé quand il l'avait averti qu'il n'hésiterait pas à l'attaquer si cela se révélait favorable à sa jeune cliente. Forgette nota :

– M. Brown a continué à me payer normalement et à collaborer avec moi de son mieux.

– Que l'on appelle Me Baruch !

Ceux qui avaient assisté à l'affrontement avec Robinson frémirent. Les autres comprirent vite qu'il s'agissait d'adversaires de longue date. En citant son confrère, Me Pohlson souhaitait montrer que David avait de bonnes raisons de se croire injustement poursuivi, sacrifié aux ambitions des services du DA.

Robinson contre-attaqua :

– Lors de l'audience préliminaire, vous avez dit à l'accusé qu'il aurait à pâtir de ce que le DA ne vous aimait pas. C'est exact ?

– Je lui ai expliqué qu'il lui fallait en tenir compte, que nos affrontements passés ne lui faciliteraient pas la tâche...

– Et vous avez ajouté que l'« enquêteur » ne reculerait devant rien pour l'avoir ?

– Oui... J'ai donné des exemples... Je tenais à ce que ma participation au procès ne lui cause aucun tort... Je le lui ai répété plusieurs fois pendant l'audience préliminaire.

– Ainsi, d'après vous, le DA et l'enquêteur s'en sont pris à votre client parce qu'ils ne vous aimaient pas ? Parce qu'ils ont perdu toute objectivité pour des querelles de personne ?

– Non, je n'ai pas dit ça.

Robinson lut la décision du juge Schwenk qui avait rejeté la requête en suspicion légitime présentée par Baruch contre le procureur et l'enquêteur. Il accusa Baruch d'avoir voulu « plaider cette affaire, voire de la juger par voie de presse », d'avoir soupçonné son propre client de préparer un mauvais coup. Avec mépris, il lança :

— Pourquoi avez-vous libellé pour plus de 20 000 dollars de chèques à l'ordre du frère de votre client ?

— C'était pour des monnaies de collection.

— Vous ne croyez tout de même pas...

— Absolument, si. M. Brown était un collectionneur de monnaies, il m'avait prié d'établir un paiement pour des monnaies, alors j'ai rédigé un chèque pour des monnaies...

— Et le lendemain du jour où deux personnes étaient supposées avoir été assassinées, vous êtes parti pour la Floride ?

— Oui, pour fêter mon anniversaire de mariage avec mon épouse...

— La veille au soir, aviez-vous eu une vive discussion avec M. Brown ?

Baruch sentit qu'il perdait pied, mais le secret professionnel devait le protéger contre cette immixtion, qui énerva assez le juge McCartin pour qu'il admoneste Robinson :

— Je vous aime bien, mais je crois aussi que ça commence à faire beaucoup ! J'en ai par-dessus la tête... Je ne sais pas dans quoi vous voulez vous fourrer, mais, nom de Dieu ! revenons dans le droit chemin !

Pohlson s'appliqua donc à calmer le jeu. Il laissa Baruch expliquer qu'il était nécessaire pour un défenseur d'avoir des rapports confidentiels avec son client.

L'interne Kim Hicks était encore censée témoigner contre Cinnamon. Une déposition écrite de sa main fut proposée et acceptée au sujet des déclarations de la jeune fille. Mais Cinnamon elle-même avait déjà avoué tout cela aux jurés. La défense n'avait donc plus qu'à prononcer ses plaidoiries.

47

Le mercredi 6 juin, la journée devait être consacrée au débat entre l'accusation et la défense ainsi qu'aux rituelles recommandations du juge McCartin aux jurés. David Brown avait demandé à se trouver dispensé d'assister à ces péripéties, apparemment écœuré par la salle d'audience, son fauteuil inconfortable et les regards hostiles des sœurs et des frères Bailey au milieu d'un public peu amène.

Les ultimes arguments seraient échangés le matin du 12 juin. Pour ceux qu'avait passionnés ce procès, la semaine s'annonçait donc creuse, la fin de la partie approchait.

Jeoff Robinson poursuivait ses activités sportives pendant le procès Brown. Il disputa en particulier le marathon de Long Beach un dimanche où régna une telle canicule qu'il aurait abandonné la course s'il n'avait craint que cela ne portât malheur à sa cause. Après une cinquantaine de procès au pénal, il aurait pu se sentir blasé et pécher par excès de confiance, mais cela ne lui était jamais arrivé. Maintenir Brown en prison lui semblait l'unique manière de limiter les dégâts. Comme Jay Newell et Fred McLean, il vivait dans la crainte qu'un détail négligé, une faille de la jurisprudence ne permettent la libération du coupable. Il attachait d'autant plus d'importance à sa dernière mission : l'énoncé dans son réquisitoire de tous les éléments qu'ils avaient découverts au cours de leur longue enquête.

Depuis le début de la semaine, les trois protagonistes de l'accusation étaient allés conférer au palais de justice dès l'aurore, pour passer une dernière fois en revue les points essentiels du réquisitoire. N'ayant rien de la star capricieuse, Robinson écoutait conseils et suggestions. McLean et Newell lui exposèrent ce qu'ils pensaient devoir figurer dans ses conclusions et il en prit bonne note. En contre-partie, ils prêtèrent une oreille critique à sa façon de réca-pituler les arguments qu'il prêtait à la défense, pour mieux les réfuter.

Les trois hommes débattirent toute une journée, avant que Robinson retournât s'enfermer avec ses notes. De son écri-ture pointue et irrégulière, il les condensa sur un grand bloc de papier rayé jaune. Réfléchissant, reformulant sa pensée, répétant seul à voix haute ce qu'il allait dire, il s'y consacra pendant quatre jours et autant de nuits.

Au matin du mardi 12 juin 1990, la salle d'audience était bondée. Quatre rangs derrière la table de la défense, Manuela Brown, la mère de David, s'était installée auprès de sa sœur Susan et de sa petite-fille Krystal. À cinq ans, cette dernière était devenue une enfant charmante, aux joues rebondies, froufroutant dans une petite robe à volants imprimée de fleurs. Elle n'avait sans doute été amenée là que pour rappeler que son père ne traitait pas toutes ses filles comme il avait accablé son aînée Cinnamon et renié sa cadette Heather.

De fait, David Brown entra bientôt, accompagné par le cliquetis familier de ses chaînes. Il portait une chemise et une cravate roses avec un pantalon en polyester gris. Quand il aperçut Krystal, il lui lança un grand sourire en agitant la main, et la petite fille répondit de même.

À 8 h 20, tout semblait prêt, à l'exception du siège d'un juré suppléant qui restait vide. La greffière Gail Carpenter le relança par téléphone et on le vit arriver hors d'haleine, se plaignant des embouteillages sur l'autoroute, peu avant 9 h 25. Les autres jurés, qui s'étaient souvent crus autorisés par la chaleur à venir en short et avec des lunettes de soleil, s'étaient endimanchés pour ce jour solennel. Avec gravité, ils entendirent le juge leur rappeler qu'ils devaient écouter avec attention les conclusions des deux parties :

– N'oubliez jamais que leurs arguments ne sont pas des présomptions et que les pièces à conviction ne constituent pas des preuves... Si les avocats s'opposent sur des faits, ne comptez que sur votre propre mémoire pour trancher...

Le silence se fit dans la salle quand Jeoff Robinson, en complet bleu marine, s'adressa aux jurés :

– Bonjour, mesdames et messieurs.

Après qu'ils eurent marmonné une salutation, il les remercia de la patience et de l'attention qu'ils lui avaient manifestées jusqu'ici, et leur demanda de lui en accorder autant pour le verdict :

– Peu m'importe que cela vous prenne cinq minutes, cinq heures ou cinq jours...

Les jurés avaient un air trop absorbé pour relever cette prévision, qu'il corrigea en ajoutant :

– Pour ma part, je ne vais pas vous prendre longtemps, juste le temps de vous convaincre que j'ai raison. Lorsque vous serez convaincus, vous voudrez bien lever la main et, dès que tout le monde aura levé la main, je ne manquerai pas de me taire...

Ce fut le dernier prétexte à rire de la journée, mais il avait suffisamment dissipé la tension pour que Robinson enchaîne :

– La première question qui se pose, c'est la raison de notre présence ici... La réponse, je vous l'ai déjà annoncée dans mon réquisitoire introductif. Je vous ai avertis que vous alliez assister à une tragédie des temps modernes... Si difficile qu'il paraisse d'y croire, si tentant qu'il soit de n'y voir qu'une fiction, ces horribles événements sont réellement advenus... Cet homme assis là, derrière la table de la défense, David Arnold Brown, a bel et bien orchestré de manière perverse l'assassinat de la jeune femme de vingt-trois ans qu'il feignait d'aimer...

« La pire circonstance aggravante reste que ce M. Brown s'est servi à cette fin de sa propre fille, une enfant de quatorze ans, Cinnamon... Une enfant qui a été pervertie et salie par son propre père. Est-il juste qu'une telle petite fille ait été acculée à une situation pareille ?

La voix du procureur s'éleva au milieu d'un silence vibrant. Elle n'apporta aucun fait nouveau, mais débita une interminable litanie d'atrocités qui, ainsi égrenées, n'en paraissaient que plus inconcevables... Jusque-là, jurés et public avaient écouté des enregistrements, avaient surtout entendu la voix enjôleuse de David Brown qui niait, ratiocinait et ergotait comme dans un mélo télévisé. Mais le drame était bien réel, ainsi que le soulignait Robinson :

– Après l'assassinat, les horreurs ne cessent pas. La vie de la petite Cinnamon est mise en danger par un faux simulacre de suicide, machiavéliquement monté par son propre père... Et, quand cette manœuvre échoue, c'est sa victime, *ses victimes*, qu'il accuse ! La défense aura beau soutenir que ce M. Brown n'a rien fait de tout cela, qu'il a été dépassé par deux adolescentes, vous ne pourrez qu'être convaincus que les choses se sont passées comme dans mon récit, sous la houlette du sinistre M. Brown.

Robinson rappela au jury que l'essentiel de cette affaire était parfaitement résumé par l'interrogatoire consécutif à l'arrestation de David :

– Là, après les mensonges des deux premières heures, son vernis commence enfin à craquer. Il ne peut plus que pitoyablement tenter de colmater tant de brèches qu'à la fin il se noie dans son propre fiel. La caméra a filmé son naufrage. Cet homme n'a aucune conscience morale. C'est le type même du sociopathe, qui ne pense qu'à lui-même. Autrui n'est jamais qu'un pion, sacrifiable à sa mégalomanie...

Robinson rappela le comportement de Brown après le crime, indiquant qu'il avait au moins la conscience intellectuelle de sa culpabilité :

– Ses plans pour éliminer les obstacles à sa liberté, sa volonté de faire disparaître un procureur et un enquêteur ne sont-ils pas significatifs de la force de ses craintes ? Sans parler de son ultime coup de Jarnac, la programmation de l'assassinat d'une jeune femme qu'il avait épousée pour la dissuader de témoigner et qui risquait de le faire quand même !

Robinson ne voulut pas davantage passer sous silence Linda Bailey, morte depuis depuis si longtemps qu'il était facile de l'oublier. Son enfant la représentait en s'agitant sur sa chaise, en se frottant les yeux et en reposant sa tête contre l'épaule d'une grand-mère qui ne remplacerait jamais sa mère.

Il incombait encore à Robinson d'expliquer les arcanes juridiques concernant des crimes qualifiés d'incitations au meurtre. Était-il besoin de rappeler que l'assassinat était plus grave que le meurtre non prémédité ? Fallait-il en citer la définition officielle ?

– Toute personne qui tue un être humain avec préméditation ou guet-apens est coupable de violation de l'article 187 du Code pénal...

Il ne pouvait être question d'homicide involontaire ni de circonstances atténuantes. Brandissant le gros livre qu'il venait de ramasser sur la table, il souligna :

– Pour les manuels, cette affaire demeurera l'un des meilleurs exemples de ce que la loi condamne sous l'appellation d'homicide au premier degré. Quand deux ou plusieurs personnes se réunissent pour préparer un crime, il est plus que vraisemblable que ce crime sera commis. Le législateur a voulu les dissuader en leur faisant partager la culpabilité à toutes. Il peut ainsi y avoir de nombreux responsables d'une seule et même affaire : le bras armé n'est ni plus ni moins sanctionnable que le cerveau qui l'a aidé, encouragé ou simplement incité. M. Brown est donc pleinement coupable de l'assassinat de sa femme, même s'il n'a pas personnellement pressé la détente...

La défense avait déjà suggéré, et allait sûrement répéter dans sa plaidoirie, que son client avait tenté de se retirer du projet, que David avait même dit aux deux adolescentes de ne pas aller jusqu'au bout, de ne pas tuer Linda. La question restait de savoir s'il s'était désolidarisé du plan qu'il avait lui-même inspiré :

– C'est un domaine où ce M. Brown a tort de paraître

tellement à l'aise dans ses enregistrements. Ses hypocrites protestations ne suffisent pas à consacrer son retrait effectif du projet.

Robinson fit observer que David avait été pris par surprise en apprenant l'existence de l'enregistrement de sa conversation avec Cinnamon. Sous le choc, il s'était résigné à faire une concession en reconnaissant exclusivement ce que Newell savait déjà, c'est-à-dire qu'il avait mélangé les médicaments et l'avait aidée à préparer le billet expliquant son suicide.

– Vous y trouvez le flagrant aveu que ce M. Brown a aidé et encouragé le crime dont il se prétend innocent. Car la loi précise formellement que quiconque aide et encourage un criminel est tout aussi coupable que lui. Le complice ne peut se mettre hors de cause en déclarant seulement aux autres participants qu'il entend se retirer du complot. Il doit, de surcroît, faire tout ce qui est en son pouvoir pour éviter la perpétration du crime.

Robinson ne laissa percer qu'un soupçon de sarcasme dans sa voix quand il énuméra les dérisoires mesures que David Brown assurait avoir prises pour empêcher le meurtre de sa femme :

– Quitter la maison de la femme que l'on aime, clamer qu'on préfère mourir soi-même, sans prévenir le drame que l'on a provoqué, ce n'est pas un changement de camp. Tout juste un reniement à la Ponce Pilate.

Sa tirade laissa la salle pétrifiée, à l'heure de la première suspension d'audience. Par chance, la petite Krystal Brown s'était endormie.

À la reprise de l'audience, vingt minutes plus tard, Robinson frappa au cœur de la conspiration.

– Dans cette affaire, il y a une chose que vous ne devez pas oublier. Quand toutes les parties en cause cohabitent dans la même maison, comme c'était le cas à Ocean Breeze, vous êtes forcés de ne pas vous contenter d'indices matériels comme les empreintes digitales ou les fragments de fibres qui risquent de ne pas constituer des preuves pertinentes. Il vaut mieux se demander : qui pourrait s'avérer le responsable le plus plausible ? Qui aurait le plus de raisons de vouloir la mort de la victime ? Qui commandait cette singulière famille ? Qui a arrêté les ultimes décisions concernant la méthode pour tuer ? Qui était assez astucieux pour les imaginer et les mettre en place ? Je crois que vous connaissez les réponses à ces questions...

« M. Brown n'a guère d'états d'âme quand il s'agit de s'abriter derrière un bouc émissaire... Ses discours, ses écrits ne visent qu'à les monter l'une contre l'autre ou à les retourner en sa faveur. Ces pauvres petites, tellement dépendantes de lui, seraient-elles parvenues à le manipuler ? Allons donc ! Il est vrai qu'il avançait systématiquement un honorable prétexte pour justifier ses désirs : tuer sa femme pour protéger sa famille, abattre ses interrogateurs pour échapper à leurs persécutions, sortir de prison parce que Krystal avait besoin de lui...

Robinson se préparait à l'apothéose en détruisant systématiquement tous les alibis que David s'était donnés. Il souligna que, même s'il avait été sincèrement persuadé qu'on voulait l'accabler, sa réaction n'était pas celle d'un véritable innocent.

Furieux, David rougissait de colère, en rugissant des commentaires acides à ses avocats. Il reniflait avec mépris quand il se rendait compte que Robinson faisait rire le public à ses dépens. Mais il n'était pas au bout de son épreuve, car le magistrat poursuivait :

– Quelle espèce d'homme laisserait sa fille moisir en prison pendant qu'il se pavane dans le luxe ? Celui qui ose se plaindre auprès d'une enfant prisonnière que sa vie d'adulte est bien plus dure à l'extérieur. Celui qui a l'audace de proposer d'organiser une sorte de relève des deux jeunes filles, appelées à se succéder à sa place derrière les barreaux.

« Relisez la page 86 de la transcription, où M. Newell lui demande : "Vous n'ignoriez pas que ce genre de remède la tuerait, n'est-ce pas ?" Il répond : "Je savais depuis le temps l'effet que me faisaient ces gélules et j'ai dit à Cinny que j'allais lui donner une mixture qui la rendrait malade pour faire croire qu'elle avait voulu se suicider, comme beaucoup de filles de son âge..." Un innocent recommanderait-il à sa fille de laisser sa lettre de suicide en évidence dans la cuisine avant de quitter la maison ?

En outre, David Brown avait commis une bévue en racontant à Newell que Patti parlait en dormant, alors qu'il soutenait n'avoir jamais couché avec elle.

— Selon lui, ils ne faisaient que s'embrasser, elle le réconfortait. Il était bien content d'empocher ses centaines de milliers de dollars d'assurances, mais il se sentait tellement déchiré qu'il ne pouvait se consoler qu'en faisant l'amour avec Patti, tout en proclamant son attachement indéfectible envers Linda !

Robinson parvenait à sa péroraison. Toisant David d'un regard écrasant, il s'écria :

— Vous avez devant vous l'égoïsme, l'égotisme, l'égocentrisme personnifiés. Pour lui, tout se ramène à « moi je... ». Sexe, pognon et protection... Les innocents ne préméditent pas de cette façon la suppression de vies humaines.

Au moment où David Brown paraissait sur le point d'exploser de rage, Robinson se rassit. Il avait répondu par avance à tous les arguments que pourrait déployer la défense. L'expression des jurés n'indiquait nullement ce qu'ils en pensaient.

48

Rares étaient ceux qui enviaient à Me Gary Pohlson la tâche de défendre un client que le jury avait pu entendre projeter le meurtre de sa propre femme, puis comploter celui de trois autres personnes. Pourtant, l'avocat arborait un grand sourire en avançant dans ce prétoire où tout le monde l'appréciait, à commencer par son adversaire. Et chacun se posait maintenant la question de savoir comment il essaierait de compenser la mauvaise impression produite par son client. Il avait apparemment choisi de prendre le taureau par les cornes, en reconnaissant d'entrée :

– David Brown n'est hélas pas un personnage très sympathique. À cause de cela, à cause de nos larmes, de nos rires et de notre colère bien compréhensibles, je crains que nous ne négligions un peu la dure réalité des faits. Nous resterons sans doute troublés par nos émotions, par la pitié spontanée qu'inspirent toujours deux jeunes filles mêlées à des épisodes sordides ; parfois, nous risquons même d'en perdre le fil des véritables événements. J'en suis peut-être le premier coupable, à moins que je n'en sois que le second...

De la tête, il désignait Jeoff Robinson, arrachant aux jurés malgré eux un sourire crispé. Il expliqua qu'il avait pour sa part abordé l'affaire « d'un point de vue principalement humain », constatant qu'elle pouvait s'ordonner entre cinq thèmes : les sentiments des protagonistes, leurs circonstances aggravantes, leurs personnalités, leurs mensonges et finalement les mobiles, tant des mensonges que du meurtre.

Il consigna ces différents domaines au feutre sur le chevalet de présentation d'où il promit de faire émerger ses certitudes en annonçant :

— La dernière chose dont je veux vous parler est la vérité.

À double sens, sa phrase se révélait malencontreuse, voire résultant d'un fâcheux lapsus. Inconscient ou très maître de lui, il pria le jury de réexaminer les preuves pour mieux se rendre compte que chacune des parties les voyait différemment :

— Forcément, quelqu'un n'aura pas raison. Si vous voulez bien considérer que les actes du prévenu viennent de ce qu'on l'avait accusé à tort, vous constaterez que cela change tout. Pendant deux jours et demi, d'odieux enregistrements ne nous ont parlé que de meurtres et de complots. Mais il n'a guère été question des mobiles.

Pohlson sidéra l'assistance en priant le jury de se faire rediffuser le pénible enregistrement de l'arrestation du 22 septembre, pour réécouter ce qui y avait été dit :

— Vous allez constater que mon client était au désespoir, pressentant qu'il n'avait pas la moindre chance de s'en tirer face à tant d'acharnement. Il était en pleine panique ! Et avez-vous jamais entendu deux hommes plus différents que David Brown et Richard Steinhart ? Le premier était très faible et le second très fort. L'un se jouait de l'autre comme un chat avec une souris... Son ami était terrifié à l'idée d'être emprisonné à cause du témoignage de Patti, lui avouait son désespoir... Ce qui ne veut évidemment pas dire qu'il était coupable !

La notion de doute raisonnable se révélait la seule arme disponible pour l'avocat.

Par ailleurs, Pohlson souligna qu'il ne voyait pas comment le simple fait de contracter une assurance pouvait constituer une circonstance aggravante :

— L'enjeu était-il si considérable, comme le pense l'accusation ? Moi, je ne sais pas ; quelque chose m'aura peut-être échappé.

David contempla son avocat comme s'il attendait vraiment d'être tiré de son mauvais pas. Pohlson ne pouvait cependant entretenir qu'un très faible espoir d'acquittement. Il se contentait plutôt de démonter les circonstances aggravantes, mais il se trouvait du même coup obligé de prendre le risque d'attaquer odieusement Cinnamon et Patti.

– L'accusation voudrait vous faire croire que M. Brown est un génie malfaisant qui aurait conçu un plan machiavélique pour tuer Linda. Mais ce plan vous paraît-il tellement astucieux ? Et ces deux petites jeunes filles impressionnables, si jeunes et si cupides, sont-elles de petits anges détournés du droit chemin par un démon ? En premier lieu, nul n'ose plus discuter que Cinnamon a commis le meurtre avec l'aide de Patti. En second lieu, elle est retournée dans la chambre sur les injonctions de Patti et a achevé sa belle-mère...

Il prit un ton caustique :

– Nous restons tous bien d'accord : nous parlons là d'une gamine de quatorze ans, troublée, effrayée, manipulée par un démiurge. Son père gagne beaucoup d'argent, la comble de cadeaux, alors que sa marâtre la menace, selon maints témoignages, de la jeter à la rue.

Dans le même registre, il présenta ensuite Patti comme une Lolita qui, avant même d'être nubile, ne cherchait qu'à séduire le mari de sa sœur, une enfant perverse qui s'était jetée sur lui.

– S'agit-il là d'une pauvre petite fille manipulée ?

Une fraction de seconde, les regards des jurés indiquèrent que Pohlson avait dépassé les limites. Les petites filles de onze ans ne font pas violence à des hommes de vingt-sept ans. L'avocat ricocha donc sur un meilleur terrain :

– Souvenez-vous de tous les mensonges qu'elles ont débités depuis des années !

Laborieusement, Pohlson récapitula leurs contre-vérités sans soulever d'objection de la part de l'accusation. Car les jurés avaient déjà pu se forger une opinion sur les motifs de leurs contradictions et, surtout, sur le point de savoir si elles mentaient encore maintenant.

– Repensez à tout ce que Cinnamon Brown et Patti Bailey ont raconté...

Tatillons, vétilleux, voire spécieux, ses derniers arguments envahirent toute la journée du 12 juin. Le lendemain matin, Robinson en entreprit la réfutation systématique :

– M. Brown ne manquait certes pas de ressources pour commettre un crime puis pour prendre un grand avocat qui lui trouve des justifications... Chaque fois que j'entends M. Pohlson, je me dis qu'il est brillant, très remarquable, mais qu'il ne peut travestir les faits, même en les éclairant d'un jour éblouissant...

« David Brown n'est nullement un homme innocent, mais un individu diabolique ! Il sait quelles carottes brandir selon les gens qu'il veut faire marcher : pour les étrangers, c'est l'argent ; pour ses proches, c'est l'unité de la famille... Il étale constamment des avantages ou des privilèges dont les autres ont besoin.

David surveillait Robinson comme il l'aurait fait d'un serpent. Figé, il paraissait tellement frappé que son avocat sollicita un aparté. Personne ne devait savoir ce qui fut dit, mais le procureur reprit avec le même élan. Il cita encore les promesses de l'accusé dans divers enregistrements. En particulier envers Smiley, la femme policier, et envers Steinhart, le détenu qui jouait l'homme de main.

Après deux heures d'escrime, il conclut par une botte triomphale. Avant que les jurés ne se retirent pour délibérer, il leur adressa ces derniers mots :

– La justice attend depuis mars 1985 que vous mettiez un terme au long règne diabolique de l'accusé. Cinnamon et Patti ont été jugées. Je vous demande à présent de condamner David Brown et, par avance, je vous en remercie...

Contre toute attente, le juge McCartin se tourna pour demander si la défense voulait bénéficier d'un temps de parole supplémentaire. Pohlson fut autant pris de court que Robinson. Sans plus les consulter, le juge décréta aussitôt que chacune des parties aurait encore droit à un quart d'heure, car la cour estimait que les derniers arguments de Me Pohlson risquaient d'avoir pâti du fait qu'une nuit avait passé depuis que le jury les avait entendus.

Homme indéchiffrable autant que juriste rigoureux, il avait déjà pris ce genre de décision pour des raisons de cette nature. Mais peut-être tentait-il de contrebalancer l'avantage qu'avait paru conquérir Robinson.

Pâle de saisissement, celui-ci eut tout juste la présence d'esprit de crier :

— Objection, Votre Honneur !

— Rejetée !

— Et à part ça, tout va comme vous voulez ?

Le procureur affichait moins de décontraction que de désinvolture.

49

Les jurés se retirèrent pour délibérer le 13 juin peu avant 15 heures. Ce premier jour, une rumeur avait annoncé qu'ils ne débattraient que pendant deux heures avant de rentrer chez eux. Le juge, se vantant de n'avoir jamais séquestré un jury depuis dix ans, avait en effet résolu que leur mission demeurerait cantonnée entre 9 heures et 16 h 30, et qu'ils ne devraient par conséquent endurer aucune séance de nuit.

Le lendemain, 14 juin, s'étant déjà passé sans nouvelles, le troisième jour parut interminable, et le week-end promettait d'être pire. Robinson enfila sa tenue de jogging et s'en alla courir au hasard des rues. Newell essaya de travailler et McLean y parvint, puisqu'il allait commenter :

– J'ai pensé que mon rôle était terminé, que je ne pouvais plus rien changer et qu'on pourrait toujours m'appeler s'il y avait du nouveau. Alors, autant me remettre au boulot !

Moins fatalistes, la plupart des autres intéressés s'irritaient du fait que l'huissier Mitch Miller et la greffière Gail Carpenter refusaient d'indiquer les heures d'arrivée et de départ des jurés. En réalité, ceux-ci n'allaient guère cesser de discuter pendant une quinzaine d'heures. Un peu avant 14 heures, Newell et Robinson déjeunèrent de yaourts dans le café voisin du palais, incapables d'en avaler davantage. Ensuite, ils s'en retournèrent d'un pas nerveux vers la salle d'audience. Ils longeaient encore le miroir d'eau aménagé au bas du perron lorsqu'ils perçurent un brouhaha surexcité. Quelqu'un cria :

– Ça y est, ils vont rendre leur verdict !

Le brouhaha tourna au vacarme. Des avocats qui descendaient du bureau du district attorney par l'escalier roulant arboraient des mines réjouies pour confirmer qu'un verdict venait bel et bien d'être arrêté.

Il était 14 h 45, en ce long vendredi.

La salle était archicomble. La quasi-totalité du personnel du DA avait rejoint la tribu des Bailey, assiégée par la meute des journalistes hérissée de micros, de caméras, de blocs-notes et de stylos. Des têtes nouvelles, inconnues ou jamais remarquées auparavant, se mêlaient aux visages de tous ceux qui avaient assisté aux audiences depuis bientôt deux mois.

À 15 h 15, David Brown, débarrassé de ses entraves et de ses gardes, marcha seul vers son siège. Il avait le teint verdâtre et la figure luisante de transpiration.

Les jurés rentrèrent tous avec un demi-sourire. Personne n'avait la moindre idée de ce qu'allait annoncer leur président. Stephen Lopez remit le texte de la décision à l'huissier Miller, qui le passa au juge, lequel l'examina de son air impénétrable. À sa demande, Gail Carpenter, la greffière, se leva pour lire de sa voix claire :

– Pour le chef d'accusation numéro un, à savoir le meurtre au premier degré commis le 19 mars 1985, l'accusé est reconnu avoir volontairement et avec préméditation assassiné Linda Brown, et est donc déclaré coupable. Concernant le chef d'accusation numéro deux, à savoir la conspiration en vue de commettre des assassinats, il est déclaré coupable. Circonstance aggravante, les crimes indiqués ont été reconnus perpétrés dans la perspective de gains financiers...

Le juge McCartin fixa l'énoncé de sa sentence en date du 22 août suivant à 9 heures.

David Brown n'avait pas changé d'expression, mais une rougeur l'envahit et il avala une gorgée d'eau avant de se laisser remmener par l'huissier Mitch Miller. Dans le corridor où il hochait la tête d'un air perplexe, les appareils photo et les caméras de télévision entretenaient une atmosphère proche de l'hystérie. En particulier, Alan Bailey scandait :

– Coupable ! Coupable ! Il n'est pas près de sortir de prison, ce salaud que j'avais pris pour mon meilleur ami ! Je suis enchanté qu'il soit en cabane pour toujours... Ce démon manipulait et détruisait tout, mais la justice l'a mis hors d'état de nuire !

Sa sœur Mary Bailey pleurait dans les bras de son mari, sous les yeux ahuris de l'une des jurées. Brenda Sands lorgnait les objectifs de télévision derrière lesquels des voix lui demandaient ce qu'elle ressentait, ou si elle croyait que Cinnamon serait désormais capable de mener une vie normale. Interloquée, elle murmurait :

– Je ne sais pas, je ne sais pas...

Jay Newell s'était esquivé par l'escalier de service, mais Jeoff Robinson chantait ses louanges aux journalistes :

– Sans lui, nous ne serions pas ici. L'affaire était déjà classée, mais Newell ne baisse jamais les bras.

Robinson avait encore une mission qui primait toutes les autres. Plantant là la presse en délire, il courut téléphoner. Quand il eut son interlocutrice au bout du fil, il lui annonça d'un ton naturel :

– Tout est fini, Cinnamon. Le jury l'a jugé coupable. Je veux que vous vous rappeliez qu'à partir de maintenant commence le premier jour de votre vraie vie à vous...

Les jurés, non tenus au secret des délibérations, racontèrent qu'ils avaient beaucoup moins hésité qu'on n'aurait pu le penser. Leur président rappela :

– Le premier après-midi, notre vote a donné huit « coupable » contre quatre indécis. Le deuxième jour, nous avons revisionné la vidéo de l'arrestation et le lendemain nous avons regardé d'autres cassettes. Finalement, nous n'avons débattu au total que sept heures. Cette vidéo nous a convaincus en nous montrant l'accusé faisant volte-face et tourner casaque...

L'une des femmes jurées avoua qu'elle avait été choquée par la crudité de certaines évocations sexuelles :

431

– Je n'avais jamais entendu parler de choses pareilles.

Une autre, moins naïve, commenta :

– Je ne peux même pas imaginer de me laisser approcher par un individu de cet acabit.

Les sept femmes avaient particulièrement retenu les propos de David Brown quand il affirmait à Cinnamon qu'il était courant que des pères aient des rapports sexuels avec leur fille. Bien sûr, cela ne le dénonçait pas comme meurtrier, mais cela montrait comment il avait pu manipuler des adolescentes. Sur le témoin le plus crédible, l'unanimité était résumée par une dame timide :

– Richard Steinhart nous a apporté une bouffée d'air frais. Nous n'avions aucun mal à le croire, car il n'avait rien à gagner ni à perdre en mentant.

Quand on leur demanda pourquoi ils avaient souri en rentrant dans la salle d'audience, plusieurs jurés approuvèrent celui qui disait :

– Nous étions impressionnés de voir tant de monde dans les rangs du public, nous avions un peu le trac...

50

Le lundi 23 juillet, David Brown se résigna à plaider coupable pour la seconde affaire qui avait été disjointe de l'assassinat, celle de la conspiration contre Jeoff Robinson, Jay Newell et Patti Bailey. En contrepartie, cinq autres chefs d'accusation de moindre portée furent écartés dans le cadre d'un marché conclu avec le ministère public. David s'entendit condamner pour le principe à deux ans seulement pour chacune de ses cibles, soit six années au total, peine déclarée par avance confondue avec celle que déciderait de lui infliger le juge McCartin, mais qui contribuerait à le maintenir derrière les barreaux si d'aventure il avait la moindre chance d'obtenir une libération anticipée.

Le 18 juillet précédent, Jay Newell avait interrompu ses vacances en famille et rejoint Jeoff Robinson à Sacramento, où les deux hommes furent entendus par la commission de mise en liberté conditionnelle des mineurs. Ils tenaient à informer cette commission que c'était à leur requête que Cinnamon avait pu paraître réticente lors de sa dernière audition. Ils lui avaient en effet demandé de garder une extrême réserve pour ne pas compromettre leurs chances de faire condamner son père et ils ne voulaient pas qu'elle s'en trouve pénalisée.

Cela n'avait débouché sur aucune transaction, mais les deux hommes estimaient qu'il était grand temps que la jeune fille bénéficie du soutien de nouveaux défenseurs.

433

Le 22 août passa sans que la sentence prévue contre David pour assassinat soit effectivement prononcée. Quand elle fut renvoyée au 17 septembre suivant, l'accusé annonça qu'il exciperait d'un certain nombre de lettres de grandes sociétés pour appuyer sa demande de mise en liberté surveillée. Mais rien de tel ne fut produit.

L'officier de libération sur parole chargé de son cas reçut en revanche plusieurs courriers de proches ou d'inconnus qui s'indignaient à l'avance d'un éventuel élargissement. L'un écrivait : « S'il vous plaît, que la sentence fasse que David Brown ne puisse jamais plus sortir, je le crois capable de faire encore beaucoup de mal s'il était relâché. » « Il a détruit la vie de trop de gens à ses fins égoïstes, et j'estime qu'il ne devrait plus jamais avoir le droit de revoir la lumière extérieure », notait un autre. « Ce genre d'individu n'appartient pas à l'espèce humaine, car il risque de recommencer et de détruire une autre famille », fustigeait un troisième, alors que le suivant renchérissait : « Ce qu'il a fait relève de la pire perversité. Je pense donc qu'il n'y a pas de châtiment trop dur pour lui et j'espère qu'il souffrira une part de ce que sa famille a enduré. »

Newell y alla de son propre avertissement : « Je pense que David A. Brown doit non seulement rester en prison pour le restant de sa vie, mais qu'il convient de ne jamais perdre de vue qu'il a l'art et la manière de manipuler les gens pour en faire ce qu'il veut. Il doit donc demeurer sous étroite surveillance. »

Le 17 septembre 1990, les principaux acteurs se réunirent à nouveau devant le juge Donald McCartin. Il arborait une énorme minerve que certains expliquaient par une glissade sous la douche, que d'autres attribuaient à une chute du haut d'une couchette, mais qui n'était peut-être qu'un moyen de leur inspirer de la compassion.

McCartin toisa l'homme condamné dans sa salle d'audience trois mois plus tôt et les caméras de la télévision saisirent son expression sévère. Il avait conservé les circonstances aggravantes, estimant que les assurances sur la vie de Linda Brown constituaient juridiquement un mobile d'assassinat assez fort :

– Je ne puis écarter ce point. Car toute cette affaire a commencé comme passible de la peine de mort. Celle-ci n'a probablement été écartée que parce que vous n'aviez pas d'antécédents judiciaires...

Se détournant de David, il s'adressa à Pohlson et à Schwartzberg :

– Si les choses avaient été présentées au jury comme passibles de la peine capitale, je n'aurais eu aucun scrupule à condamner votre client à mort ou à la réclusion incompressible.

McCartin respira profondément avant de se retourner vers David :

– La vérité, monsieur Brown, c'est que vous êtes un personnage effrayant, au point de m'inquiéter pour ma propre sécurité... Vous avez une apparence plus pateline que votre avocat, mais il est incroyable de voir ce que vous avez pu faire, du fond de votre prison, à vos propres enfants comme à votre belle-sœur... Il est terrifiant de constater que vous êtes capable de commettre tout cela sans broncher, en maître manipulateur que vous êtes... À côté de vous, monsieur Brown, même ce fou de Charles Manson n'était qu'un enfant de chœur.

Sur ces mots, le juge McCartin confirma la condamnation de David Arnold Brown à la prison à vie, sans possibilité de libération sur parole, plus six ans de réclusion et une amende. Manifestement, l'accusé ne s'y attendait pas. Il apprit qu'il disposait de soixante jours pour interjeter appel.

– Avez-vous quelque chose à ajouter ?

Sur le moment, David Brown ne trouva rien à dire. Mais, en sortant de la salle d'audience, il se plaignit auprès des gardiens :

– Tout de même ! Il n'aurait pas dû me comparer à Charles Manson !

51

Ann Rule rencontre
David Brown

Je suis allée rendre visite pour la première fois à David Brown le 20 septembre 1990 au fond de sa prison. Il n'y recevait de façon régulière que ses parents, mais le juge Donald McCartin m'avait accordé un permis officiel qui m'autorisait à le rencontrer aussi souvent et aussi longtemps que lui-même y consentirait.

À l'extérieur, la rue avait l'air pimpant d'un décor de spectacle, où des marchands ambulants vendaient des tranches de pastèques aux passants. Par contraste, l'antichambre de la centrale paraissait plus lugubre, avec sa vaste salle meublée de fauteuils et de canapés en plastique sans style ni âge. Des pères, des mères, des adolescentes obèses, des enfants au ventre creux et des bébés piailleurs attendaient de se presser aux guichets des parloirs, avec des expressions accablées par l'angoisse.

Mon sésame n'avait guère de valeur aux yeux des préposés, car ils me laissèrent patienter longuement avant de me diriger vers un ascenseur. Parvenue au niveau indiqué, je suivis un interminable couloir sans fenêtre, qui aurait fait penser à une rampe pour bétail s'il n'avait été jalonné de caméras à chaque recoin des plafonds. Son odeur de fauve ne faisait qu'empirer à mesure que je progressais vers le fond de la galerie où étaient relégués les parloirs.

Moi qui avais déjà interviewé tant de prisonniers dans tellement d'autres prisons, je ne parvenais pas à me départir d'un sentiment de claustrophobie. Des cagibis exigus étaient réservés aux avocats, aux prêtres et aux autres visiteurs de marque. Ils étaient isolés par des portes, ceinturés de murailles de parpaings jaunes et dotés d'un strapontin métallique devant une cloison de verre.

David Brown, boudiné dans une combinaison de jogging couleur moutarde, m'attendait assis de l'autre côté de la vitre. Cela me faisait un drôle d'effet de le voir de face alors que j'avais passé des semaines à ne le contempler que de dos, lors du procès. Quand je lui demandai s'il permettait que j'enregistre notre conversation, il refusa : il avait été si échaudé par les micros espions qu'il ne se rendait plus compte qu'un enregistrement « officiel » constituait plutôt une garantie pour lui. Je n'y attachai guère d'importance, car l'État d'où je viens ne tolère pas plus les magnétophones dans les prisons que dans les prétoires, et je m'étais infligé un durillon perpétuel à force de serrer un stylo au cours de dizaines d'interviews et de procès.

David Brown avait sur le cœur beaucoup de choses à dire, à commencer par son intention de faire appel :

– Ils ont affreusement peur de moi, savez-vous, madame Rule ? Ils craignent que je tue leur magistrat. J'ai trouvé que McCartin jouait seulement les juges, faisait son intéressant, se tambourinait le torse comme Tarzan avant de remonter dans son arbre pour se faire admirer par Jane. Je ne l'ai pas trouvé professionnel du tout !

Brown voulut connaître mon avis sur Jeoff Robinson, qu'il souhaitait m'entendre qualifier de « manipulateur malhonnête, sujet aux lubies et aux foucades ». Au risque de me l'aliéner, je secouai la tête en murmurant :

– Non, je l'ai trouvé plutôt compétent. Il plaît aux jurés autant qu'au public.

Il n'était pas d'accord, et considérait Robinson et Newell comme d'ambitieux politiciens, à l'opposé de son propre caractère :

– Moi, j'ai toujours essayé de faire ce qui était bien pour les gens...

Il critiqua d'autres comportements, en particulier des journaux qui faisaient des choux gras aux dépens de son infortune. Toutefois, il se hâta de me rassurer : il avait l'habitude que les médias s'occupent de lui.

– J'étais célèbre bien avant l'assassinat de Linda.

Une fois de plus, il revendiqua la liste des personnes qu'il avait sauvées, les groupes industriels qui auraient périclité sans lui. Il parla de sa célébrité, de sa fortune, de son importance :

– J'ai été cité dans tous les magazines qu'il vous plaira de nommer. Robinson voulait abattre un magnat comme moi pour s'imposer aux yeux du public.

David me garantit qu'il n'avait aucun besoin de toute cette notoriété. Il devait sa gloire à ses seuls mérites professionnels. Quand je lui rappelai qu'il avait surtout eu la chance de se trouver au bon endroit et au bon moment lors de l'essor de l'informatique, il rectifia :

– Je préfère penser que je dois mes chances à mes talents et à mon intelligence.

Il me confia qu'il avait gagné une fortune sans jamais extorquer un sou à des clients auxquels il facturait toujours ses services au plus juste prix.

– Quand je récupérais des données pour le compte d'une banque qui les estimait à 380 millions de dollars, il aurait suffi que je leur réclame ne serait-ce qu'un pour cent. Ça m'aurait déjà rapporté plus de 3 millions !

Il sourit d'un air coquin.

– Et, après tout, je les ai peut-être gagnés, même si j'ai toujours gardé un profil assez bas pour ne jamais payer d'impôts trop élevés... Si vous voulez parler de moi sérieusement, il va falloir garder l'esprit ouvert.

Il me fallait donc comprendre que j'avais affaire à un homme qui avait toujours traité les gens avec équité. Il s'en prit à l'ingratitude de Brenda, sa première femme, et prétendit qu'elle lui avait brisé le cœur. Il me jura que, pour sa part, il lui avait toujours été fidèle et que Lori n'était devenue autre chose qu'une « bonne copine » qu'après que « cette femme volage » l'eut laissé tomber. Quand il voulut savoir si j'avais parlé à Brenda, il lança :

— Je parie qu'elle ment sur tout ce qui me concerne ?

— En tout cas, elle m'a raconté combien vous aviez été gentil avec elle quand elle avait quinze ans, comme vous preniez bien soin d'elle, combien elle vous aimait.

Mes réponses le décontenançaient. Il tenta en conséquence de réadapter son approche :

— Vous êtes l'une des femmes les plus intelligentes que j'aie rencontrées depuis longtemps. La plupart des gens d'ici sont des crétins finis.

— Merci beaucoup.

Il voulut revenir sur ceux qui l'avaient trahi, la défection de Patti restant la pire :

— Je la croyais quand elle me disait qu'elle ne l'avait pas fait.

— Qui d'autre l'aurait fait, dans ce cas ?

— Je ne sais pas, je ne suis pas policier. N'importe qui aurait pu faire ça, à condition d'avoir un sacré sang-froid.

David rageait encore au souvenir de Newell et de Robinson parlant à Patti juste avant l'audience préliminaire :

— Je vous jure que c'était une façon de lui faire la leçon. Je n'entendais pas ce qu'ils disaient, mais leurs mains s'agitaient d'une manière qui laissait deviner qu'ils lui faisaient répéter un rôle.

Il m'affirma que les deux jeunes filles avaient été conditionnées. On leur avait dicté tout ce qu'elles devaient dire, alors que lui n'avait même pas pu compter sur ses deux avocats :

— Pohlson n'a pas fait un dixième de la défense que je voulais, n'a jamais cité de bons témoins... C'est un enfant gâté, égoïste, qui ne supportait pas que je le contredise. Il piquait de vraies colères. J'ai dû le virer, n'en déplaise à McCartin !

David était même convaincu que son avocat était tellement lié avec son accusateur qu'il avait délibérément perdu leur procès. Il regrettait maintenant de n'avoir pu engager un ténor du barreau. Quant aux témoins, il estimait que tous les Bailey auraient dû être cités par la défense, soutenant contre toute évidence :

– Cette famille ne jurait que par moi. Nous n'avions pas le moindre différend.

Ses visions de Cinnamon et de Patti étaient tout aussi déformées :

– Cinny était une adolescente violente et agressive. Patti, une nigaude instable qui en pinçait pour les gredins. Je crois que je l'impressionnais un peu.

Il me dit cela sur le ton de la confidence, avant d'en revenir à sa fille :

– Cinny me traitait très mal, plus mal que vous ne pouvez l'imaginer de la part d'une gosse. Un jour, Brenda elle-même m'a téléphoné pour me dire qu'elle l'avait frappée.

Il composa alors un nouveau scénario pour la journée fatidique du 19 mars 1985 :

– Ce jour-là, les deux sœurs devaient aller chez leur mère. Elles se bagarraient constamment. Patti désobéissait à Linda et essayait de lui emprunter ses robes et ses bijoux, de diriger la maison à sa place... Cinnamon avait de meilleures raisons de se fâcher, parce que sa mère ne cessait de lui brailler de foutre le camp de la maison, qu'elle ne voulait plus jamais la revoir...

David soupira :

– Linda m'avait dit que je devais choisir entre elle et ma fille. C'était un dilemme, mais Cinny était si instable qu'elle finissait par me porter sur les nerfs, à moi aussi. Vous pouvez comprendre ça ?

Je ne répondis pas. Je ne pouvais évidemment pas le comprendre. Et encore moins quand il poursuivait :

– Elles ont tué Linda parce qu'elles voulaient rester à la maison. Patti devait l'éliminer pour prendre sa place et Cinnamon souhaitait qu'elle disparaisse pour retrouver l'affection de son foyer. Elles avaient chacune leur mobile. Ça peut sembler bizarre, mais je regrette vraiment que Linda ne soit pas là pour témoigner...

– Quels sont maintenant vos sentiments à l'égard de Cinnamon ?

– Difficile à dire.

Il prit le temps d'allumer une cigarette.

– Elle a tué ma femme. Qu'est-ce que ça pouvait lui faire de me tuer aussi ? Elle savait bien que je risquais la peine de mort quand elle a changé son histoire, mais son père pouvait mourir sans qu'elle s'en soucie. Elle est froide et foncièrement mauvaise...

Il imputait la trahison de Cinnamon au fait qu'elle était amoureuse d'un pâle voyou :

– Elle était dans un tourbillon de passion et tenait désespérément à sortir de taule pour le rejoindre. Elle a donné toute sa mesure comme menteuse.

Au sujet des Bailey, il ne se rappelait soudain que leurs tares :

– C'est vrai que je n'aimais pas aller chez eux. Ethel vidait un pack de bière à l'heure. Ils se camaient sous notre nez. Moi, je suis contre la drogue, contre l'alcool, contre les mauvais traitements aux enfants...

Il était fascinant à entendre. Expansif, il ne lésinait pas sur les détails dans des domaines qui n'avaient pas de rapport avec son propre cas, ou bien il posait des questions auxquelles il était impossible de répondre. J'avais l'impression d'écouter un couplet appris par cœur, tant m'étaient familières certaines anecdotes recueillies sur cassettes...

Quand je lui demandai si son enfance avait été heureuse, il me retourna la question :

– Et la vôtre ? Qu'est-ce que ça veut dire, heureux ?

Simplement pour détendre la conversation, je l'interrogeai sur l'endroit où il voudrait aller s'il le pouvait. Mais il se figea et je compris qu'il me soupçonnait d'essayer de me renseigner sur d'éventuels projets d'évasion. Même méfiance quand je le questionnai sur l'affection dont il disait souffrir :

– C'est un problème physique.

– Je m'en doute, mais quels sont vos symptômes ?

441

Ses yeux se détournèrent et un long silence tomba, que je brisai en insistant :

— Vous avez un rythme cardiaque irrégulier ?

— Non.

— Une sensation de compression dans la poitrine ?

— Non.

— Des douleurs ?

— Non.

— Avez-vous du mal à respirer ?

Il finit pas hocher la tête.

— Oui, et j'ai des espèces d'engourdissements. Par moments, je ne sens plus mes bras.

Même pour un profane, il était flagrant que son cœur se portait comme un charme. Mais, pour une fois, il n'avait pas envie de s'étendre sur ses multiples misères. Il préférait raconter comment il avait été séduit et trahi par Irv Cully et Richard Steinhart.

— Ces types-là m'ont forcé la main. Ils avaient déjà des photos de Chantilly Street et même un plan de la maison. Ils ont dit à Newell et à Robinson qu'ils n'avaient qu'à m'enfermer dans une cellule et qu'ils m'auraient.

Brown m'examina pour voir si je le croyais et je soutins son regard. Alors, il tenta un nouvel effort :

— Écoutez, il y a eu des tas de messages entre Cully et Steinhart, et les hommes du DA. Ils recevaient des tas de choses auxquels les autres n'avaient pas droit.

L'alimentation était manifestement très importante dans sa vie. La privation de ses denrées préférées lui semblait refléter sa perte d'influence en prison. Si les enjeux dans la partie qu'il jouait avaient été moins dramatiques, cette obsession aurait paru risible. Il me suggéra de relire l'interrogatoire du 22 septembre, en me conseillant :

— Jouez les rôles comme si c'était vous.

Il semblait encore considérer qu'il s'était parfaitement comporté au matin de son arrestation. Il avait lu dix fois la transcription de son interrogatoire par Newell, tout comme j'avais revu la cassette vidéo. Bien sûr, il inversait les rôles :

— Je suis peut-être naïf, mais je n'aurais jamais imaginé

qu'un représentant de la justice puisse mentir. Jamais de ma vie je n'avais été arrêté. Il m'a surpris. Il a laissé entendre que je m'étais avoué coupable. J'étais terrifié.

Il me confirma combien il redoutait la prison :

– Les détenus vont me sauter dessus parce qu'ils me croient riche !

– Vous ne pouvez pas vous servir de votre argent pour faciliter votre vie ici ?

– Pas question.

Je lui demandai s'il était réellement encore riche. Il me considéra avant de répondre d'un air hypocrite :

– Franchement, Dieu m'est témoin que je suis complètement fauché.

Je lui lançai une autre question brutale :

– Est-ce que Heather est de vous ?

– Non. Patti est une pute qui couchait à droite et à gauche depuis le collège. Elle fricotait avec un entrepreneur. Une recherche génétique établirait que Heather n'est pas ma fille. J'ai demandé une analyse sanguine.

– Alors, pourquoi avez-vous épousé Patti ?

– Ça, c'est dur à expliquer...

De nouveau les yeux de David se détournèrent tandis qu'il réfléchissait pour formuler une explication :

– Ce mariage n'était qu'une farce et n'a jamais été fait pour être vrai. Bon Dieu, je ne vais pas nier que, dans des moments de détresse et de solitude, j'ai eu des contacts avec Patti ; mais, croyez-moi, elle n'a pas pu tomber enceinte avec le genre de relations que nous avions. Je n'étais pas trop en forme, et puis il y avait mes parents et Krystal... Alan aussi habitait chez nous. J'avais une liaison avec Betsy Stubbs, la fille de l'agent d'assurance du bout de la rue. Patti était encore moins séduisante. Elle a tué Linda pour m'avoir à elle. Elle me faisait une peur bleue. C'était pour ça que mes parents vivaient avec moi. Nous étions à deux doigts de la faire déguerpir quand nous avons été arrêtés... Je la détestais.

David Brown rejetait tous les torts sur Patti, mais aussi sur Brenda, Cinnamon, les Bailey, Gary Pohlson, Jeoff

Robinson, Jay Newell, Richard Steinhart, Irv Cully et tout le système judiciaire responsable de ses ennuis, à commencer par son ancien avocat, Joel Baruch.

Je ressentais une impression de déjà vu. Combien de fois avais-je entendu des tueurs rejeter leur responsabilité avant même qu'elle soit mise en cause ? En un sens, je pense qu'ils aboutissent tous à un point où ils croient vraiment à ce qu'ils racontent.

David Brown avait l'air sincère et parlait sur un ton affligé. Il se considérait comme une victime, s'irritait contre ceux qui s'entêtaient à lui ressasser d'autres vérités :

– Robinson prétendait que j'avais fait subir un lavage de cerveau à Cinny et à Patti... Comment est-ce que c'était possible ?

– Vous vous y connaissez, en lavage de cerveau ?

Il secoua la tête, mais il était curieux.

– J'ai écrit un livre là-dessus, jadis, repris-je. Pour prendre le contrôle de l'esprit de quelqu'un, il faut réunir quatre critères. En premier lieu, le sujet doit souffrir d'un profond état de choc psychique...

– Elles n'ont jamais eu ça.

– Elles croyaient que leur foyer allait être brisé, qu'elles dépendaient complètement de vous, qu'elles ne pouvaient vivre sans vous.

– Ça ne suffit pas ! Quoi d'autre ?

– La victime doit être isolée de tout, de tout le monde, de tout ce qui peut lui procurer un sentiment de sécurité...

Avant même que j'aie fini, il commença à secouer la tête :

– Ça ne colle pas...

– La troisième condition, c'est précisément le conditionnement du sujet. Son mentor doit lui dire ce qu'il lui faut croire, et le lui répéter inlassablement.

Cette fois, David haussa les épaules.

– Quatrièmement, on promet une récompense à la victime. En général, c'est la sauvegarde de sa propre vie. Patti disait justement que vous étiez le « soutien de sa vie ».

– C'est idiot. Je n'ai pas fait subir de lavage de cerveau à ces petites. Elles ont tout fait de leur propre chef.

Il semblait ravi de ces passes d'armes verbales. Mais il n'en changea pas moins de conversation, sans doute parce que je m'étais trop rapprochée de la réalité. Il préférait me faire noter combien il avait aimé Linda, l'avait traitée comme une reine, n'avait jamais laissé le romantisme s'évanouir de leur union idyllique. Les larmes aux yeux, il rappela :

– J'avais un compte ouvert pour Linda chez un fleuriste. Je ne lui commandais que les bouquets et les corbeilles les plus originaux et j'insistais pour que les roses soient livrées dans des vases en cristal.

Il décrivit son attention méticuleuse aux détails de l'enterrement de Linda, en me répétant l'importance qu'il avait attachée à la recherche d'un lieu de repos et avec quelle tendresse il avait composé l'inscription pour la plaque de la fontaine perpétuelle. Je montrai mon intérêt :

– Qu'est-ce que vous avez écrit ?

Il chercha laborieusement les mots justes, mais ne se les rappela pas.

– Allez-y donc vous-même... Vous verrez à quel point je la chérissais.

David m'assura qu'il se sentait encore très proche de Linda puisqu'ils avaient partagé le même intérêt pour la communication avec l'au-delà. Tous deux étaient férus de fantômes et de phénomènes psychiques.

– On y croyait tous les deux. On allait consulter les meilleurs médiums. Ils prédisaient que j'allais connaître une grande réussite en affaires et que je vivrais très vieux. Mais Linda... eh bien... deux d'entre eux ont pâli quand elle les a questionnés sur son avenir. Ils ne voulaient pas en parler. Le troisième a fini par lui dire qu'elle mourrait jeune et elle en est restée troublée... Je crois qu'elle a eu peur à la naissance de Krystal, parce qu'ils lui avaient annoncé qu'elle aurait une fille et que ça se réalisait.

Au bout de trois heures, convaincu de m'avoir gagné à sa cause, il me pressa d'enquêter pour lui, en commençant par ses parents.

— Ils vous diront quel genre d'homme je suis... Je n'ai jamais fait de mal à personne, je suis un non-violent... J'adore les femmes, je ne les tue pas !

J'avais déjà consacré vingt mois d'investigations fouillées à la mort de Linda Brown et aux autres crimes pour lesquels David avait été condamné. Rien de ce qu'il m'avait dit ne pouvait me faire douter de sa culpabilité. Mais je lui avais donné une chance de s'expliquer et j'avais espéré qu'en retour il m'offrirait peut-être une clef des raisons de son existence dénuée de toute conscience morale. Je ne pouvais qu'être déçue.

J'avais hâte de sortir du lieu où David Brown avait cru pouvoir se jouer de moi comme il avait toujours manipulé les autres. J'étais subitement pressée de quitter ce cagibi au mur aveugle et à l'air irrespirable.

Épilogue

Le plus dur à comprendre, pour les profanes, c'est que les criminels comme David Brown ne sont pas de simples malades. Quand on rencontre un de ces individus ou qu'on lit quelque chose sur d'atroces meurtriers, il est tentant de les classer dans la catégorie des déments. L'acte de cruauté délibéré paraît tellement difficile à accepter qu'on a tendance à douter de leur santé mentale. On a tort.

La sociopathie est sans doute la plus singulière des aberrations mentales. Dans une mesure plus ou moins grande, l'immense majorité des êtres humains sont en correspondance intuitive les uns avec les autres. Même des enfants de deux ans, comprenant que d'autres peuvent ressentir de la douleur, se disent : « Si ça me fait mal, ça peut te faire mal aussi... » Le sociopathe ne comprend l'empathie que de façon abstraite et n'en use que pour parvenir à ses propres fins. Mais il ne peut apparemment rien partager sur le plan des sentiments. Il ne peut se mettre à la place d'une autre personne : le concept lui est totalement étranger.

David Brown veut des femmes et de l'argent, de la considération et des biens matériels. Pour obtenir ce qu'il désire, il trahit ses parents, ses enfants et toutes ses épouses sans exception. Le 19 mars 1985 avant l'aube, il part en voiture tout en sachant que son épouse endormie sera morte à son retour. Il laisse condamner sa fille pour cet assassinat et offre comme bouc émissaire Patti, avec qui il se remarie avant de lui faire un enfant. Je suis certaine que, comme

447

l'a suggéré Robinson, Brown se serait aussi débarrassé de sa fille Krystal pour préserver sa liberté.

Il aurait sacrifié n'importe qui pour se tirer d'affaire, persuadé d'en avoir le droit. Quant à savoir s'il croit sincèrement « en valoir la peine » ou s'il ne cherche en réalité qu'à renforcer une estime de soi défaillante, la question reste à débattre.

En parlant aux psychiatres et aux psychologues, David a peut-être donné une version relativement fiable de ses débuts dans l'existence. Il a prétendu avoir subi des violences sexuelles de la part d'un « vieil homme dans un parc ». Je ne mets pas en doute ces mauvais traitements, mais ils devaient plus probablement venir d'un proche. Abuser d'enfants est un crime récurrent qui contamine des générations entières comme un virus.

Encore enfant, David assiste à la tentative de suicide d'une proche. Encore enfant, il travaille seul toute la nuit dans une station-service. Il en parle fièrement, comme d'un exploit, mais elles devaient être bien solitaires pour un enfant de onze ans, ces stations jusqu'à 4 heures du matin dans le désert.

David Brown avait une mère agressive, un père sans autorité, et pas de quoi s'acheter des vêtements. Une photo scolaire le représente un peu hagard, la bouche qui aurait eu besoin d'un appareil dentaire, les boutons de chemise dépareillés, la poche déchirée, mais les yeux confiants. Il paraît à peu près impossible d'établir un rapport entre l'enfant de 1960 et le manipulateur ventripotent de 1990. Et pourtant...

L'adolescent pauvre, le bénéficiaire de coupons repas et de l'aide publique était obsédé par le sexe et la richesse pour compenser ses carences. Sa puberté en fut tenaillée. Toute sa vie, il oscilla entre des périodes d'inhibition et des phases d'activités très spéciales.

Ses femmes sont toutes très jeunes, des adolescentes à peine nubiles. Brenda, son premier amour, incarne l'idéal féminin de David. Elle a quatorze ou quinze ans, elle est pauvre, dépendante, confiante, en adoration devant celui qui la tire du gouffre ; dès qu'elle devient un tant soit peu autonome, leurs rapports commencent à se dégrader.

Lori, sa deuxième femme, était douce, gentille, docile. Mais elle a dix-neuf ans quand David l'épouse, donc trop âgée pour lui.

Linda devait être à la fois la troisième et la cinquième épouse. Elle était parfaite, comparable à Brenda quand l'adolescent David l'avait élue. Mais Linda vieillit aussi et porta comme Brenda un enfant de David, ce qui le priva du privilège d'être son unique amour.

Tout comme Brenda et Linda, Patti voulait échapper à un triste foyer. Elle resta la parfaite esclave de David jusqu'à ce qu'elle finisse, elle aussi, par grandir et par devenir mère.

Betsy Stubbs, qui avait couché avec David la semaine où il fut arrêté, était une fille sans grâce, au maquillage criard et aux jupes trop courtes. Elle avait l'esprit plutôt lent et si peu d'amour-propre qu'elle s'était pliée aux caprices sexuels de David, avait-elle expliqué à Newell, car personne d'autre ne voulait d'elle.

Voilà le genre de femmes qui plaisaient à David. Si David Brown n'avait pas été arrêté, cet homme qui à trente-trois ans avait déjà convolé six fois aurait sans doute continué sa quête d'une nouvelle Brenda jeune. Il aurait vieilli, mais continué à élire ses compagnes parmi les adolescentes. À vrai dire, je le soupçonne de détester profondément les femmes. Sadiquement rancunier contre sa propre mère, il perçoit leur corps et jamais leur esprit.

Jeoff Robinson a attribué deux principaux mobiles au meurtre de Linda Brown : la luxure et la cupidité. Ce sont bien là les deux buts qui ont façonné la vie de David.

Il constitue le parfait sociopathe, à la fois narcissique et hypocondriaque. Le narcissisme est un désordre de la personnalité qui donne l'impression d'avoir tous les droits à un individu qui se croit supérieur. L'individu enclin à l'hypocondrie savoure l'intérêt qu'il suscite en se plaignant de maux imaginaires.

Un peu plus de trois pour cent des Américains et d'un

pour cent des Américaines se révèlent des personnalités asociales. Heureusement, tous ne deviennent pas des meurtriers, demeurant plutôt de vulgaires tricheurs, malhonnêtes en tout, de ces gens qui vous brisent le cœur et s'en vont sans le moindre repentir.

Ceux-là deviennent les politiciens qui bafouent les lois, qui se font arrêter et qu'on entend à la télévision tenter d'expliquer pourquoi les règles communes ne sont pas faites pour eux. Si nous ne les croyons pas, ils en semblent très sincèrement choqués. Ceux-là deviennent aussi les prédicateurs qui font fortune au nom de Dieu, qui transgressent les commandements mêmes qu'ils nous adjurent de respecter et qui, pris la main dans le sac, versent des larmes de crocodile en implorant notre pardon. Une fois absous, ils recommencent de plus belle.

Et puis il y a les David Brown, ceux qui franchissent aisément les limites séparant les briseurs de cœurs et les escrocs sans scrupule des authentiques meurtriers. Une telle personnalité reste dénuée de toute conscience, situation si étrangère à la plupart d'entre nous qu'elle s'avère très difficile à saisir.

Le sociopathe ordinaire laisse son passé croupir derrière des portes mentales bien verrouillées. En revanche, le sociopathe sadique, le tueur, semble manifester un curieux sens du rituel, voire du respect pour la mort. Peu importe qu'il en soit responsable, il se donne beaucoup de mal pour sauvegarder les apparences. De magnifiques obsèques, une stèle ou une tombe jonchée de fleurs paraissent l'aider à tourner la page, surtout quand elle est frappée d'une épitaphe du genre :

Oui, je t'ai tuée, il le fallait, mais tu as eu un bel enterrement.

Oui, je t'ai tuée, mais j'ai gravé ton nom afin que nul ne t'oublie.

Oui, je t'ai tuée, mais je conserve ta photo dans mon portefeuille.

Après la condamnation de David, Jay Newell était allé au cimetière où les cendres de Linda avaient été ensevelies.

Elles se trouvaient dans une fontaine, comme David l'avait dit. Il y avait ménagé deux cavités avec deux emplacements voués à recevoir des plaques commémoratives. Celle du haut mentionnait simplement : « Linda Brown, 1961-1985 », le tiret unissant les deux dates étant remplacé par une colombe. La plaque inférieure arborait des mots que David avait oubliés lors de notre entretien :

« Ton amour, ta générosité, ta gentillesse et ta beauté brilleront éternellement. Tendrement, Krystal et David. »

Comme il manque aux personnalités asociales quelque chose d'aussi vital que le souci d'autrui, ils y substituent souvent des symboles. Il leur arrive de se passionner pour l'astrologie, la chiromancie ou le spiritisme, voire, à l'instar de David Brown, de se prendre pour un phénix alchimique.

Le lendemain de la mort de Linda, David demanda à l'agent Alan Day de lui apporter un « crucifix », mais je crois qu'il espérait plutôt son pendentif rappelant que la colombe périt mais que le phénix survit à jamais. David lui aussi est un perpétuel survivant, qui renaît et retrouve son énergie dans les cendres de ses échecs. Il n'accepte aucun reproche et, par conséquent, ne change jamais, ne conçoit même aucune raison de changer. Tout sentiment de culpabilité l'épargne, il ne fait pas de cauchemars, ne tire pas de plans trop précis sur la comète. Et, si ses gardiens manquent de vigilance, il s'envolera demain librement, une fois de plus en vainqueur.

Le 28 novembre 1990, David fut transféré de la prison de Chino, en Californie, où il subissait des tests et des examens, à celle de New Folsom, à Sacramento, qui bénéficie des systèmes de sécurité les plus perfectionnés de Californie. Enfermé pour sa propre protection, il y restera le matricule E-70756.

L'entreprise Data Recovery fonctionne toujours, puisqu'un bureau de Chicago répond en son nom au téléphone et vire toujours de l'argent au crédit de David Brown.

Patti Bailey sortit de prison lorsqu'elle eut vingt et un ans. Après une longue lutte, elle récupéra la garde de sa fille Heather, donna naissance à des jumeaux, et épousa un homme déjà père de famille.

Richard Steinhart et sa femme Pat ont placé leur confiance en Dieu. Il se fait maintenant appeler Liberty. Il a guéri « miraculeusement » de son sida et répond au standard d'un centre antidrogue. Il prend souvent la parole dans le cadre de sa campagne de protection des jeunes contre les erreurs qu'il a jadis commises. Il distribue des bibles, plein d'entrain, d'humour et d'amour.

La femme de Newell, Betty, a eu la curiosité de m'accompagner pour faire la connaissance de ce nouveau Liberty. Après une heure de conversation, elle a osé lui demander :

– Vous vouliez vraiment abattre mon mari ?

– J'étais comme ça, à l'époque, oui... J'aurais pu lui mettre une balle dans la nuque.

Il ne se faisait guère d'illusions sur David :

– Il sera toujours dangereux, il saura toujours trouver quelqu'un pour faire ses quatre volontés, s'il a assez d'argent ou s'il persuade un autre détenu.

Jeoff Robinson a prononcé maints réquisitoires depuis ce procès mémorable. Avec Jay Newell, il a revu les jurés du procès de David au restaurant Bennigan's, devant lequel Tom Brown avait payé le prix du double assassinat. Marié et père de famille, il exerce aujourd'hui dans le privé.

Jay Newell fut blessé dans l'exercice de ses fonctions et quitta le bureau du district attorney. Il réserve désormais ses enquêtes au cabinet de Jeoff Robinson.

Fred McLean s'entraîne toujours pour un marathon. Sa femme Bernie et lui ont maintenant un petit-fils. Ayant remarqué les lunettes rayées de Patti Bailey au procès, il lui en a offert des neuves afin qu'elle voie plus clair.

Cinnamon Brown a suivi des cours sur l'anthropologie culturelle, la démocratie américaine et l'art.

Longtemps elle a rêvé de son avenir tout en le redoutant. Son passé lui inspirait de nombreux regrets. Par bien des côtés, elle se jugeait plus mûre qu'elle ne l'aurait été en liberté. Elle avait reconquis l'estime d'elle-même et se souciait beaucoup de ses cadettes :

– Un jour, une copine m'a confié que son tuteur légal la serrait de trop près. Je lui ai prêté mon magnétophone en lui conseillant d'enregistrer ce qui se passait pour avoir une preuve de ce qu'elle rapporterait aux autorités. Je suis fière d'avoir pu aider cette fille à se tirer d'un mauvais pas. Moi, c'est Jay Newell qui m'a le plus soutenue, avec Jeoff Robinson et Fred McLean. Je leur suis reconnaissante de m'avoir rendu confiance en moi.

Après la condamnation de David, Cinnamon lui avait envoyé le texte du *Notre Père* et une formule de contrition catholique. Elle y avait ajouté ces mots : « Papa, j'espère sincèrement que tu vas lire cela et te rappeler qui te l'a envoyé. Je t'aime et je pense que ce texte apportera de l'espoir dans ta vie. Toujours tendrement, Cinny. »

Cinnamon savait qu'elle devait se détacher de son père, que trop de ressentiment la démolirait. Selon ses propres termes, elle considérait désormais sa mère, Brenda, « comme son épine dorsale ».

Enfermée dans la même prison que Patti, elle ne se sentait pas pour autant proche d'elle.

Cinnamon avait appris à ne pas trop espérer.

– À mon retour chez moi, disait-elle, je veux aller à Disneyland, l'endroit le plus heureux du monde, et visiter le zoo de San Diego. J'adore les bêtes. Je veux apprendre à conduire et acheter une voiture. J'en ai toujours eu une peur que je ne pensais pas dominer.

« Je veux trouver un emploi et commencer à vivre en société, partager les problèmes de mon environnement. J'aimerais découvrir les choses... Au bout d'un moment, quand je me sentirai bien, j'aimerais reprendre contact avec Krystal, ma petite sœur. Ma famille paternelle m'a rejetée après l'arrestation de papa et ça me fait mal de ne plus exister à leurs yeux.

Tout en souhaitant retrouver sa liberté, Cinnamon avait peur du monde extérieur. À vingt ans, elle n'avait guère eu de contacts avec des garçons, rien qui aille plus loin que se tenir par la main. Ce qui ne l'empêchait pas de reconnaître :

– Je ne suis pas mal, ici. Parfois, je suis tellement absorbée que j'oublie qu'il y a un ailleurs. Je m'inquiète d'être protégée contre mon père, je m'inquiète à la pensée d'apprendre à conduire, je m'inquiète de ne pas avoir le temps de rattraper le temps perdu avant qu'il m'arrive autre chose d'horrible. Il y a eu tant de changements depuis que j'étais dehors que je crains d'y être égarée...

« Je serai différente des autres. J'ai grandi en prison. Comment les gens me verront-ils ? Me traiteront-ils comme une criminelle ? Me fera-t-on confiance ?

En fin de compte, Cinnamon Brown a fait vœu de ne jamais oublier sa victime :

– Il est important pour moi qu'on sache que j'ai honte de ce que j'ai fait à Linda. C'est très douloureux de savoir que je lui ai volé sa vie et j'y pense constamment. Je la pleure et je prie souvent pour elle, parce que je l'aimais.

« Ce qui me fait le plus mal, c'est le fait que je l'aimais et que ça ne m'empêchait pas de croire les mensonges de mon père... Linda n'a jamais été la personne que décrivait mon père. S'il m'était donné de faire réaliser un vœu, mon seul souhait serait qu'elle revienne parmi nous. Vivre avec le souvenir de sa mort, infligée de ma propre main, me fait horreur. Elle avait confiance en moi, elle m'aimait, je la sentirai toujours près de moi pour me rappeler ce que j'ai fait.

« J'ai appris à apprécier tout ce qui nous est offert, que cela paraisse bon ou mauvais. J'ai choisi le côté positif, mais j'ai compris ce qui est mal. Je suis sûre que tout le monde n'est pas de la mauvaise herbe. Malheureusement, mon père en était une...

Cinnamon Brown est sortie de prison en 1992. Il lui a fallu du temps pour s'intégrer à un monde dont elle avait été exclue, mais les policiers qui l'avaient arrêtée une nuit de 1985 l'ont aidée dans sa réinsertion. Comme elle le souhaitait, elle a appris à conduire et a obtenu un emploi. Elle s'est mariée, a un charmant petit garçon et occupe un poste important dans une grande entreprise.

David Brown est toujours incarcéré à la prison de New Folsom, en Californie du Nord. Il y entretient une relation épistolaire amoureuse avec une femme qui correspond avec lui pour lui témoigner son soutien.

Il n'y a jamais de dénouement simple et heureux dans une affaire criminelle. Dans le meilleur des cas, la justice finit par ressembler à l'équité.

Remerciements

Plus peut-être que la plupart des écrivains, les auteurs de thrillers authentiques sont tributaires des souvenirs et témoignages des protagonistes de l'histoire qu'ils racontent, et sont sensibles à la gentillesse comme aux encouragements pendant leur immersion dans l'esprit d'un sociopathe. Ma reconnaissance va à tous ceux qui m'ont restitué la vérité, ainsi qu'aux personnes qui m'ont aidée à la remettre en perspective. Merci aux habitants du comté d'Orange qui ont pris le temps de me confier leurs impressions. Comme toujours, mon comité de soutien personnel m'a épaulée tout au long de la rédaction de ce récit.

Je remercie les personnes suivantes :

Au département de police de Garden Grove, l'inspecteur principal John Robertson, les inspecteurs Fred McLean, William Morrissey, Ron Shave, l'experte en médecine légale Marsha McWillie.

L'adjointe du médecin légiste du comté d'Orange Bernice Mazuca.

Au bureau du district attorney du comté d'Orange : le DA Michael Capizzi, le substitut Jeoffrey Robinson, l'enquêteur Jay Newell, le subsitut Tom Borris, le chef du bureau des enquêteurs Loren « Duke » DuChesne, son assistant Vince Vasil et sa femme Lou Vasil, l'enquêteur chef Jim Aumond, le substitut Jim Enright, l'assistant du DA Ed Freeman, le conseiller technique Greg Gulen, Annabelle Roberts, Anne

Leonard, Debbie Jackson, Karen Keyes, LaVonne Campbell, Edna Selleck et Roxanne McDonald.

Au département 30 du tribunal du comté d'Orange : le juge Donald A. McCartin, la greffière Gail Carpenter, la chroniqueuse judiciaire Sandra Wingerd, l'huissier « Mitch » Miller, le capitaine Glenn « Hoop » Hoopingarner.

Les avocats de la défense Gary Pohlson et Richard Schwartzberg.

Eric Lichtblau et Jerry Hicks du *Los Angeles Times* ; Jeff Collins du *Orange County Register* ; Dave Lopez de CBS-Channel 2 Los Angeles ; Barney Morris d'ABC, Channel 7, Los Angeles.

Un grand merci aussi à : Brenda Sands, Doris Smith, Janell Wheeler, Anita Sands, Gary Miller, Otis et Cecil Fox, Betty Jo Newell, Rita et Mark Robinson Sr., Derek Johnson, Sandy et Gene Walsh, Katie, Brad, Torrie et Chrissie Walsh, Cheryl Goodman, Teri Blanchard, Rita Nugent, Fred Land, Don Lasseter, Courtney Michelle, Jan E. Elinsky, Larry T. Nakashima, Meghann Shane, Deborah Duke, Virginia Newell, Beatrice Munoz, Ebba « Sunny » Cole, Joey Moscatiello et toute la famille du restaurant El Pepino's à El Toro, Jimmy Buffet, Stephen M. Lopez, Rick Watkins, Pamela Starns, David Miller, Donna Nichol, Mary Bailey, Rick Bailey, Alan Bailey, Valerie Bailey, Ethel Bailey et au Comité de l'aide à l'enfance du comté d'Orange.

L'aide incommensurable de Donna Anders et de ma fille Leslie Rule m'a permis de reconstituer l'atmosphère du procès dans ses moindres détails. Leslie a aussi pris des centaines de photographies au cours du procès et dans le comté d'Orange.

Merci aussi à Marlene Price, Mike Rule, Jennifer A. Gladwell, Cheri Luxa, Jerry Brittingham, Mike Prezbindowski, Tina Abeel, Laura Harris, Becca Harris, Brian Halquist, David Coughlan, Luke et Nancy Fiorante, Mildred Yoacham, Eilene Schultz, Lars et Debb Larson, Maureen et Bill Woodcock, Ruth et Vernon Cornelius, Dr Peter J. Modde, Austin et Charlotte Seth, Dr Carl Berner et tout son personnel, Andy Rule, S. Bruce Sherles, Forrest Schultz, Ann et Chris Jaeger, et Mlle Haleigh Jean Jaeger, qui est née le jour où la dernière ligne de ce livre fut écrite.

Merci à ma mère, Sophie Hansen Stackhouse, qui m'a laissée aller jusqu'au bout de mes envies sans jamais me couper les ailes, et à tous les membres du clan des Danois du Michigan qui m'ont ouvert la voie : feu le shérif du comté de Mountcalm Chris Hansen, feue Anna Hansen, feue Amelia Hansen Mills, feu le shérif de Mountcalm Elton Sampson, Emma Hansen McKenney, le médecin légiste de comté de Mountcalm Carl N. Hansen, Freda Hansen Sampson Grunwald, Donna Hansen Basom, l'avocat général du comté de Mountcalm Bruce Basom, Jan Basom Schubert, la greffière du tribunal du comté de Calhoun Sarah Jane Plushnik, Chris L. McKenney, Karen Hudson, Jim Sampson, Christa Hansen, Terry Hansen. L'amour de la loi et, plus encore, la soif de justice coulent dans toutes nos veines.

À New York, j'ai eu le bonheur de travailler avec un éditeur brillant, patient et incisif, Frederic W. Hills et son assistante, toujours gaie et efficace, Daphne Bien, ainsi qu'avec Burton Beals, qui a corrigé sans complaisance mon manuscrit.

La parution de ce livre coïncide avec le vingtième anniversaire d'une collaboration avec les deux meilleurs agents qui soient : Joan et Joe Foley.

Enfin, j'exprime ici ma profonde reconnaissance à Matthew Noel Harris qui exhuma en un clin d'œil le chapitre 24, englouti quelque part dans les entrailles de mon ordinateur.